Lilli Dorgerloh

Thornforest

Trage meine Liebe

novum ⬖ pro

Dieses Buch ist auch als
e-book
erhältlich.

www.novumverlag.com

Bibliografische Information
der Deutschen Nationalbibliothek:

Die Deutsche Nationalbibliothek
verzeichnet diese Publikation in
der Deutschen Nationalbibliografie.
Detaillierte bibliografische Daten
sind im Internet über
http://www.d-nb.de abrufbar.

© 2021 novum Verlag

ISBN 978-3-99107-570-7
Lektorat: Katja Wetzel
Umschlagfotos: Pablo Caridad,
Aitthiphong Khongthong | Dreamstime.com
Umschlaggestaltung, Layout & Satz:
novum Verlag

Gedruckt in der Europäischen Union
auf umweltfreundlichem, chlor- und
säurefrei gebleichtem Papier.

www.novumverlag.com

- 1 -

Lily

Niemand hat jemals ein so freies und fröhliches Leben gelebt wie sie. Die Sonne schien auf ihr Gesicht und es war schwer das Lachen des kleinen Mädchens zu übersehen. Die Hängematte schaukelte im lauen Sommerwind und der Himmel malte Bilder aus den vorüberziehenden Wolken. Sie lief noch etwas wackelig über die Wiese und spielte mit sich selbst Verstecken hinter den Kirschbäumen. Ab und zu fiel sie hin, ihre kurzen Beine knickten noch oft weg, aber sie genoss das Leben, was sie noch vor sich hatte. Auf der Terrasse war der Tisch eingedeckt. Vier Plätze, ein Kuchen mit einer Kerze darauf. Sie war frühreif für ihr Alter. Das wussten ihre Eltern, doch blitzte der Stolz in ihren Augen auf, als sie ihre Tochter sahen, wie sie vor ihrem eigenen Schatten davonlief.

Es hätte nicht schöner sein können, das idyllische Anwesen, vor dem alle Menschen stehen blieben. Sie sagten oft, ein Kind, das so aufwächst, kann nur ein glückliches Leben haben. Wie recht sie hatten. Die Schmetterlinge setzten sich auf ihre Nasenspitze und sie musste niesen. Wieder lachte sie und machte mit diesem zauberhaften Lachen aller Welt Konkurrenz. Der Teich, der am Ende von der Wiese lag, war mit Seerosen übersät und man konnte Frösche hören. Sie ahmte die Geräusche nach. Nichts und niemand hätte dieses Bild zerstören können. Ein Baby, das gerade durch die Tür ging, um ein kleines Mädchen zu werden, ihre Eltern, die vor Stolz nicht wussten, was sie sagen sollten. Und ein Mann, der abseits stand. Schweigend, er sollte dazugehören, ihm gehörte der vierte Platz am Tisch. Auch er zeigte seine Aufmerksamkeit dem kleinen Mädchen, jedoch war er allein. Er konnte nicht dazugehören, er war so anders. Die Harmonie der Familie wurde von einem so kleinen Menschen zusammengehalten, denn – das sah man auf den ersten Blick – es gab keine Liebe zwischen den Menschen, die das Mädchen bewunderten.

Sie war wirklich etwas Besonderes, wie sie über die Sommerwiese lief und mit jedem Lachen Liebe in die Luft warf. Liebe, die diese Familie brauchte. Und das, obwohl es vielleicht nicht sofort danach aussah. Der Mann grinste, und wenn man ihn genauer betrachtete, konnte man sehen, dass auch er vor Stolz platzte, es aber nicht zeigen konnte. Er hätte es so gerne gezeigt, doch ihm stand nur der vierte Platz am Tisch zu. Niemand hatte ihn nach seiner Meinung gefragt.

Und obwohl es nicht perfekter hätte sein können, konnte man mit jeder Sekunde mehr sehen, dass ein Fluch auf dieser Familie lag. Ein Fluch, der sie in ein schwarzes Loch zog. Doch konnte man nicht sehen, wieso diese Familie so zerbrochen war.

Das kleine Mädchen lief ein weiteres Mal durch die dicht stehenden Kirschbäume und verschwand in den gigantischen Schatten, welche die Bäume warfen. Die Sonne versteckte sich hinter einer riesigen Wolke und die Harmonie zerbrach, sobald das Mädchen nicht mehr in Sichtweite war.

Die Eltern hörten einen Schrei, hoch und schrill. Und auch der alte Mann hörte ihn, nur hörte er ein Brüllen hinterher. Er lief los. Den Bäumen entgegen, die das kleine Mädchen kurz zuvor verschluckt hatten. Er fand sie weinend auf dem Boden sitzen. Sie schaute in die Büsche, als hätte sie etwas gesehen. Der alte Mann wusste, dass sie etwas gesehen hatte. Er hob sie hoch und trug sie zurück zu den besorgten Eltern. Die junge Frau kam auf ihn zu und riss ihm ihre Tochter aus dem Arm. Sie funkelte ihn böse an, mit Augen, die der Nacht gehörten. Sie verschwand im Haus, zusammen mit dem Mädchen, das augenblicklich aufgehört hatte zu weinen, als der alte Mann sie hochgehoben hatte.

Die beiden Männer sahen sich in die Augen. Zwei Augenpaare, die nicht hätten identischer sein können. In beiden war eine Leere zu sehen, die nicht gefüllt werden konnte. Der junge Mann drehte sich ebenfalls um und ließ seinen Vater dort stehen.

Allein stand er da. Er blickte auf den Boden und bemerkte das Buch, welches er gefunden hatte, als er sie zurückgeholt hatte. Ein nicht ganz gewöhnliches Buch. Doch er kannte es und eine Träne tropfte auf den Titel.

Die Menschen sagten oft, ein Kind, das so aufwächst, kann nur ein glückliches Leben haben.

Wie unrecht sie hatten …

Sie wachte auf. Es war nur ein Traum, nicht real und voller Fantasie. Und doch kam er ihr vertraut vor, sie kannte ihn. Sie träumte gerne, aber war es normalerweise so anders als heute. Heute erwachten Erinnerungen in ihr. Sie kannte die Geschichte, oder dachte zumindest, sie zu kennen.

Die Sonne und der Garten, das alles war echt, nur nicht heute. Es waren Bilder der Vergangenheit. Die Familie, zerstritten. Es passte.

Nur heute war niemand mehr da und sie fragte sich, was aus ihrem Leben geworden war. Warum träumte sie von Erinnerungen, die sie an die schöne Zeit zurückdenken ließ? Die Zeit, die jetzt nicht mehr ist. Sie wurde traurig.

KAPITEL 1

Lily

Grandpa sagt immer, Märchen wurden geschrieben, damit man sie nicht glaubt. Sonst würden sie nicht Märchen heißen. Ich weiß, dass Grandpa schon alt ist und oft Unsinn redet, aber in dieser Sache vertraue ich ihm. Grandpa ist ein Märchenbuch auf Beinen und ich liebe es ihm zuzuhören, auch jetzt noch, obwohl ich schon fast 17 Jahre alt bin. Ich glaube, niemand auf der Welt ist so von seinem Grandpa abhängig wie ich …

Ich war 9 Jahre alt, als es passierte. Es kam so unerwartet, dass es nicht mal das Ende eines traurigen Märchens sein konnte. Meine Mum und mein Dad waren Wissenschaftler und Historiker. Sie interessierten sich für alles, was vor unserer Zeit passierte. Grandpa sagte immer, sie lebten in der Vergangenheit. Sie glaubten nur das, was sie auch selber beweisen konnten, und Märchen waren für meine Eltern der größte Schwachsinn in der Geschichte der Menschheit. Nach fast fünf Jahren mit Grandpa zusammen, hielten meine Eltern es nicht mehr mit ihm aus. Ich hörte Mum mit Grandpa streiten, jeden Tag schrie sie ihn an und manchmal hatte ich das Gefühl, sie hätte vergessen, dass er immer noch zur Familie gehört. „Ich habe gesagt, keine Märchen mehr oder ich verbiete dir, mit ihr zu reden!!!!", rief sie eines Abends, als ich eigentlich schon schlafen sollte. „Aber es macht ihr Spaß, oder Lily??", fragte er mich, als er sah, dass ich im Türrahmen stand, mit einem Märchenbuch in der Hand. „NENN SIE NICHT LILY!", brüllte Mum. „Sie heißt Olivia!" Es war kaum zu glauben, doch am nächsten Morgen packte Dad alles, was wir hatten, ins Auto und wir fuhren weg. Ohne ein Wort an Grandpa setzten sie sich mit mir ins Auto und fuhren einfach weg. Sie ließen meinen Grandpa einfach allein zurück. Allein auf einem riesigen Anwesen, worin die Familie McWheel schon immer gelebt hatte. Meine Kindheit hier war einfach ein Traum und wir vier lebten hier schon fast wie eine richtige Familie, bis meine Eltern gingen – mit mir und ohne Grandpa. Das hatte ich ihnen nie verziehen, denn seit diesem Tag habe ich für eine sehr lange Zeit nichts mehr von ihm gehört.

Doch an dem Tag, als Mum und Dad nach Ägypten reisten, um sich mit dieser Geschichte zu befassen, wurde Grandpa zum Hauptbestandteil meines Lebens. Sie waren in einer Pyramide, natürlich mit Sicherheitsleuten. Doch als einer der Sicherheitsleute die Kontrolle verlor, brach wirklich alles zusammen. Sie gingen einen instabilen Gang entlang, als sich über ihnen die Decke löste. Elf Leute wurden verschüttet und nie wiedergefunden. Auch meine Eltern nicht! Ich hatte nie die Gelegenheit bekommen, mich zu verabschieden …

Ich war sehr lange traurig, allein, am Erdboden zerstört und wusste nicht, was ich mit mir anfangen sollte, bis sich mein geliebter Grandpa wieder meldete und mich mitnahm zu sich nach Hause, auf das Anwesen meiner Kindheit.

Ich heiße Lily. Lily Charly McWheel. Ich wohne jetzt seit fast neun Jahren bei meinem Grandpa in der Nähe von Edinburgh, in Blackford, Schottland. Nein, eigentlich heiße ich Olivia Charlotte McWheel, aber seit ich vier bin, nennt Grandpa mich nur Lily. Er meinte immer, es klänge magischer, wie in einem Märchen. Er sah die Dinge oft anders als gewöhnliche Menschen. Manchmal denke ich, Grandpa kommt aus einer anderen Welt, er hat so etwas Magisches an sich. Aber ich liebe ihn, denn er ist die einzige Person auf der Welt, die sich wirklich um mich kümmert, die mich tröstet und die mich versteht. Ich sage immer, Grandpa ist ein Träumer.

* * *

Gestern Nacht war wieder so eine Nacht, in der ich hätte heulen können. Ich lag in meinem Bett bei Grandpa im Haus, mein

Zimmer ist im 1. Stock direkt neben dem Badezimmer und dem Fernsehzimmer von Grandpa. Ich finde die Lage perfekt, weil ich genau 8 Sekunden brauche, um ins Bad zu kommen und nochmals 8 Sekunden, um zurückzukommen.

Was bedeutet, dass ich es unter 30 Sekunden schaffe, auf die Toilette zu gehen, wenn ich mich beeilte. Das ist jetzt nichts Außergewöhnliches, aber ich bin in jeder Hinsicht der unpünktlichste Mensch auf der ganzen Welt, meistens, und wenn ich meine Zeit für den Gang ins Badezimmer verschwenden würde, dann würde ich noch mehr Zeit verlieren, als ich sowieso schon tat. Ich glaube, irgendwann wird einem die Zeit zum Verhängnis und für eine unpünktliche Person kann das noch schlimmere Folgen haben, als für jede andere. Wahrscheinlich habe ich das auch von Grandpa, wie vieles.

Außerdem kann ich abends gut zuhören, was Grandpa so für ein Programm guckt und wenn es mich interessiert, dann lehne ich meinen Kopf einfach dicht an die Wand. Mein Zimmer ist das zweitgrößte Zimmer im ganzen Haus und ich habe alles, was ein fast 17-jähriger Teenager so braucht: Ich habe einen Schreibtisch, obwohl ich den eigentlich überflüssig finde, weil ich sowieso nicht lerne, einen zweiten Tisch, wo ich meine Modeentwürfe zeichne – Ich liebe designen, fast so sehr wie Märchen. Und ein überdimensional großes Bett, in dem ich mich manchmal selbst verliere.

Ich verliere ständig Sachen, meistens Dinge, die man für die Schule braucht. Genau dann, wenn wir ein bestimmtes Arbeitsblatt brauchen, habe ich es nicht dabei, obwohl ich schwören könnte, dass es einen Tag zuvor auf meinem Bett oder so lag. Einige Male musste Grandpa deswegen sogar in die Schule kommen, um mit meiner etwas merkwürdigen Klassenlehrerin Mrs. Judy zu reden, wie vergesslich ich doch sei.

Mrs. Judy ist ein kleines bisschen komisch; Jane Judy heißt meine Lehrerin, wenn man mich fragt, ein sehr unpassender Name für eine fast 60-jährige alte Dame. Mrs. Judy trägt ausschließlich die Farben Rosa und Beige, riecht nach Ingwer oder so und hat strubbeliges, kurzes braunes Haar. Rosa und Beige, für meinen Geschmack nicht gerade die optimale Kombination. Aber egal, Grandpa muss immer lachen, wenn er mit ihr redet und das kommt oft vor.

Wir haben eine Strichliste gemacht, wie oft wir schon in die Schule mussten, um mit ihr über mich zu reden. Ich sag nur so viel, sie ist ziemlich lang …

Mrs. Judy gehört auf jeden Fall auch zu denen, die Märchen für den größten Unsinn der Geschichte halten. Vielleicht hasst sie mich ja deswegen so sehr!

Gestern Nacht konnte ich ziemlich schlecht schlafen, ich kann oft nicht gut schlafen, einfach weil ich viel zu reale Träume habe und auch letzte Nacht wieder von meinem Unterbewusstsein durch eine irreale Welt gejagt wurde. Immer wenn ich es schaffe, mich aus dieser ebenfalls irrealen Folter zu befreien, befinde ich mich in meinem gigantischen Bett, nass geschwitzt und voller Angst vor dem Wieder-Einschlafen. Das hört sich ziemlich kindisch und albern an, ich wusste es genauso gut wie jeder andere. Aber es war echt und meine Träume waren auch nicht so, wie gewöhnliche Träume. Sie waren Reflektionen, kleine einzelne Szenen aus meiner Vergangenheit und sie ließen mich immer wieder in dieses schwarze Loch fallen, aus dem ich seit so vielen Jahren probiere herauszukommen. Aber genau wegen diesen Träumen lebte ich in der Vergangenheit, zumindest nachts, und meine Vergangenheit ist keine Zeit, in der man gerne leben möchte …

Um mich wieder in die Gegenwart zu ziehen, lese ich oft mein riesiges Märchenbuch, das ich von Grandpa zum 4. Geburtstag bekommen habe. Vor mir hat es Dad gehört, obwohl er immer gesagt hat, er habe es nicht einmal aufgemacht. Dafür sah es zwar schon ziemlich mitgenommen aus, aber ich habe Dad nie danach gefragt, ob er als Kind auch Märchen gelesen hat. Grandpa sagt ja, er glaubt, Dad habe seine Leidenschaft für Legenden und Märchen wegen Mum aufgegeben, und ist auch nur wegen ihr Wissenschaftler geworden. Ich glaube, Grandpa hat recht, wie fast immer; Mum mochte Grandpa nie besonders, obwohl er sich immer bemühte ihr alles recht zu machen. Dad liebte Mum wohl so sehr, dass er mit der Zeit vergaß, seinen Vater zu lieben. Warum er so etwas vergessen konnte, wusste ich nicht.

Grandpa war nach dem Tod meiner Eltern selber so traurig, wie ich ihn noch nie gesehen habe. Nicht mal bei Grandmas Tod. Zumindest sagt er das. Ich war noch gar nicht auf der Welt gewesen, als meine Grandma gestorben ist. Ich wusste nichts über sie, nur ihren Namen: Anne. Mehr habe ich meinen Großvater nie gefragt, weil ich Angst hatte, wie er reagieren würde. Ich mochte es nicht, wenn er traurig war. Ich mochte es generell nicht, wenn erwachsene Menschen weinen oder ihre Trauer und ihren Schmerz zeigen. Dann sieht man immer, wie klein und zerbrechlich sie eigentlich doch sind, und dass die Stärke und die Unverwundbarkeit auch nur eine Fassade darstellen. Ein Schild, hinter dem sie sich verstecken können, bis zu dem Moment, in dem die Kraft nicht mehr ausreicht und sie es fallen lassen. Dann sieht man das wirkliche Gesicht und das macht die ganze Sache dann noch trauriger und grausamer, als es generell schon ist.

Ich las dieses große, braune Buch immer und ich habe noch nie ein anderes gelesen. Vielleicht, weil es Dad gehörte. Vielleicht erinnert es mich an ihn. Besonders dieses eine Märchen. Es war magisch:

Thornforest's Legend

Um das Jahr 1800 rum, lebte irgendwo in Schottland, in den tiefsten Wäldern, wo niemand auch nur einen Fuß hineinsetzte, ein sehr wohlhabendes Ehepaar.

Sie lebten in diesem Wald, genau zwischen zwei großen Hügeln stand ihr Schloss. Das war das Anwesen der McDobbin-Familie, die schon seit hunderten von Jahren dort lebten und die Außenwelt wohl nur von Bildern kannten. Doch sie waren glücklich dort und hatten nie mit dem Gedanken gespielt, ihren Wald zu verlassen.

Die McDobbins heirateten, alleine und nur für sich und sie bekamen Kinder. Das älteste Kind war mittlerweile eine schüchterne Frau, die sich wohl kaum danach sehnte, ihr Zimmer jemals zu verlassen, um die Welt zu entdecken …

Das zweite Kind war das genaue Gegenteil zu ihrer Schwester. Mit der Zeit wurde die jüngere Tochter arrogant und selbstverliebt und so kam es, dass sie eines Tages zu ihrer großen Schwester ging und sie stark provozierte. Die ältere Tochter war Kontakt zu Menschen nicht gewohnt und wusste nicht, wie sie mit der Situation umzugehen hatte: Sie erstach ihre eigene Schwester in ihrem Zimmer …

Die Familie wusste nicht, was zu tun war, die Eltern waren überfordert und sperrten das Mädchen in ihrem Zimmer ein. Doch das Mädchen konnte nicht länger alleine sein und verzweifelte an ihrem schlechten Gewissen, bis sie eines Tages tot im Schlossgarten aufgefunden wurde, der sich unter ihrem Balkon befand.

Gefunden hatte sie ihr jüngerer Bruder, der total geschockt von dem Handeln seiner Schwester war. Aus diesem Grund entschloss er sich dazu, nicht in diesem Wald zu bleiben. Er hatte Angst vor dem Alleinsein und so wanderte er hinaus aus dem Wald, mit der Entschlossenheit, etwas Großes zu bewirken und die Welt zu verbessern.

Er ließ seine Eltern zurück, allein mit dem letzten Sohn. Seine Eltern waren krank vor Sorge, dass auch dem älteren Sohn etwas passiert in der großen Welt und deswegen versprach der Sohn ihnen, sie zu besuchen, wenn er in der Gegend sei.

Doch sobald der ältere Sohn einen Fuß aus dem Wald setzte, gab es kein Zurück. Dornen wuchsen immer höher und es war kein Durchkommen für jeden, der in den Wald zu dem Anwesen wollte.

Es vergingen viele Jahre, ohne dass die Eltern je von ihrem abenteuerlustigen Sohn etwas hörten. Sie waren sich ganz sicher: Er musste gestorben sein …

Ihr letzter verbliebener Sohn musste, ob er wollte oder nicht, daheim auf dem Anwesen bleiben und die Eltern bauten eine Mauer um das Schloss, sodass ihr Sohn wohlbehütet aufwachsen konnte!

Doch der Sohn war neugierig und durchforschte das ganze Schloss. Er kannte jeden Winkel und jedes Geheimnis. Doch sein Leben wurde von Tag zu Tag langweiliger. Er wurde ein junger Mann und war sehr gebildet. Schließlich fing er an zu lesen und studierte alles, was er in der Schlossbibliothek auffinden konnte.

Die Jahre vergingen und er fragte sich, wozu er lebte, doch aus Liebe zu seinen Eltern blieb er und tat so, als ginge es ihm gut.

Immer öfter lag er in seinem Zimmer, dachte nach, was noch kommen wird …

Mit einem Mal fiel ihm etwas auf, etwas, was er vorher nie wahrgenommen hatte. Eine winzige Tür, hinter einem seiner großen Kleiderschränke. Obwohl er jeden Winkel kannte, hat er sie noch nie gesehen, oder auch nur wahrgenommen.

Er schob alles beiseite und fand etwas Unglaubliches: Eine Art Thron, einen aus Holz gemachten Stuhl, der auf eine ganz besondere Art majestätisch wirkte. In diesem Thron lag ein Buch, es sah mitgenommen aus, und die Schriftzeichen auf dem Buchdeckel waren verstaubt.

Der junge Mann, fing an in diesem Buch zu blättern, er studierte den Thron der offensichtlich mit dem Buch verbunden war.

Doch er hielt es geheim, er war sich nicht sicher, ob sein Vater etwas von dieser Tür, die für ihn in eine andere Welt führte, wusste und er wollte es für sich behalten. Sein Projekt wuchs, er lernte eine ganz neue Sprache, er war ganz vertieft in die Arbeit, die Runen zu entziffern. Doch dann, ganz plötzlich verstarben seine Eltern, sie waren alt und schwach. Der einzig verbliebene war nun der jüngste Sohn der McDobbins!

Liam-Cormac Will McDobbin. Er blieb allein zurück. Allein in einem Wald, in den niemand auch nur einen Fuß hineinsetzen konnte …

Meistens schaffte ich es bis zu der Stelle und schlafe dann doch ein, dieses Märchen ist mein absolutes Lieblingsmärchen, es hat irgendetwas Realistisches, es ist so anders als alle anderen Märchen, die ich von Grandpa kenne. Er erzählt eigentlich immer gerne etwas über gruselige Kreaturen, so eine Art Fabelwesen, sie faszinieren mich total!

Aber heute konnte ich zu diesem Zeitpunkt noch nicht schlafen, ich war hellwach und konnte Grandpas Fernseher hören, aber ich wollte nicht zuhören, ich wollte nachdenken. Ich habe so Tage, da muss ich einfach nachdenken, weil ich sonst total überfordert bin mit allem, was hier so um mich herum passiert.

Heute Abend war es, glaube ich die Gesamtsituation, die mich immer wieder zum Nachdenken brachte: Der Tod meiner Eltern ist jetzt schon fast acht Jahre her, am 26. Oktober 2010 sind sie abgereist, mit dem Versprechen, mich nicht lange alleine zu lassen. Mein Grandpa meinte nur, ich sei doch nicht alleine, aber Mum meinte immer, Grandpa sei nicht die verantwortungsvollste Person. Ich glaube, Mum mochte Grandpa nicht besonders und ich finde es schade, dass sie ihm nie eine Chance gegeben hat.

Und dann am 29. Oktober 2010 war der eindeutig schlimmste Tag in meinem Leben gewesen! Ich war bei meiner besten Freundin Ilvy, wie jeden Donnerstag. Donnerstags war Ilvy-Tag und montags war Lily-Tag, das war schon immer so, denn Ilvy und ich sind schon seit dem Kindergarten beste Freunde. Ich weiß, dass nichts für immer halten kann, aber in diesem Fall würde ich eine Ausnahme machen.

Ilvys Familie kommt aus Schweden und bis Ilvy drei Jahre alt war, haben sie dort gewohnt, aber dann ist Familie Lindqvist hierhergezogen, nach Blackford, wo wir wohnen. Ilvys Familie ist wohl die herzlichste Familie, die es gibt. Mr. und Mrs. Lindqvist sind total nett, und ich war oft da, wenn Mum und Dad verreisen mussten und nicht wollten, dass ich zu Grandpa gehe. Ilvy hat zwei größere Brüder, Emil und Lasse; Emil ist jetzt schon dreiundzwanzig und Lasse ist vorgestern achtzehn geworden. Die beiden sind lustig und cool und irgendwie, wie meine eigenen Brüder, dachte ich manchmal, weil ich es hasste, als wohlhabendes Einzelkind abgestempelt zu werden. Ilvy war immer bei mir, auch in der Zeit, in der ich am liebsten tagelang geheult hätte.

An diesem Tag hat Grandpa bei Familie Lindqvist angerufen. Ich bin gerade zu dem Zeitpunkt durch die Küche geschlichen, um Lasse beim Versteckspiel zu finden, als Mrs. Lindqvist plötzlich anfing zu weinen. Unsere Familien waren eng befreundet und Mum hat Mr. und Mrs. Lindqvist beim Einzug damals sehr geholfen.

Plötzlich ging alles ganz schnell. Grandpa holte mich ab und nahm mich mit. Ich war vollkommen überfordert mit der Situation.

Natürlich hat Grandpa mir alles erzählt: Die eingestürzte Pyramide, das Verschwinden der elf Personen. Grandpa und ich hatten nie Geheimnisse voreinander und auch das hatte er mir sofort gesagt, obwohl ich noch so jung war.

Ich habe meinen Grandpa noch nie so aufgelöst und traurig gesehen …

Diese Bilder machen mich abends im Bett oft so verrückt, dass ich kaum einschlafen kann. Oft telefoniere ich dann mit Ilvy, aber heute war es schon so spät, da wollte ich sie nicht noch einmal wecken. Ilvy ist verdammt gut in der Schule und weil morgen die Mathe-Klausur ansteht, wäre sie nur eingeschnappt, wenn ich sie nachts wecken würde.

Ich hatte keine Lust mehr zu Grandpa zu gehen, um mit ihm fernzusehen, also machte ich das Licht an und setzte mich an meinen Nähtisch.

Ich habe hier striktes Nähverbot nach 21:00 Uhr, weil Grandpa das Geräusch abends nicht mag. Also machte ich bei meinen Entwürfen weiter. Ich liebe zeichnen und designen, dort kann man so kreativ sein, nur für sich selbst. Aber heute Abend bin ich nicht weit gekommen mit meinen Kleidern, die ich für den Sommer machen möchte, denn als ich an meinem Schreibtisch wieder aufwachte, stand auf meinem Wecker schon 2:27 Uhr, Mittwoch, 17. Januar.

KAPITEL 2

Lily

„Was ist los, Lily? Schlecht geschlafen?", fragte Grandpa mich heute Morgen. *Wenn der wüsste ...*, dachte ich mir nur. Ich bin jetzt nicht der absolute Morgenmuffel, aber wenn ich schlecht geschlafen habe, dann tut es mir für alle Anwesenden am folgenden Morgen leid.

Ich verlor mich mal wieder in meinen Gedanken und somit antwortete ich nicht auf Grandpas Frage: „Lily, ist alles okay? Ich rede mit dir." Grandpa ist echt verdammt fürsorglich. Ich mag es ja, dass es ihn interessiert, wie es mir geht. Aber manchmal ist es einfach ein bisschen zu viel. Meine Eltern haben sich nie wirklich dafür interessiert, wie es mir ging. Je älter ich wurde, umso mehr war ich auf mich allein gestellt. In der Zeit, in der wir nicht mit Grandpa zusammengewohnt haben, bin ich nach der Schule oft alleine gewesen. Ich hatte nicht die Möglichkeit gehabt, jemandem von meinem Schultag zu erzählen. Seitdem ich bei Grandpa wohne ist das anders. Grandpa sieht alles. „Nein, nein, es ist wirklich alles gut. Ich schreibe gleich eine Mathe-Klausur und habe wie immer nicht dafür gelernt." Das habe ich nur geantwortet, weil ich heute Morgen irgendwie keine Lust auf eine Diskussion mit meinem Granada hatte. Sonst würde ich ihm doch niemals in die Augen sagen, dass ich nicht gelernt habe. „Aber das ist doch nicht schlimm, Mathe ... Das braucht man nicht mal zum Märchen-Erzählen!"

Mit dieser wirklich typischen Antwort verließ er den Frühstückstisch und lächelte mich noch einmal an. Ich lächelte zurück und hatte sofort ein besseres Gefühl, weil ich wusste, dass die nächste 5, die ich mit nach Hause bringen werde, nicht einmal Fernsehverbot bedeuten wird, weil es ja nur Mathe ist.

Mein Fahrrad ist wirklich nicht mehr das neueste, aber es fährt und das ist die Hauptsache. Blöd nur, dass es heute Morgen unter keinen Umständen gefahren wäre, weil ohne Kette fährt ein Fahrrad nun mal nicht …

Grandpa ist schon zur Arbeit gefahren. Er arbeitet noch, nicht weil er Geld braucht, das hat die Familie McWheel in rauen Mengen, deswegen ist unser Anwesen auch so groß.

Nein, Grandpa will einfach was zu tun haben. Außerdem arbeitet er wirklich gerne. Er meint, das hält ihn fit und in der Zeit, in der ich in der Schule bin, sitzt er eh nur alleine zu Hause rum. Dazu kommt noch das Geld, das meine Eltern als Historiker verdient hatten und das war auch damals schon mehr als genug. Das war der einzige Vorteil, den ich in einem Historiker sah: Wenn er oder sie wirklich was gefunden oder erforscht hatte, dann bekam er oder sie so viel Geld dafür, was ich schon ein bisschen unfair fand.

Also war Grandpa weg. Arbeiten. Schön und gut, aber ich musste mich jetzt so beeilen, weil es schon fast unmöglich war, noch pünktlich zu kommen. Ein Blick auf mein Handy bestätigte das sofort: 7:52 Uhr. Okay, das hieß rennen, und zwar wirklich richtig schnell rennen.

Ich nahm also meinen Rucksack, schloss das kleine Gartentor hinter meinem Rücken und rannte. Es ist nicht weit bis zur Schule, aber in acht Minuten ist es echt verdammt viel Straße, fiel mir heute wieder auf. Trotzdem, vier Fußgängerampeln und zwei Kreisel später war ich total nass geschwitzt und außer Atem. Aber ich war da. Ich stand auf unserem Schulhof. *Geschafft!*, dachte ich mir. Ich sah auf die riesige Uhr an der Wand: 8:03 Uhr, das war Rekord, aber anstatt mich darüber zu freuen, musste ich zusehen, schnell in die Klasse zu kommen.

Mr. Miller war schon da, das war auch schon vorauszusehen, weil Mr. Miller an Tagen, wenn Klausuren anstehen, immer gefühlt schon um 6:30 Uhr hier steht und auf uns wartet. Ilvy und ich glauben, dass Mr. Miller zu Hause nicht so zufrieden ist. Meine Freundin hatte mal gesagt: „Vielleicht ist er mit seiner Frau nicht so zufrieden und freut sich immer auf die Tage, wenn er als Ausrede mit einer Klausur kommen kann."

„Ich glaube, der hat nicht mal eine Frau", hat Rupert dann gesagt und seitdem sind wir alle davon überzeugt, dass er sich Zuhause einsamfühlt und deswegen immer so früh in der Schule herumgeistert. „ Um ehrlich zu sein hat der auch keine verdient, wenn man Kinder mit Matheaufgaben foltert!", hat Julien daraufhin geantwortet und da waren wir uns wirklich alle einig.

„… damit ich euch die Arbeit austeilen kann – Ah, Miss McWheel, das ist ja schön Sie hier auch noch mal zu sehen." Ich hasste ihn dafür, ein paar Mädchen tuschelten sofort, wie immer.

„Schade, Mr. Miller, diese Aussage kann ich nicht ganz erwidern, tut mir leid!" Meine Stimme war so monoton und trocken, dass ich selbst etwas überrascht war. Die Klasse fing lauthals an zu lachen und Mr. Miller sah aus, als hätte er in eine Zitrone gebissen. „Olivia Charlotte, setzen Sie sich und sein Sie leise! Sie kriegen Ihre Klausur zehn Minuten später." Ich setzte mich und musste lachen. Dann beugte ich mich nach vorn zu Ilvy und meinte: „Als ob das bei mir etwas ausmacht."

Ilvy musste auch lachen, aber sie konzentrierte sich so auf die bevorstehende Klausur, dass es eher ein Höflichkeitslachen gewesen sein muss.

Ich habe mich nicht einmal angestrengt, irgendetwas Sinnvolles aufzuschreiben. Einige Male habe ich versucht, etwas von Ilvy oder Rupert abzuschreiben. Bei Rupert hätte es, glaube ich, auch nicht viel gebracht, denn selbst ich bin auf Ruperts Leistungsniveau. Aber Mr. Miller hat mich wirklich die ganze Zeit beobachtet, nur mich, glaube ich jedenfalls. Also habe ich es nach dem vierten Mal aufgegeben und meine Zeit abgesessen wie im Gefängnis.

„Also, ich fand's super", meinte Rupert nach der Arbeit.

„Das würde bei deinen Erwartungen dann so eine Fünf sein?!", sagte Ilvy leise.

„Du bist echt fies, nur weil wir nicht alle Streber sind … Ich glaube, - es wird mindestens eine vier!" Rupert klang leicht beleidigt.

Aber ich bekam das alles irgendwie nicht so wirklich mit, ich war schon wieder mit meinen Gedanken ganz woanders. Heute war einfach nicht mein Tag, Punkt.

„… oder Lily, hallo?" Ilvy war ganz dicht an meinem Ohr und ich erschrak, weil ich gar nicht mitbekommen habe, wie sie sich zu mir heruntergebeugt hat.

„Was ist los?"

„Man, was hast du denn, ist alles okay?"

„Jaja, alles gut, ich war nur in Gedanken. Sorry!"

Ilvy verdrehte die Augen. Sie hasst es, wenn ich ihr nicht zuhöre, aber sie kann mir nicht böse sein. Das konnte sie noch nie, deswegen habe ich in solchen Situationen auch kein schlechtes Gewissen.

„Also, was ich eigentlich sagen wollte, ich glaube, ich habe die Arbeit verhauen. In Aufgabe 2 habe ich in der Tabelle zwei Lücken gar nicht ausgefüllt und eine ist auf jeden Fall falsch …"

Ich konnte hören, dass sie sichtlich enttäuscht mit ihrer Leistung war.

„Oh nein, Ilvy, dann wird es dieses Mal ja vielleicht nur eine Zwei plus, wie schlimm!" Julien hatte wohl mitgehört und machte sich jetzt mit allen anderen über Ilvy lustig. Aber sie war das gewohnt, denn so verläuft jedes Gespräch mit Ilvy nach einer Arbeit, egal, welches Fach. Am Ende wird es eh immer noch die Eins minus.

Wir gingen auf den Schulhof und setzten uns auf eine Bank unter den vier großen Birken. Hier sitzen wir immer, wenn wir zu zweit sind. „Hey, Lily, jetzt sag mal bitte, irgendwas ist doch los. Ist irgendwas zu Hause passiert?" Ilvy entgeht wirklich nichts und ich kann meiner Freundin auch nicht wirklich gut Dinge verheimlichen, deswegen wäre es nur Zeitverschwendung, ihr irgendetwas nicht zu erzählen.

„Na gut, also … Eigentlich ist ja nichts, ich habe nur schlecht geschlafen, mein Fahrrad ist kaputt und deswegen musste ich laufen und wegen meinem charmanten Wortwechsel mit Mr. Miller dürfen Grandpa und ich jetzt wahrscheinlich wieder einmal zu Mrs. Judy …" Immer, wenn ich mich aufrege, werde ich hysterisch und meine Stimme ist auf einmal viel höher als im Normalfall. Ilvy musste sich auch heute das Lachen verkneifen, weil sie immer meint, ich sehe dabei aus wie ein leidender kleiner Hund.

„Reg dich ab, okay? Warum hast du denn so schlecht geschlafen, Mathe macht dich doch sonst nicht so verrückt oder?"

„Nein, und es ist auch nicht wegen Mathe, ich musste mal wieder an meine Eltern denken, wie fast immer, dann habe ich mir mein Märchenbuch genommen …"

„Auch wie immer, du Lily, ich weiß gar nicht, was du hast, weil das, was du hier erzählst, erzählst du mir doch bis zu sechs Mal im Monat, oder nicht?"

„Ja, aber … du verstehst das nicht, es war irgendwie anders, weißt du, immer, wenn ich dieses eine Märchen lese, wird es von Mal zu Mal magischer …" Wieder erschienen vor meinem inneren Auge diese Bilder. Bilder, die viel zu real waren, um nur von meinem Unterbewusstsein erfunden worden zu sein.

Sie stutzte: „Also, das ist nicht normal, nicht mal für jemanden wie dich, ist wirklich alles okay?"

„Man, Ilvy, ich spinne doch nicht! Ich fühle mich irgendwie … angezogen … also irgendwie magisch. Aber jedes Mal, wenn ich diesen verdammten McDobbin-Forest auf der Karte suche, ist da nichts, nicht mal etwas, was diesem Namen ähnelt!"

Ich weiß ja selber, dass sich das alles total komisch anhört, aber es stimmt wirklich: Gestern Abend, da habe ich mich wieder so komisch gefühlt, als ob ich etwas damit zu tun hätte. Das warme Gefühl von Vertrautheit und Nähe breitete sich in mir aus, doch es wurde sofort wieder kälter, als ich mir bewusst wurde, was ich da gerade für einen Schwachsinn erzählte.

Eins weiß ich auf jeden Fall zu hundert Prozent, dieses Märchen ist anders, anders als alle anderen Märchen aus meinem Buch. Ich könnte wetten sogar anders, als alle anderen Märchen aus allen Märchenbüchern, die es gibt!

Auf jeden Fall für mich.

* * *

„Grandpa, ich glaube wir müssen wieder mal zu Mrs. Judy. Ich habe mit Mr. Miller diskutiert, weil ich zu spät war ...“ – Nein, so konnte ich es ihm nicht sagen, das ist nicht sehr geschickt verpackt. Ich überlegte schon die ganze Zeit, wie ich Grandpa klarmachen sollte, dass wir einen weiteren Strich auf unserer Liste der Klassenlehrerbesuche hinzufügen können. In der achten Stunde, als ich dachte, ich hätte diesen Mist-Tag ohne weitere Zwischenfälle überstanden, hatte ich ein Vier-Augen-Gespräch mit Mrs. Judy. Es klopfte an der Tür und alle zuckten zusammen. Mrs. Judy erschien und wenn das im Unterricht passiert, wissen schon alle, dass irgendeiner gewaltig Mist gebaut hat: „Olivia Charlotte McWheel! Mitkommen in mein Büro!“ Wie gut ich diesen Satz aus ihrem Mund kannte ...

Mindestens genauso gut kannte ihn meine Klasse und alle fingen an zu lachen. Ich wollte nicht frech wirken, aber ich musste auch grinsen.

Ilvy stöhnte nur: „Na toll, danke Lily! Jetzt muss ich hier zwei Stunden Geschichte ohne dich aushalten!“

Ich konnte nur noch ein entschuldigendes „Sorry!“ murmeln, als Mrs. Judy anfing, ungeduldig an den Türrahmen zu tippen.

Also musste ich mir ihr zweistündiges Gerede über Respektlosigkeit und Disziplin anhören, bis der abschließende Satz kommt: „Ich möchte natürlich noch mit deinem Großvater darüber reden, ich werde mich in Kürze bei ihm melden.“

Ich hörte ihr nicht zu, denn ich konnte an nichts anderes denken, als an dieses verflixte Märchenbuch. Was hat es mit mir zu tun? Wo finde ich diesen Wald? Warum genau jetzt? Ich wusste, dass es komisch war, aber ich war nicht verrückt. Eine gewisse Magie wurde von dem Märchen ausgestrahlt und ich atmete sie ein, sobald ich die Buchdeckel auseinanderklappte. Von dem Zeitpunkt an war ich wie benommen von einem Duft und einer Sehnsucht, die nach Abenteuer rief ...

„... natürlich noch mit deinem Großvater darüber reden, ich werde mich in Kürze bei ihm melden.“ Da war der Satz. Geschafft!

Mit einem „Ich wünsche Ihnen noch einen schönen Tag." verabschiedete ich mich und glücklicherweise konnte ich Ilvy noch zum Tschüss Sagen abfangen, um dann nach Hause zu laufen.

„Bin wieder da!", rief ich durchs ganze Haus, während ich die Tür aufschloss, als ich merkte, dass Grandpa genau neben der Haustür saß, als würde er mich schon erwarten.

„Du bist aber spät ..." Er musterte mich von Kopf bis Fuß.

Ich probierte mir nichts anmerken zu lassen: „Ja, wir sind nach der Schule noch Eis essen gega..." Abrupt hielt ich inne. Wieso starrte er mich so komisch an?

Er lachte.

Hält er mich für doof? Bestimmt. In dem Moment merkte ich, wie schlecht die Ausrede war. Es war Januar ... Da geht man nach der Schule kein Eis essen. Ich blickte auf meine Hände. Ich hatte Handschuhe an und als ich mir durch die Haare streifen wollte, merkte ich, dass ich sogar eine Mütze trug. Erst jetzt bemerkte ich, wie kalt es draußen war und wie schön warm mir das Haus im Gegensatz dazu erschien. Ich guckte ihn verzweifelt und etwas beschämt an und fragte: „Du weißt es schon?!"

Er nickte grinsend.

„Hat Mrs. Judy dich schon angerufen?"

Er nickte wieder.

Ich fühlte mich ertappt. Jedes Mal, wenn ich ihn anlügen musste, fühlte ich mich anschließend schlecht, außerdem ich konnte noch nie besonders gut lügen. Ich war schon immer schlecht darin gewesen, ihn von etwas zu überzeugen, was gar nicht stimmen konnte. Meine Ausreden waren immer viel zu irreal und wenn ich mir etwas ausgedacht hatte, dann war es so wenig der Wahrheit entsprechend, dass jeder es hätte bemerken können.

„Lily, was ist denn los?" Er sieht es sofort, wenn ich nicht gut drauf bin.

„Nichts ... Ach, keine Ahnung, Mathe war scheiße!" Ich wollte ihm nichts vorheulen.

„Aber das macht dir doch sonst auch nichts aus ... Mathe ..." Grandpa wusste, dass es nicht nur an der Arbeit lag.

Er tippte auf den Stuhl neben sich. Ich sollte mich zu ihm setzen. Er ahnte wohl etwas, denn er schaute mich schon wieder so an.

„Also, dieses Märchenbuch … du weißt schon, das alte von Dad …" Ich fing ganz vorsichtig an zu erzählen, er sollte mich ja nicht für verrückt halten.

Aber er blieb ruhig und nickte nur, wie immer, wenn er mir zuhört.

Ich fuhr fort: „Weißt du irgendetwas, irgendetwas, na ja … was nicht normal ist?"

„Wie meinst du das, nicht normal?"

„Ja, ich weiß auch nicht, vielleicht magisch? Denn ich finde, dieses eine Märchen, also das mit der Familie in dem Wald in Schottland …" Ich wusste wirklich nicht, wie ich es ihm sagen sollte, es kam bestimmt total verrückt rüber. Aber Grandpa ist echt die Ruhe selbst, wenn es um Magie geht und ich könnte schwören, wenn ich ihn vor vier Jahren oder so gefragt hätte, dann wäre auch nicht so eine komische Situation entstanden, aber ich werde nun mal schon 17 und da ist es irgendwie anders.

„Du meinst *Thornforest's Legend*?" Er setzte sich auf, anscheinend wusste er, wovon ich redete.

„Ja, genau dieses Märchen, das meine ich. Also ich habe auf allen möglichen Landkarten geguckt, weil ich mehr darüber wissen wollte, aber …"

Er unterbrach mich: „Aber es gibt diesen Wald nicht, nirgendwo, weil es ein Märchen ist, Lily!"

„Also ist wirklich alles erfunden? Das ist jetzt komisch, aber Grandpa … ich fühle mich so …" Sofort unterbrach er mich schon wieder.

„Du fühlst dich magisch angezogen?!" Dann wurde Grandpa auf einmal lauter: „Lily, hör zu, es ist ein Märchen und alles in einem Märchen ist erfunden!"

Ich fuhr zusammen. Wieso wurde er so laut? Was war denn los und wieso wusste er so genau Bescheid, wie ich mich fühlte und was ich sagen wollte?

„Grandpa, was ist mit dem Märchen, was hast du? Ist es wirklich so wie jedes andere Märchen, so wie die, von denen du mir erzählt hast?" Meine Stimme zitterte. Ich hätte gerne noch mehr nachgefragt, aber irgendetwas an ihm wirkte plötzlich fremd. Ich fand es komisch, wieso wurde er so unangenehm, so war er noch nie mir gegenüber.

Auf einmal stand er auf und ich konnte etwas Zorn in seiner Stimme hören.

„Lily, ich möchte nicht, dass du dieses Märchen in meiner Gegenwart noch einmal erwähnst. Es ist ein normales Märchen, damit das klar ist! Dort ist nichts magisch, verstanden?!"

Ich spürte, wie mir die Tränen kamen. War das gerade mein Grandpa, der mich so angemacht hat? Mein geliebter Grandpa, der alle Märchen bewundert und mit Stolz erzählt? Was war an diesem Märchen anders, was war es, das es von den anderen, die in unserer Bibliothek standen, unterscheidet.

Ich nahm meine Tasche, flüsterte: „Entschuldige mich!" und rannte schluchzend die Treppe hoch in mein Zimmer.

Das war mir wirklich noch nie passiert, immer war mein Grandpa auf meiner Seite. Er nahm mich in den Arm, wenn ich Streit mit Ilvy hatte oder wieder mal Stress mit meinen Lehrern bekam. Er war nie weg und ich habe ihm immer alles erzählen können …

Was um Himmels willen ist denn falsch mit diesem verdammten Märchen? Ist es wirklich so normal? Wenn ja, was hat Grandpa dann dagegen? Ich verstand die Welt nicht mehr.Mit Ilvy wollte ich jetzt nicht darüber und erst recht nicht in meinem Märchenbuch lesen, nicht heute. Normalerweise mache ich das immer, wenn ich traurig oder aufgewühlt bin. Oder ich gehe eben zu Grandpa, aber das ging jetzt nicht.

Ich legte mich ins Bett, kuschelte mich in all meine Kissen und wollte am liebsten versinken, in eine andere Welt abtauchen. In den Wald, in den sonst niemand reinkommt wegen den Dornenranken, die so hoch wie das Schloss der McDobbins sind.

Ich spürte, wie mich die Kissen immer weiter in die Welt der Träume zerrten, bis ich mich nicht mehr dagegen wehren konnte.

KAPITEL 3

Lily

Lange geschlafen hatte ich natürlich nicht. Wie auch? Ich träume sofort schreckliche Sachen, wenn ich mit irgendjemanden streite oder irgendetwas nicht so Tolles passiert. Es war zwar immer noch Mittwoch, aber es war schon sehr spät, das konnte ich daran erkennen, dass nicht mal mehr der Fernseher von Grandpa lief. Mein Wecker ist heute Morgen leider zu Bruch gegangen, als ich ihn mit meinem Rucksack in der Eile vom Nachttisch runtergeworfen habe.

Ich wusste nicht, wieso, aber ich hatte ein unfassbar schlechtes Gewissen. Eigentlich sollte es Grandpa sein, der sich schlecht fühlen muss. Er war es schließlich, der mich so traurig gemacht hat. Aber egal, ich war jetzt wach und das konnte jetzt auch erst mal so bleiben.

Ich sah das Buch, es glitzerte etwas im Licht und es schien fast so, als flüsterten die Seiten mir ihr Geschriebenes ins Ohr!

Ich war hellwach und konnte nicht in meinem Bett sitzen bleiben. Also stand ich auf, schnappte mir das Buch und lief leise über den Flur. Meine nackten Füße waren kalt und ich glitt leise über den Boden, bis ich am Ende des langen Ganges angekommen war. Von dort ging eine Wendeltreppe hoch in ein weiteres Obergeschoss, eine Art Dachboden. Leise schlich ich die Stufen der Wendeltreppe nach oben. Es war stockdunkel, trotzdem fand ich den Lichtschalter, ohne lange zu überlegen. Das Licht erhellte den Raum, der von oben bis unten mit Büchern gefüllt war: Riesige Regale stapelten sich aufeinander und ich schlich zwischen ihnen hindurch. Wenn man nicht wüsste, dass es diesen Raum gab, dann würde man die Wendeltreppe, die hier hinaufführte, übersehen. Aber wenn man ihn kannte, dann war er der kostbarste und meist geschätzte Platz auf dem ganzen Anwesen. Ich kam nicht oft hier hoch, aber wenn ich es tat, dann war es etwas Besonderes. Hinter dem letzten Regal lagen sieben gigantische Kissen auf dem Boden und ein riesiger Sessel stand am Fenster. Ich ließ mich fallen und wusste, dass sie mich wie eine Wolke auffangen würden, ohne dass ich hart landen würde. Mich überkam ein vertrautes Gefühl und hier oben fühlte ich mich nicht verloren und einsam. Die Bücher füllten diesen Raum, sodass kein Platz mehr für Einsamkeit war und ich war zu Hause. Das Märchenbuch hatte ich immer noch in der Hand.

Ich schlug es auf und legte es auf meinen Schoß.

„Gute Idee, wenn du das Märchen jetzt noch mal liest, dann geht's dir bestimmt sofort besser!" Ich hörte diese kleine ironische Stimme in meinem Kopf echt nicht gerne, aber jetzt gerade blendete ich sie einfach aus. Ich konnte nicht mehr, ich musste jetzt noch einmal da weiterlesen, wo ich gestern in die Traumwelt entführt wurde und aufgehört hatte, und das, obwohl hier mindestens hundert andere Stimmen aus den Büchern ihre Titel in meine Ohren flüsterten. Ich hätte jedes Buch aufschlagen können und doch ließ ich mich erneut auf den Dornenwald ein ...

... in den niemand auch nur einen Fuß hineinsetzen konnte.

Der junge Mann war sich bewusst, dass er tun und lassen kann, was er wollte. So stürzte er die Mauern um sein Anwesen herum, die ihn sein halbes Leben lang umgeben hatten. Er trat zum ersten Mal nach so langer Zeit wieder in seinen Wald und hasste seine Eltern einen kurzen Moment für das, was sie ihm vorenthalten hatten, indem sie ihn wegsperrten.

Der Wald war riesig, bunt und duftete so unfassbar gut. Aber auch fremd.

McDobbin baute sich ein Podest, sodass er alles, dieses wunderbare Farbenspiel, die fremden Tiere und Pflanzen, im Blick hatte und nie wieder weggehen brauchte.

Auf das Podest stellte er seinen Thron, ohne Vorahnung, es könnte alles verändern.

Der junge Mann verbrachte Tage und Nächte an seinem neuen Platz. Er schlief auch dort und wenn es regnete, verzog er sich in den Wäldern, wo die Bäume so dicht standen und ihre gewaltigen Kronen jeden einzelnen Regentropfen auffingen.

So vergingen Monate und Jahre und McDobbin war glücklich. Er ahnte nicht, dass sein Buch alles verändern würde. So las er eines Abends nur für sich einige Schriftzeichen laut vor und etwas Magisches geschah:

Sein Thron begann zu leuchten. Alles grün Bemalte wurde so hell wie die Sonne und McDobbin erkannte die Runen an der Lehne seines Stuhls wieder.

Seine Neugier umhüllte ihn und er las weiter. Es war wie ein Ritual, er konnte nicht mehr aufhören, bis die Zeile zu Ende war. Das Leuchten war vorbei und alles sah aus wie immer, doch er wusste, nichts war wie vorher. Irgendetwas hat alles verändert, jetzt in diesem Moment!

Er saß da, unschlüssig, was er jetzt tun sollte, als er plötzlich einen fürchterlichen Schrei aus dem Wald hörte.

Er fuhr zu Tode erschrocken zusammen.

So etwas hatte er in seinen schlimmsten Albträumen noch nicht gehört. Kurze Stille. Darauf folgte ein Brüllen. Ohne etwas gesehen zu haben, wusste er, dass es nicht von dieser Welt kam. Er konnte nicht anders und machte sich auf den Weg. Er musste wissen, was dahintersteckte.

Er wanderte immer tiefer in den Wald hinein, viel tiefer als er es sonst tat, ganz erstaunt darüber, wie groß sein Wald war.

Der junge Mann war sich ganz sicher, dass hier irgendetwas hauste, das er zuvor noch nie wahrgenommen hatte.

Er wanderte zwischen den beiden Hügeln umher, bis ihn seine Beine nicht weitertrugen und er in einer Höhle zu schlafen begann.

Als er wieder aufwachte, sah er in ein Paar gelbe große Augen und der Schrei, der ihn am Tag zuvor zusammenzucken lassen hat, ertönte erneut. Lauter und stärker als jemals zuvor …

Dieses Buch machte mich echt fertig. Weiter als bis zu dieser Stelle bin ich noch nie gekommen, nicht weil ich nicht weiterlesen wollte oder immer dann einschlief. Nein, ich konnte einfach nicht. Ich konnte nicht, weil es nicht ging. Der Rest des Märchens war nämlich nicht da. Die letzten Seiten von der Legende wurden rausgerissen.

So was macht mich richtig wütend. Wer bitte liest ein Buch nicht zu Ende? Da kann man doch nicht einfach das letzte, wichtigste

Stück entfernen. Das ist doch wie bei einem Puzzle, da kann man auch nicht einfach zwei oder drei Teile weglassen.

Seit Tagen beschäftigt mich diese Legende und ich werde nie in der Lage sein, es zu Ende zu lesen, weil irgendjemand nicht sorgfältig damit umgegangen ist.

Warum muss denn alles immer so verdammt kompliziert sein?

Oft hatte ich mir vorgestellt, wie das Märchen weitergehen würde, aber nie ganz bis ans Ende. Denn ich hatte Angst, dass ich eines Tages die verschollenen Seiten in meinem Chaos wiederfinden und dann vom echten Ende enttäuscht sein würde.

* * *

Mehrere Monate waren vergangen und ich habe Grandpa kein einziges Mal mehr über das Märchen ausgefragt. Wir haben uns wieder vertragen und das Märchen habe ich auch nicht mehr lesen wollen. Es hätten sich nur noch mehr Fragezeichen in meinem Kopf aufgetan, die ich ja doch nicht beantworten kann.

Inzwischen bin ich 17 Jahre alt. Mein Geburtstag war verhältnismäßig ruhig und nichts Besonderes, was für meinen Grandpa eher seltsam ist. Als ich 13 geworden bin, hatte Grandpa 24 Kinder einladen lassen, von denen ich sechs nicht mal kannte, und hat vier Hüpfburgen aufstellen lassen. Dass dieses Jahr nicht mal ein Zelt im Garten stand, machte mich etwas traurig. Grandpa meinte einfach, ich sei jetzt zu alt für alberne Überraschungen und wahrscheinlich hatte er recht. Der Tag war trotzdem ganz schön, denn so ganz ohne Überraschung konnte Grandpa dann doch nicht: Er hatte fünf verschiedene Torten anfertigen lassen für mich, ihn, und meine engsten Freunde: Rupert, Julien und Ilvy.

Wir saßen im Garten unter dem riesigen Kirschbaum, den Grandpas Dad eingepflanzt hatte, als Grandpa geboren wurde. Daneben standen noch zwei Bäume – Einer der so alt war wie mein Dad und der andere, der auch am 06. Mai 17 Jahre alt wurde, genau wie ich. Das ist einer meiner Lieblingsplätze auf dem ganzen Grundstück. Ich bin oft hier, um meine Hausaufgaben zu machen, oder um zu lesen oder einfach nur, um für mich zu sein. Zwischen die Kirschbäume haben Grandpa und ich an meinem 9. Geburtstag eine Hängematte gehängt und eine große Hollywoodschaukel habe ich ein Jahr später von Ilvys Familie geschenkt bekommen.

Dieser Platz ist einfach perfekt für einen Träumer wie mich. Die ersten Nächte habe ich gar nicht mehr in meinem Zimmer geschlafen, sondern nur in der Hängematte, weil ich die Sternschnuppen nicht verpassen wollte, erzählt Grandpa mir immer.

Sieben Jahre später sitze ich immer noch hier und es war wie immer ein toller Geburtstag, ich hatte jeden um mich, den ich gerne um mich habe. Na ja, fast jeden. Am Abend von meinem Geburtstag bin ich zum Grab meiner Eltern gegangen. Ich habe Blumen hingelegt und mich bedankt. Ich weiß nicht, warum ich das jedes Jahr zu meinem Geburtstag mache. Vielleicht weil ich ihnen zeigen will, dass es mir gut geht, und damit sie sehen, was aus mir geworden ist. Wenn überhaupt etwas aus mir geworden ist … Es ist schwer so zu tun, als ob es einem gut geht, wenn man eigentlich innerlich zerbricht an seiner Trauer. Ich konnte es immer gut überspielen und das musste ich auch, denn das Leben musste weitergehen. Aber es gab ein paar Tage im Jahr, an denen ich die Trauer und den Schmerz nicht zurückhalten konnte – Mein Geburtstag war einer davon. Ein Tag, an dem etwas fehlte, wie an jedem anderen eigentlich auch, nur dass es an diesem Tag besonders auffiel. Aber ich konnte es nicht ändern.

Jetzt bin ich 17 und es fühlt sich wie jedes Jahr nicht anders an, aber trotzdem gut.

Als ich vom Friedhof zurückgekehrt bin, saß Grandpa immer noch unter den Kirschbäumen. Er wartete auf mich. Wir saßen lange zusammen da. Selbst als es schon lange dunkel war, dachte noch keiner von uns ans Schlafengehen. Wir redeten nicht viel, denn ich weiß wie es Grandpa geht, auch ohne viele Worte, und er weiß es bei mir. Es dauerte eine Weile, aber kurz nach Mitternacht sahen wir sie: Eine Sternschnuppe! Jedes Jahr am 06. Mai warten wir so lange, bis wir eine sehen, um uns etwas zu wünschen. Ich weiß nicht, was Grandpa sich wünscht, aber ich wünsche mir jedes Jahr das Gleiche, dieses Jahr wieder.

Zu dem Zeitpunkt wusste ich noch nicht, dass dies mein letzter Geburtstag mit meinem Grandpa zusammen sein würde. Nicht jeder Wunsch kann in Erfüllung gehen ...

KAPITEL 4

Lily

*I*ch saß im Krankenhaus. Seit Wochen ging ich nicht mehr in die Schule, um jeden Tag bei Grandpa zu sein. Ich weiß, es ist nicht mein Leben, das auf der Kippe steht, aber irgendwie fühlte ich mich verantwortlich, für ihn da zu sein. Er ist der einzige Mensch, den ich noch hatte und so traurig wie es auch klingen mag, andersherum war es genauso. Seit meinem Geburtstag, der jetzt auch schon zweieinhalb Monate her ist, geht es meinem Grandpa einfach schlecht. Die Ärzte wissen nicht, wieso, und es gibt auch keine medizinische Begründung. Niemand findet irgendeine Diagnose, die auf die Schmerzen meines Grandpas hindeuten könnten. Er lag gequält im Bett, mit einem Gesichtsausdruck, den ich am liebsten nie gesehen hätte. Ich konnte nicht neben ihm sitzen und ihm beim Sterben zusehen, aber sobald ich das Krankenhaus verließ, fühlte ich mich schuldig, dass ich nicht bei ihm bleiben konnte. Es zerstörte mich, ihn so zu sehen: Hilflos und verzweifelt. Und selbst in dieser schweren Zeit probierte er mir ein Lächeln auf mein Gesicht zu zaubern, indem er es vormachte. Er wollte es sich nicht anmerken lassen, wie schlecht es ihm wirklich ging, aber ich wusste, dass er kämpfte. Er kämpfte Tag und Nacht gegen die unerklärlichen Schmerzen, denn er wollte nicht aufgeben, das wusste ich.

„Lily, versprich mir eins: bring alles in Ordnung, was ich eventuell zerstört habe, in der Zeit, in der ich dort war!", flüsterte er. Er war schwächer denn je an dem Tag, als er mir endlich alles erzählen wollte:

„Hör mir genau zu, Lily! Dieses Buch, was du liest, seit du lesen kannst … dieses eine Märchen von dem Dornenwald. Es ist sehr wohl besonders. Ich kann noch jetzt die Dornenranken wachsen hören. Die Blätter rauschten in meinen Ohren. Ich sah Farben, von denen ich nicht wusste, dass sie existieren, und ich schmeckte die Abendteuer auf meiner Zunge, jedes Mal, wenn ich das Märchen las. Es hatte eine Magie, die mich anzog. Etwas, was ich mir bis heute nicht erklären kann und ich fürchte mich noch immer. Furcht und Angst vor dem Tag, der jetzt gekommen ist. Ich habe mein ganzes Leben darüber nachgedacht, wie ich es dir am besten erzählen sollte und jetzt stehe ich vor der unumgänglichen Aufgabe. "

Ich wusste nicht, was ich darauf antworten sollte. Ich konnte nichts darauf antworten, denn ich verstand ihn nicht. Aber Grandpa wollte mir nun alles erzählen:

„Der Wald, in dem McDobbin wohnt … Es gibt ihn wirklich, nur unter einem anderen Namen. In diesem Wald gibt es eine Schule. Sie ist ganz gewöhnlich, ein Internat, auf das ich selbst einmal ging. Mein Vater schickte mich dorthin, kurz nachdem meine Mutter starb. Ich werde dich nun auch dorthin schicken, denn es ist so weit. Das Märchen vom Dornenwald ist echt, Lily!"

Ich verstand die Welt nicht mehr, warum erfahre ich von all dem erst jetzt?

Vielleicht wollte er, dass ich etwas darauf antworte oder eine Frage stelle, aber ich konnte nicht.

„Ich weiß, es wird dich erst überfordern", fuhr er fort. „Aber du wirst so weit sein, das weiß ich … ich kannte ihn, Liam, den Herrscher des Waldes. Bis heute kann ich mir nicht erklären, wieso ich damals in diesen Wald gegangen bin. Es war ein regnerischer, dunkler Tag und der Wald lag so einsam und friedlich da, dass ich mich schließlich in ihm verirrte. Ich war taub durch den kalten Regen und ich konnte nicht mehr klar denken. Schließlich taumelte ich auf eine Lichtung zu mit Hunderten von Bäumen. Und doch waren dort zwei auffällige Bäume, die ganz anders waren: Sie waren größer und standen perfekt nebeneinander. Dort war eine Frau, die mich mit durch das Portal nahm. So kam ich zu Liam. Das war das erste Mal, als ich die Laute der Kreaturen hörte." Grandpa atmete schwer und ich musste mich konzentrieren, ihn zu verstehen. „Er ist der Autor von diesen magischen

Erzählungen, denn er konnte es anfangs selber kaum glauben, also schrieb er es auf. Jedes kleinste Detail, jeden Flügelschlag eines Schmetterlings und jede Bewegung in den Bäumen. Jeder Windstoß und jeder Regentropfen. Liam füllte die Seiten mit Magie, und jeder der das Buch gelesen hat, weiß es. Alles fühlt sich anders an, sobald man den Fuß über die Schwelle setzt."

„Aber, aber … wieso, ich meine, warum habe … oder konnte ich dieses Buch tausende Male lesen, aber habe nie den Autor herausgefunden?" Ich stotterte und hasste mich für die Unsicherheit in meiner Stimme.

„Ich habe ihn geschwärzt, in der Hoffnung, du würdest es nicht finden und nie danach fragen. Du warst noch zu jung. Als du dann meintest, du fühlst dich angezogen, wusste ich, dass irgendetwas nicht stimmt." Ich konnte einen Seufzer hören, doch ich wusste nicht, ob er aus meinem oder seinem Mund kam. „Als ich dort war, las ich die Runen laut vor, von denen du bestimmt schon in dem Märchen gehört hast. Die Runen, die auch Liam vorgelesen hatte. Es klappte. Von dem Tag an war ich ein Teil des Zaubers. Ich wusste damals nicht, auf was ich mich da eingelassen hatte. Wir waren jung und leichtsinnig und viel zu unvorsichtig, aber ich konnte es nicht mehr rückgängig machen. Der Zauber war gesprochen. Ich war der zweite Herrscher, neben Liam. Unsterblichkeit, die Gabe, die Geschöpfe zu verstehen, übernatürliche Fähigkeiten – Dies waren die Belohnungen, die ich bekam. Aber nicht alles war gut. Liam und ich mussten unser Leben aneinanderbinden, und mithilfe eines Zaubers wurden wir eins. Wenn einer stirbt, stirbt der andere mit ihm. Allein die Geschöpfe konnten uns töten."

„Wo ist Liam?" Das war der erste Satz seit gefühlten Stunden, den ich gesagt habe.

„Er ist noch dort in seinem Schloss. Er war nie weg. Ich bin gegangen, als du auf die Welt gekommen bist."

„Aber wenn du unsterblich bist, warum bist du dann … so alt?" Ich fühlte mich immer unwohler mit jeder weiteren Frage, die ich stellte. Das alles war viel zu irreal und doch konnte ich ihm glauben. Am Klang seiner Stimme erkannte ich, dass das alles hier keine Geschichte mehr war. Nein, diesmal war es echt.

„Ich kann altern, nur sehr langsam, nur äußerlich, eigentlich bin ich noch immer 17 Jahre alt und doch lebe ich schon seit 104 Jahren auf dieser Erde."

Ich konnte nicht mehr, es war echt. Ich redete mir ein, dass es echt war, weil ich es sonst nach jedem neuen Satz wieder vergessen würde. Ich konnte es nicht glauben und doch musste ich es, weil ich ansonsten den Verstand verlieren würde.

„Lily, ich meine es ernst. Damals, mussten wir einen Nachfolger auswählen, der unsere Arbeit fortführt. Wir wählten beide unser erstgeborenes Enkelkind. Ich konnte nicht deinen Vater nehmen, denn ich liebte ihn zu sehr. Damals wusste ich noch nicht, dass ich dich auch so sehr lieben könnte, wie ich es bei ihm tat, es tut mir so leid. Die Wahl fiel auf dich, du bist mein Nachfolger im Falle meines Todes."

„Auf mich …?!" Ich konnte nur flüstern, und das war schon zu viel verlangt. Meine Stimme brach.

Das musste eine Traum sein. Ein Albtraum! Grandpa konnte nicht sterben, die Unsterblichkeit, das hatte er mir doch gerade noch erzählt. Nur ein Wesen oder Geschöpf, oder was auch immer es ist, konnte Grandpa töten. Aber Grandpa war hier, ohne irgendwelche übernatürlichen Kreaturen. Wie konnte er dann sterben …?

„Liam …" Ich sagte den Namen so leise, dass ich es selbst nicht hörte, aber es war klar, Liam war noch da. Die ganze Zeit. Er war nie weg …

„Er stirbt. Du hast recht. Ich weiß selbst nicht wie es passieren konnte. Eigentlich hat der Herrscher eine besondere Bindung zu den Geschöpfen …, aber wenn das Vertrauen bricht, dann verletzen sie ihn und dann stirbt er!" Grandpa sagte es, als sei es alles nur ausgedacht, als ob gleich das Happy End kommen würde und alles gut werden würde. Aber so war es nicht, diesmal nicht und ich wusste es. Es war grausam.

„Wie sehen sie aus, die Geschöpfe, und wo finde ich sie, wenn ich sie nicht sehen kann? Wie komme ich in den Wald, wenn ich den Eingang nicht sehen kann und wieso muss ich das überhaupt machen?" Fragen bildeten sich in meinem Kopf und eigentlich wollte ich sie gar nicht beantwortet haben, eigentlich wollte ich das alles hier nicht.

Grandpa griff in den Nachtschrank neben sich und holte ein paar Seiten vergilbtes Papier heraus. Er schien es alles geplant zu haben, die ganze Zeit.

Er zitterte, ich auch. Ich nahm die Seiten an mich. Sie wurden irgendwo grob herausgerissen, und dann säuberlich aufbewahrt, um sie irgendwann wieder hervorzuholen. Ich wusste sofort, wo sie entfernt wurden. Die unsauberen Kanten kannte ich aus meinem Märchenbuch und jedes Mal, wenn ich zu der Stelle kam, habe ich mir nichts mehr gewünscht, als dass ich sie irgendwann finde, um weiterlesen zu können. Aber jetzt, wo ich die Geschichte dazu kannte, wollte ich sie einfach nur zerreißen. Ohne zu zögern hätte ich sie in Fetzen gerissen und mir wäre es egal gewesen. Trotzdem nahm ich die Seiten, denn ich wusste, ich brauchte sie, auch wenn sie mich nur an meinen Grandpa erinnern sollten, der gerade neben mir lag und starb.

„Du darfst nicht sterben, das kannst du mir nicht antun! Ich brauche dich und ich werde nicht auf diese Schule gehen." Ich hörte mich selber weinen. Eigentlich wollte ich dieses Gefühl von Schwäche nicht fühlen. Ich hatte schon genug Schlimmes erlebt und ich dachte immer, dass mein Körper alle Tränen, die ein Mensch in seinem Leben zur Verfügung hat, schon längst aufgebraucht hatte. Aber jetzt kamen irgendwoher noch Tausende von Litern an Tränen, die mein Körper gespart hatte.

„Lily, du wirst auf diese Schule gehen, du musst jemanden finden! Du wirst diese Aufgabe niemals alleine bewältigen können. Nicht nur ich habe mir damals einen Nachfolger ausgesucht, auch Liam hat jemanden gefunden, der der Aufgabe gewachsen sein muss. Er wird nach dir suchen und du nach ihm, da bin ich mir sicher."

* * *

Als ich an dem Abend nach Hause kam, hatte ich auf gar nichts Lust. Ich sollte eigentlich meine Koffer packen, es sollte schließlich schon morgen losgehen. Grandpa wollte, dass er noch erfährt, ob ich gut angekommen bin und ob es Probleme gibt. Doch er wusste nicht, wie lange Liam – und somit auch er – noch durchalten kann, bis es vorbei ist. Ohne mich von meinen Freunden zu verabschieden, sollte ich für wahrscheinlich immer verschwinden, ohne es selber auch nur ein bisschen geplant zu haben. Ich hasste ihn! Ich hasste Grandpa und verstand auf einmal meinen Dad. Meinen Dad, der aus Liebe zu meiner Mum sein Leben umgekrempelt hat. Der so vernarrt in Märchenbücher war wie ich, doch als er herausgefunden hatte, was mit seinem erstgeborenem Kind passiert, hat er meinen Grandpa verlassen. Deswegen sind wir damals weggefahren, denn Mum und Dad hatten von meinem Schicksal erfahren. Sie hatten erfahren, was mein Grandpa der Familie mit dieser Entscheidung angetan hatte. Dad kehrte nicht nur seinem Vater den Rücken zu, sondern auch der Märchengeschichte, weil er Angst vor der bevorstehenden Wirklichkeit hatte, in der ich ein Teil von ihr werden würde.

Ich hatte auch Angst. Angst, Hass und Trotz, alles zusammen, und ich wollte einfach weg. Als ich mit verheultem Gesicht nach Hause kam, standen auf der Veranda Ilvy, Julien und Rupert. Grandpa musste sie zum Tschüss Sagen hierher bestellt haben und dafür hasste ich ihn noch mehr. Er meinte es wirklich ernst und ich konnte einfach nichts dagegen tun.

Der Abschied war schlimm, tausendmal schlimmer als ich ihn mir vorgestellt habe. Und viel sagen konnten wir alle nicht. Es war genau 23:34 Uhr als ich meine Koffer in die Eingangshalle stellte und zwischen zwei T-Shirts die vergilbten alten Seiten aus meinem Märchenbuch entdeckte.

Ich nahm sie in die Hand und musste einen Blick auf den riesigen Garten werfen, wo jetzt, so wie jede Nacht, die großen Lichterkugeln um die Wette strahlten. Ich blickte auf meine Ecke, auf die Kirschbäume und auf meine Hängematte, und fing sofort wieder an zu weinen.

Nur einmal draufgucken, dachte ich mir, als meine Aufmerksamkeit wieder den Blättern galt. Durch die Abendluft wurden sie feucht und ehe ich mich versah, lag ich wieder einmal in meiner Hängematte und konnte nicht aufhören, mein so geliebtes Märchen endlich weiterzulesen. Für diesen Funken von Freude, den ich verspürte, als ich die Seiten ansah, hasste ich mich fast so sehr, wie ich Grandpa und Dad dafür hasste, weil sie mir beide ihr größtes Geheimnis verschwiegen hatten ...

... lauter und stärker als jemals zuvor.

Die gelben Augen verdoppelten und verdreifachten sich in Sekundenschnelle und als McDobbin wieder zu sich kam, sah er, zu wem die gelben Augen gehörten. Er saß in der Mitte von vielen, vielen Kreaturen, die noch nie ein Mensch vor ihm zu Gesicht bekommen hatte. Er wollte schreien, um Hilfe rufen, weglaufen. Doch seine Beine trugen ihn keinen Millimeter und in diesem Wald hätte ihn niemand gehört, denn er war allein. Doch es kam anders als erwartet. Die Kreaturen verbeugten sich, sie zeigten ihren Respekt gegenüber McDobbin. Er verstand es nicht, doch auf eine magische Art ließen sie ihn gehen. Sie bildeten ein Spalier, durch das sie ihn gehen ließen. Und McDobbin rannte um sein Leben, so schnell ihn seine Füße nur trugen.

Tage und Monate vergingen und McDobbin hatte keine Ahnung, wie er sich das magische Aufeinandertreffen mit den Kreaturen erklären sollte. Doch als er an einem sonnigen Abend wieder einmal auf seinem Thron saß, kamen die Geschöpfe erneut. Sie kamen aus allen Ecken des Waldes und versammelten sich um ihn herum. Zum ersten Mal sah er genauer hin und bemerkte, dass sie nicht alle gleich waren. Die Kreaturen wurden aus mehreren Tieren zusammengesetzt: Die Geschöpfe zu seiner Linken hatten den Kopf eines Adlers, der auf dem Körper eines Löwen saß. Zu seiner Rechten war es genau umgekehrt: Ein riesiger Adler mit dem Kopf eines Löwen. Und sie waren verwundet, beide Arten hatten blutige Wunden und Schrammen, als hätten sie sich gegenseitig bekämpft. Plötzlich, ganz ohne Vorwarnung, stießen wieder einmal zwei der Kreaturen – die Größten von jeder Art – einen unüberhörbaren Schrei aus, danach ein Brüllen, sodass die Vögel in den Bäumen davonflogen. Der Schrei dauerte eine Ewigkeit an, bis auf einmal der Thron wieder anfing zu leuchten: Grün und heller als die Sonne. Das Buch schlug sich, wie durch einen Windstoß, von selbst auf, bis zu einer Seite, die McDobbin vorher noch nie zu Gesicht bekommen hatte. Dort stand etwas geschrieben, was er noch nie zuvor gelesen hatte, obwohl er das Buch kannte wie seine Westentasche:

„Jedem, dem diese Seite sichtbar scheint,
und er sie zu lesen meint,
der kann sagen ohne Zweifel, der kann sagen ohne Scheu,
ihm bleiben fortan diese Kreaturen treu.
Von nun an soll er ihr Herrscher sein,
den Schwur muss er leisten, um es ehrlich zu mein'.
Zu seiner Hilfe, sei ihm eine Gabe gegeben,
als Grund, seine Angst auf ewig abzulegen.
Unsterblichkeit und das ewige Leben,
die Sprache der Tiere, um ihnen Schutz zu geben.
Fähigkeiten, von denen man nur träumen mag,
machen es ihm leichter Tag für Tag.
Doch er gebe Acht:
Der Zauber wird enden,
durch einen Schnitt aus Tieres Händen.
Es fließe Blut, es fließe Schmerz,
das sei der Fluch, er stoppt sein Herz."

So etwas hatte McDobbin noch nie gelesen und die Runen darunter, waren fremdartige Zeichen. Aber er war neugierig, er las sie laut und deutlich vor, ohne zu zögern. Der Wald wurde still. Er las weiter, ohne über die Konsequenzen nachzudenken. Als er endete, stießen die beiden Geschöpfe wie zuvor einen Schrei und ein Brüllen aus.

Dann geschah etwas Unglaubliches:

Der Löwe mit dem Adlerkopf holte aus und kratzte dem jungen Mann einmal mit seiner Pranke über den Rücken. Der Adler mit dem Löwenkopf zog mit seiner Kralle einen weiteren Kratzer über den Rücken des Mannes, sodass ein blutiges Kreuz entstand. Der Mann schrie um sein Leben, denn er konnte die Höllenqualen kaum ertragen.

Der Stuhl hörte auf zu leuchten und die restlichen Geschöpfe blick-
ten auf aus ihrer Starre.

Das Ritual war beendet, ein neuer Herrscher war geboren …

Kurze Pause. Einmal tief durchatmen. Und jetzt, aufwachen.
Aber nein, ich wachte nicht auf. Nicht dieses Mal. Es war echt,
ich brauchte mich nicht zu bemühen. Ich lag immer noch in
meiner Hängematte und das vergilbte Papier wurde von Zeit zu
Zeit feuchter. Unter normalen Umständen wäre ich verzaubert
gewesen. Ich hätte auch nicht nach dieser Stelle aufgehört, weil
ich die Buchstaben noch immer flüstern hören würde. Aber heute nicht, es flüsterte nichts und verzaubert wurde ich schon gar
nicht. Normalerweise hätte ich den Autor heiliggesprochen, aber
nur mit einem Gedanken an diesen Autor wurde mir schlecht.

Morgen ging es los, oder besser heute. Es war bestimmt schon
nach Mitternacht und glauben konnte ich es immer noch nicht.

Ich hatte nicht die Kraft, in mein Bett zu gehen und es war
immer noch warm, ich musste gar nicht reingehen. Ich kuschelte mich in meiner Decke ein und kurz darauf empfing mich die
Welt der Träume mit offenen Armen.

KAPITEL 5

Lily

20 Minuten wurden zu 40 Minuten. Eine Stunde zu zwei Stunden. Ich sprach von Verspätung. Seit 8:00 Uhr heute Morgen stehe ich hier rum, davor war ich noch bei Grandpa, um mich endgültig zu verabschieden. Nicht für ein halbes Jahr oder bis zu den nächsten Ferien – für immer!

Bei dem Gedanken allein wurde mir schwindlig. Aber er lebte noch, was bedeutet, dass McDobbin auch noch lebt und das bedeutet wiederum, dass ich ihm noch einige Fragen stellen kann, wenn ich mich beeilte: Wie es passierte und wer der nächste Herrscher ist zum Beispiel.

Nächste Woche geht auch dort die Schule los und wahrscheinlich werde ich dort einen Haufen normale Kinder treffen, die sich auf die „Neue" freuen. Ich hatte keine Lust auf das alles.

Dann hatte ich mit der Direktorin telefoniert und die vereinbarte Ankunftszeit werde ich, dank der zweistündigen Verspätung der Bahn, glaube ich schon mal nicht einhalten können.

* * *

„Wow!" Irgendwie hatte ich mir dieses Gebäude anders vorgestellt.

Ich meine, wer erwartet im 21. Jahrhundert eine Art Gebäude, die dem Schloss von Versailles ähnelt. Vielleicht war das nicht der perfekte Vergleich, aber ich sah ziemlich deutlich, dass dieses Anwesen nicht wie jede gewöhnliche Schule aussah. Die „Schule", so wie Grandpa es nannte, war ein Anwesen, das weiß verputzt war von oben bis unten und so sauber, dass man meinen könnte, sie hätten es erst gestern gemacht. Der Garten, der so groß war wie mein alter Schulhof mit Sportplatz zusammen und noch fünfmal größer, war top gepflegt und ein kieselsteiniger Weg schlängelte sich durch die Rosenbeete, die wohl noch nie in ihrem Leben Unkraut gesehen hatten. Allein auf den ersten Blick sah ich fünf Gärtner in Uniform. Und da, wo ich stand mit meinem Gepäck, fühlte ich mich irgendwie verloren.

Also vor mir lag der gigantische Garten mit den Wegen, die bis hoch zu dem Schloss führten. Ich konnte noch nicht sehen, wie weit sich das weiße Schloss nach hinten in den Wald erstreckte, aber ich erwartete viel.

Links und rechts neben dem Schloss waren zwei Teiche. Seerosen strahlten darauf um die Wette und das blaue Wasser glitzerte in der Sonne.

Hinter dem einen Teich war eine Wiese, total hügelig, aber natürlich bis in die letzte Ecke gepflegt. Sie war, wie alles andere hier auch, riesig. Auf ihr grasten um die 15 Pferde, gestriegelt und geputzt. Auf dem letzten Hügel prangten die Stallungen. Passend zu dem Schloss, das mein Grandpa „Schule" nannte, ganz in Weiß, natürlich protzig und viel zu sauber für einen Pferdestall. Ich mochte keine Pferde, noch nie!

Ich fragte mich aus Spaß, ob der Golfplatz direkt um die Ecke sei. Aber im nächsten Moment rempelte mich jemand von hinten an und ich war wieder in der Wirklichkeit – da, wo ich eigentlich nicht sein wollte. Wenn ich ein normales Mädchen, mit einem normalen Leben und einer normalen Familie gewesen wäre, dann hätte ich das alles hier traumhaft gefunden. Aber ich bin nun mal nicht normal und der Kerl, der mich gerade so heftig geschubst hatte, irgendwie auch nicht. Ich drehte mich um und sah in ein Gesicht, das so perfekt aussah, wie es eigentlich gar nicht möglich ist. Wie konnte man in der Pubertät so verdammt gut aussehen?! Er hatte so helle Haare, dass ich hätte schwören können, sie seien gefärbt, und stahlblaue Augen, aus denen er mich genauso geschockt ansah wie ich vermutlich ihn. Seine Klamotten waren total dreckig, seine Sneakers voll Matsch und seine blonden Haare waren bedeckt mit Spinnweben. Trotzdem konnte ich nicht aufhören, ihn anzustarren.

Er war der Erste, der seine Sprache wiederfand: „Oh, sorry! Das tut mir leid, ist alles okay mit dir?" Okay, seine Stimme war echt besonders ... Warte, was hatte er gesagt? Die Stimme in meinem Kopf erzählt mir, wie gut er aussah und ich wusste nicht, was ich antworten sollte. So etwas passierte mir sonst nie. „Äh ... Nee, also ... doch, alles gut!" Was sollte ich auch sonst antworten. Erst jetzt fiel mir auf, dass mein neues Shirt megaschmutzig geworden ist und ich keinen Bock habe, mich hier umzuziehen, wo es jeder sehen kann.

Doch ich war anscheinend nicht die Einzige, die hier neu einzog. Normalerweise hätte mich so etwas beruhigt und glücklich gemacht. Aber heute werde ich eh nicht mehr glücklich.

„Dein Shirt ersetze ich dir!", fuhr der Typ fort.

„Was ... achso! Ja, alles gut, wie gesagt." Nun blickte ich mich zum ersten Mal richtig um und sah, wie viele Menschen hier waren.

„Nelson Morrington." Er reichte mir seine Hand.

„Was? Äh ... ja. Lily. Lily Charly McWheel" Hilfe, was ging denn hier ab?!

„Freut mich. Ist McWheel dein Nachname?" Komische Fragen stellen konnte er auch.

„Ja klar, auf jeden Fall habe ich das 17 Jahre gedacht. Hinterfragt habe ich das, bis du kamst, eigentlich noch nicht. Wieso?" Wieso wollte dieser Typ das wissen?

„Nur so." Er schaute auf den Boden. Das war gelogen. „Hab den Namen halt schon mal gehört. Und du bist jetzt neu hier, wieso?"

Ich wusste nicht, wie viel ich ihm erzählen konnte. „Sagen wir so, mein Grandpa hat mich hierhergeschickt, er kann nicht mehr für mich sorgen!"

Er sah mich schon wieder so komisch an und gleich darauf wieder auf den Boden.

„Und deine Eltern?"

„Tot!"

„Tut mir leid."

„Braucht es nicht, war ja nicht deine Schuld."

Er musste lächeln – Wow! Ich lächelte auch etwas. Das erste Mal an diesem Tag.

„Tut mir leid, ich muss zur Direktorin, ich bin schon …" Ich sah auf mein Handy: „… 2 Stunden und 38 Minuten zu spät!"

„Oh, dann bis später mal, Lily Charly", sagte der Typ und ich verschwand.

Was für ein komisches Gespräch, dachte ich auf der Suche nach dem Direktorat, welches ich zuerst nicht fand. Es lag aber nicht daran, dass ich zu doof war, ein Direktorat zu finden. Ich wollte es nicht finden. Ich guckte mich bestimmt weitere 15 Minuten hier und da um und bemerkte, dass jedes Kind hier das neuste iPhone hatte, die teuersten Klamotten trug und ich hier wahrscheinlich niemals „verwöhntes Einzelkind" genannt werden würde, weil jeder hier alles bekam, wovon er nur träumte. Was mich bei einem weiteren Blick in die „Schule" nicht mehr verblüffte.

Ich bekam mit einem Ohr sämtliche Abschiedsgespräche mit, die ich eigentlich gar nicht hören wollte. Diese ganzen überfürsorglichen Eltern, die keine drei Monate ohne ihre Kinder konnten und die Kinder, die ihre Eltern wie Diener oder Sklaven behandelten. Ich fragte mich, ob es bei mir genauso abgelaufen wäre, wenn ich es erlebt hätte mit meinen Eltern so aufzuwachsen wie alle anderen hier.

Aber da war es wieder, ich war nicht wie alle anderen hier, und wenn ich auch nur ein kleines Bisschen so wäre wie die anderen, dann wäre ich jetzt überall, aber ganz bestimmt nicht hier.

Es stimmt schon, das Mega-Schloss von Schule war von innen genauso gigantisch wie von außen. Ich konnte einen kurzen Blick auf die neue Zimmerverteilung werfen und fand den Weg in mein Zimmer recht schnell. Nun befand ich mich in einem der Seitenflügel, was ich daran erkennen konnte, dass die Wände rund waren. Runde Wände, weil die Seiten der Villa wie riesige Säulen aussahen. In einer der Säulen stand ich jetzt im ersten Stock und bemerkte, dass ich nicht alleine war in meinem Zimmer.

„Vater, was ist das? Ich wollte ein Einzelzimmer, geh los und besorge mir ein Einzelzimmer!"

Das Mädchen musste Jolina sein. Jolina Becker. *Meine Mitbewohnerin, na ja, vielleicht wird's ja noch was*, dachte ich mir ohne große Zuversicht.

„Oder halt, warte! Vater, ich sagte warte! Bleib stehen! Ich bleibe erst mal, vielleicht wird es zu zweit ja doch etwas lustiger." Als sie das sagte, musterte sie mich von oben bis unten, als ich gerade mein MacBook auf mein Bett legte. Sie scannte scheinbar einmal ab, ob ich in ihrer Liga mitspielen konnte.

„Oh, hi! Ich bin Jolina Becker. Und du musst Olivia sein." Anscheinend konnte ich mitspielen …

„Ja genau, nenn mich Lily. Sind wir nur zu zweit hier?" Ich wollte nur eine Konversation aufbauen, aber ihr Interesse bezog sich eher auf mich.

„Bist du ganz alleine hier oder sind deine Eltern hier irgendwo?"

„Nein. Die sind tot."

„Oh, das tut mir leid."

„Schon gut, ist ja nicht deine Schuld."

Sie musste lächeln.

Ich wusste nicht, wie oft ich diese Konversation noch führen sollte, aber bei Jolina wirkte es irgendwie Wunder. Sie schickte ihre Eltern höflich raus und ich will nicht übertreiben, aber beim Einräumen hat sie mich sogar einmal zum Lachen gebracht.

Wenn es anders gewesen wäre, dann wäre es hier mein persönliches Paradies:

Ein riesiges Anwesen, in dem ich wohnen darf; ein Zimmer, das so geschmackvoll eingerichtet war, dass mein Zimmer zu Hause dagegen alt und grau wirkte und ein gigantisches Himmelbett, worin ich mich mindestens einmal in jeder Nacht drin verlieren würde. Wie zu Hause …

Jolina erzählte mir, dass dieses „Gebäude" nur zum Wohnen diente und ein sehr ähnliches „Gebäude" hinter den Stallungen die Schule sei. Man müsse nur jeden Morgen den Kiesweg hochlaufen.

Nach einer halben Stunde mit ihr zusammen in einem Raum wusste ich alles über sie. Und nicht nur über sie.

Ihr Vater ist der Besitzer von einer Zeitung, die ich nicht kannte, und sie träumt schon seit Jahren davon, auf diese Schule zu gehen. Sie musste allerdings warten bis ihr Großvater stirbt, um sein Erbe zu bekommen, damit sie das alleine finanzieren konnte.

„Wir standen uns nicht sehr nahe, ich habe die Chance halt ergriffen", meinte sie. Bei diesen Worten musste ich so schnell wie es geht hier raus. *Blöde Kuh*!, dachte ich mir. *Wenn die wüsste!*

* * *

„Hallo, du bist wahrscheinlich Olivia. Die Enkeltochter von Ryan McWheel. Ich kannte deinen Grandpa sehr gut. Es tut mir leid, du musst wahrscheinlich sehr geschockt gewesen sein."

Als ich es endlich schaffte, die Direktorin persönlich zu treffen, war es schon nach Mittag. Die Direktorin war eine ältere Dame, die Haare hochgesteckt und sie trug ein graues Kostüm. *Sehr stilvoll*, dachte ich mir. Es stand ihr ausgesprochen gut. Und wieder hätte ich gerne gesagt: „Alles gut, ist ja nicht Ihre Schuld …", aber wenn ich das noch einmal sagen müsste, würde ich wahrscheinlich zusammenbrechen.

„Es tut mir leid, dass ich zu spät bin, Frau Direktorin. Die Bahn kam zu spät und ich musste erst mal durchatmen, als ich das hier gesehen habe." Ich war unsicher und wusste nicht genau, was ich sagen sollte.

„Du brauchst mich auf keinen Fall ‚Frau Direktorin' nennen, für dich bin ich Anne. Oder Mrs. Woodland, wie du magst …" In diesem Moment fragte ich mich, ob sie heute jeden neuen Schüler auf dieser Schule in ihrem Büro persönlich begrüßte …

„Na ja, also wie findest du dein neues Zuhause? Ich hoffe du magst Pferde."

„Ja, also … Sagen wir, ich hatte noch nicht so oft mit ihnen zu tun." Lüge! Ich hasste Pferde.

„Es ist schön zu sehen, dass es dir gut geht, Olivia. Ryan hatte mich gebeten, etwas auf dich aufzupassen." Also deswegen dieser Empfang, aber wieso kümmerte sie mein Wohlbefinden?

„Also, aus welchem Grund bist du hier gelandet? Warum wollte dein Grandpa, dass du hier hingehst?", fragte sie, als sie mich mit einer Geste bat, mich zu setzen. Sie strahlte mich an und irgendwie hatte sie etwas an sich, das mich heute zum zweiten Mal etwas lächeln ließ.

„Grandpa meinte, es sei eine wunderbare Schule und ich würde hier gut hinpassen, aber vielleicht wollte er auch, dass Sie hier etwas auf mich aufpassen, ich weiß es nicht!" Das war wieder gelogen, aber ich konnte ihr ja kaum sagen, dass ich auf der Suche nach einem zweiten Herrscher bin, um ein Dutzend übernatürliche Kreaturen zu bändigen. Wenn sie wüsste ...

Sie schaute auf den Boden als sie weitersprach: „Jaja, vielleicht sollte ich auf dich aufpassen ..."

Nach einer halben Stunde verabschiedete ich mich und ging zurück in den Seitenflügel zu meinem Zimmer.

Trotzdem hatte ich nach unserem Gespräch das ungute Gefühl, dass nicht nur ich etwas verheimlicht hatte, sondern auch sie. Wieso darf ich sie duzen und wieso ist sie froh, dass es mir gut geht? Kannte ich diese Frau? Aber woher?

Als ich zurück auf meinem Zimmer war, war Jolina gerade nicht da. Gut. Auf meinem Bett lagen einige Unterlagen. Die Essenszeiten, mein Stundenplan und ein Wahlzettel von Aktivitäten, die ich hier unternehmen konnte. Nähen konnte man hier auch lernen, aber erstens brauchte ich das nicht zu lernen, ich konnte es schon! Und zweitens war ich nicht hier wie jeder andere, sondern aus einem anderen Grund.

Es klopfte: „Lily Charly?" Ich wusste, wer das ist, weil mich noch niemand vorher „Lily Charly" genannt hat.

„Komm rein!", rief ich und wusste schon vorher, dass ich bei seinem Anblick wieder in eine Schockstarre fallen werde.

„Geht nicht."

„Warum nicht?" Ich bereitete mich gerade noch darauf vor, möglichst cool zu bleiben.

„Mädchenzimmer, kein Zutritt." *Jetzt komm schon rein!*, dachte ich mir.

„Warte ich komme."

Ich machte die Tür auf und sagte nichts, das Cool-Bleiben hätte ich nicht üben müssen, klappt eh nicht. Er war genauso gut aussehend wie vorhin. Nur dieses Mal war er sauber, hatte frische Klamotten und saubere Sneakers an. Auch die Spinnweben in seinem Haar waren weg, aber sie waren immer noch strubbelig und wild abstehend von seinem Kopf. Er stand wohl nicht auf Haare-Bürsten. *Finde ich gar nicht schlimm*, musste ich zugeben.

„Komm doch jetzt rein, niemand sieht das hier!" Genervt zog ich ihn in mein Zimmer. „Was ist denn?"

„Nichts, ich wollte dir noch mal ‚Hallo' sagen, wenn ich nicht so aussehe wie vorhin." Er schämte sich anscheinend immer noch für den Auftritt.

„Ist doch alles gut. Ach, und du musst mich übrigens nicht Lily Charly nennen, Lily reicht."

Nelson musste grinsen: „Aber Lily Charly hört sich schöner an." Ich musste schnell meine blonden Haare über meine Ohren legen, damit er nicht sah, wie rot sie wurden. Sehr praktisch, wenn man lange Haare hat.

„Ich weiß jetzt, woher ich deinen Nachnamen kenne", fuhr er fort. „Kann es sein, dass dein Grandpa Ryan heißt?" Wieso kannte er auch meinen Grandpa?

„Ja … also er hieß Ryan, wobei ich nicht genau weiß, ob er noch lebt …" Ich muss mir meine Tränen unterdrücken, wenn ich jetzt vor ihm heulte, dann wäre mein Start hier wahrscheinlich der absolute Albtraum. Ich weiß auch nicht, wieso ich es ihm sofort erzählte, aber mit irgendwem musste ich reden und ohne ihn zu kennen, wusste ich, dass ich ihm vertrauen konnte.

„Hm … Warum, wenn ich fragen darf, sagst du das so, ich meine, ist er nun tot oder nicht?" Er bemühte sich ruhig und verständlich zu klingen, aber ich merkte, wie unwohl er sich bei der Frage fühlte.

„Er stirbt langsam, die Schwäche überrollt ihn und irgendwann ist es dann vorbei …" Ich musste mich so zusammenreißen, um nicht loszuheulen, dass ich ihn nicht ansehen konnte.

„Aber wieso, bist du dann nicht bei ihm, sondern hier?" Nelson sah mich mitfühlend an und doch konnte er diese Situation wohl nicht verstehen. Wie auch? Er wusste ja nicht, dass ich auf einer Reise bin, die ich auf keinen Fall freiwillig gemacht hätte, sondern es nur für meinen Grandpa tat.

„Sagen wir so, ich muss jemanden finden, es ist Grandpa wichtig, dass ich ihn gefunden habe, wenn er tot ist, deswegen hat er mich hierhergeschickt." Ich hoffte so sehr, dass ich gerade nicht schon zu viel erzählte, aber was sollte Nelson mit dieser Information schon anfangen?!

„Du suchst jemanden?" Er schaute schon wieder auf den Boden, aber warum, wusste ich noch immer nicht.

„Ist ja auch egal. Das kann warten. Woher kennst du denn meinen Grandpa?" Ich wurde neugierig, weil die ganze Zeit über mich und mein Leben gesprochen wurde, obwohl es nach all den Jahren für mich nicht mehr wirklich besonders war, bei meinem Großvater zu leben. Mit der Zeit hatte ich mich daran gewöhnt und mein Leben war genauso normal, wie das eines anderen Teenagers.

„Das kann eigentlich auch warten." Nelson zuckte mit den Schultern und sah aus dem Fenster auf die Wiese, die so perfekt idyllisch dalag, mit den Pferden und den Mädchen in ihren engen, weißen Jacketts, wie es sie eigentlich nur in diesen amerikanischen Kitsch-Komödien gibt. Aber es war echt und einen kurzen Moment fand ich es schön, hier zu sein. Aber ich musste zweimal hinsehen, bis ich erkannte, dass Nelsons Aufmerksamkeit nicht den Pferde-Mädchen galt, sondern dem finsteren Wald dahinter. Als ich ihm in die Augen sah, waren sie voller Kälte und hasserfüllt, bis ich einmal schnipste, um ihn wieder in die Wirklichkeit zu holen.

„Ist alles okay, Nelson?" Jedoch beantwortete er die Frage nicht.

Ich musste grinsen, aber ich wusste, irgendwas verheimlicht auch er nicht nur mir, sondern der ganzen Welt.

Und irgendwas ist hier nicht ganz so idyllisch, wie wohl alle denken.

KAPITEL 6

Lily

ch suchte nach ihm, oder nach ihr. Ich wusste ja nicht mal, ob der zweite Herrscher ein Mädchen oder Junge war. Ebenso wusste ich nicht, wo ich anfangen sollte, ich konnte ja schlecht durch die Flure der Schule laufen und jeden, der mir über den Weg lief, fragen, ob er der nächste Herrscher der übernatürlichen Kreaturen aus einem Märchenbuch ist.

Also machte ich mich in den letzten Wochen eher mit dem Thema vertraut, dass ich den Rest meiner eh schon unerträglichen Kindheit hier verbringen würde. Liam McDobbin fand ich natürlich auch nicht, obwohl ich das auch nicht wirklich erwartet hatte. Also ließ ich die Sache, weswegen ich eigentlich hier war, erst mal ruhen und tat das, was jeder tun würde. Ich meldete mich im Nähkurs an, probierte Reiten aus, was absolut schrecklich war, redete mit den verwöhnten Zicken aus meiner Klasse über die neuesten *Michael Kors*-Handtaschen und traf mich erstaunlich oft mit Nelson. Mein altes Ich, obwohl ich schon 17 Jahre alt bin, konnte mit Jungs nie wirklich was anfangen. Aber irgendwie hatte ich das Gefühl, dass dieser Ort hier die Menschen verändert.

Der Sommer ging erstaunlich schnell vorbei und als ich mit Nelson irgendwann abends Ende September im Kirschbaumgarten saß und die Sonne beobachtete, die langsam hinter den Wäldern verschwand, konnte ich in seinen Augen wieder mal diesen Hass und die Kälte sehen, wie schon einmal zuvor. Ich war an dem Abend eigentlich das erste Mal seit langer Zeit wieder glücklich. Mein Grandpa lebte noch, anscheinend brach die Verbindung zu seinen Geschöpfen sehr langsam ab. Aber ich wusste, dass die Zeit ihn einholen wird, denn der Zeit kann man nicht entkommen.

Doch als ich an diesem Abend den Hass in Nelsons Blick bemerkte, wurde mir wieder klar, weshalb ich eigentlich hier war und was ich die letzten Wochen versucht hatte, aus meinem Leben zu drängen. Ich wusste nicht, wo ich anfangen sollte, aber ich musste es und irgendwas sagte mir, dass der hübsche Junge neben mir, der so viel über mich weiß, eventuell etwas mit alldem zu tun haben könnte.

„Nelson?" Ich probierte nur herauszufinden, was es mit dem Wald, der immer schwarz dalag, auf sich hatte, als wir eines Abends auf einem Hügel zwischen den Kirschbäumen saßen. „Was ist dort hinten und wieso wirst du immer so still und seltsam, wenn du in die Richtung des Waldes schaust?"

Er zuckte erstaunlich stark zusammen, als ich seine Hand nahm, als hätte er vor etwas Bestimmten ganz besonders Angst.

„Wie bitte, was sagst du?" Er wendete den Blick nicht von dem Wald ab, während er mit mir redete. Seine Stimme war kalt und fremd, einen kurzen Moment erkannte ich sie gar nicht wieder.

Ich probierte es noch mal: „Ich wollte einfach wissen, wieso du so einen Zorn entwickelst, wenn du in den Wald schaust."

Jetzt sah er endlich wieder mich an, wieder mit den wunderschönen stahlblauen Augen, und von jetzt auf gleich konnte ich die Wärme wieder spüren. Die Wärme, die ich das erste Mal gespürt habe, als er mich mit Spinnweben im Haar geschubst hatte. Trotz der Wärme war er anders, und plötzlich merkte ich, dass ich nichts von ihm weiß.

„Wieso bist du eigentlich hier?" Die Frage verließ meine Lippen, ehe ich realisierte, wie persönlich sie eigentlich war.

Er wendete sich nun komplett von dem Wald ab und schaute mir in die Augen: „Meine Eltern haben einfach wenig Lust, sich um ihren Sohn zu kümmern …"

Es war still, ich konnte nichts sagen. Ich sah ihn nur an. Er tat mir so leid. Ich dachte für einen kurzen Moment daran, wie es sein muss, seine Eltern zu kennen, aber nicht in der Lage zu sein, mit ihnen zu leben, weil sie einen nicht wollten.

Er fuhr fort: „Meine Mutter hatte schon immer einen gewissen Hass auf ihre Familie. Sie hatte alles, Geld, Klamotten, einfach alles. Nur bekam sie keinen einzigen Tag Liebe. Sie meinte, ihre Familie lebte in einem Wald, doch ihre Mutter starb früh und ihr Vater hatte nie Zeit für sie. Mir wurde gesagt, dass auf der Familie schon immer ein Fluch lag und als sie den Wald verließ, wurde aus June McDobbin ziemlich schnell June Morrington. Noch schneller kam dann ich."

Mein Mund öffnete sich mit einem Mal so weit, dass ich vergaß, dass ich ihn nicht wieder geschlossen hatte.

„Deine Mutter hieß McDobbin? Also, ich meine du bist ein McDobbin?" Was sollte ich dazu noch sagen?

„Ja, das ist soweit ich weiß ein komplett gewöhnlicher Nachname, nicht ungewöhnlicher als McWheel, oder?" Er guckte mich ziemlich verdutzt und prüfend an. In dem Moment bemerkte ich, dass meine Fantasie eindeutig verrück spielte und wirklich jeder McDobbin heißen könnte.

„Tut mir leid, nur, den Namen habe ich schon mal gehört in …"

„Ist doch alles gut, reden wir einfach über etwas anderes, okay?" Er unterbrach mich ziemlich scharf, sodass ich sofort verstummte und ihm tief in die Augen schaute. Nelson lächelte, aber es war nicht echt. Ich hatte ihn in den letzten Monaten schon öfter lächeln sehen, aber das hatte nichts mit dem Lächeln zu tun, welches er gerade probierte zu verkaufen.

„Ja, keine Ahnung, wie ich darauf gekommen bin, aber ich weiß so wenig über dich …" Ich wusste ehrlich gesagt nicht, wie ich mich aus dieser Situation retten konnte, also blickte ich dieses Mal auf den Boden.

Nelson richtete sich auf und inzwischen war es so dunkel, dass ich von seinem durchtrainierten Körper nur noch die Umrisse sah. „Okay, schieß los, was möchtest du wissen?"

„Du hast gesagt, deine Mum hat geheiratet, und dann dich bekommen. Wo ist dein Vater?"

„Weiß nicht, abgehauen als ich noch klein war, er war eines Tages einfach weg. Nach einer Woche hat meine Mum ihn als vermisst gemeldet, aber Theo Morrington wurde nie gefunden!"

„Oh, wow! Hast du Geschwister?" Ich wusste nicht wirklich, was ich auf die Sache mit seinem Dad sagen sollte.

„Nö, nur ich! Hast du Geschwister?"

„Nein."

Stille. Ich hatte keine Ahnung, was ich sagen sollte, und wenn ich jetzt sagen würde „Tut mir leid.", dann würde ich mich selber schlagen. Weil wenn jemand weiß, wie scheiße sich dieser Spruch anhört, dann bin ich das.

„Wie lange bist du denn schon hier?" Eigentlich hatte ich keine Lust mehr auf dieses Frage-Antwort-Spiel, aber wenn ich etwas über ihn erfahren wollte, dann jetzt.

„Puhh, ich glaube, seit ich 10 bin, aber keine Angst, als meine Mum angefangen hat zu trinken, bin ich freiwillig gegangen." Er sagte das so stumpf, dass ich ihn nur anstarren konnte. Erst spät abends in meinem Bett realisierte ich, dass er vielleicht doch nicht der perfekte, liebe Junge ist, den man sich vorstellt, wenn man ihn sieht.

* * *

Heute war der 29. September.

Genau einen Monat vor dem Todestag meiner Eltern. Der Tag war schon ereignisreich genug gewesen: Ich weiß zwar nicht, wieso, aber als ich heute in Nelsons Zimmer kam, musste ich in ein aufgelöstes Gesicht blicken. Zusammengekauert und wie benommen saß er auf dem Fußboden, seine Hände hatten Schnittwunden und Striemen. Ich hatte ihn nicht gefragt, was passiert war, aber es muss einen Grund für seinen Ausraster gegeben haben. Die Tapete an der Wand war zum Teil abgerissen und ein Stuhl lag zertrümmert neben seinem Bett. Doch irgendwann nach Mitternacht wachte ich in seinen Armen auf, meine Finger mit den seinen verschlungen, meine Hand in seiner bandagierten Hand. Den ganzen Abend war er ruhig gewesen, und wenn er mir irgendetwas erzählen wollte, dann hätte er es gemacht. Ich respektierte seine Verschlossenheit. Mit meinem Finger fuhr ich über eine Stelle an seiner Hand, die ihn zusammenzucken ließ. Doch ich weiß bis jetzt nicht, ob es der Schmerz seiner verletzten Hand war, oder unsere Direktorin, die plötzlich vor uns stand und auch mich zusammenfahren ließ. Die Nacht war schwarz und nur der kreisrunde Mond schien über den See auf die vielen Hügel, auf denen wir jetzt noch immer saßen.

Anne Woodland, verschlafen, mit offenen Haaren und doch hellwach. Sie weinte. Sie gab mir ihre Hand, half mir hoch und umarmte mich. Als ich über ihre Schulter blickte, sah ich Nelsons Gesicht, aufgelöst und doch irgendwie, als wollte er mich beschützen. Was ging hier vor sich?

Ich wusste nicht, wieso, bis zu dem Moment, als Annes Worte in meinem Kopf widerhallten: *Ich kannte deinen Grandpa sehr gut …*

Also war der Tag jetzt gekommen, die Zeit hatte ihn endgültig eingeholt und ich konnte nichts dagegen machen, weil ich lieber die Zeit damit verbrachte, um ein Frage-Antwort-Spiel mit *ihm* zu spielen.

Du bist schuld, wegen dir ist er tot!, sagte mir diese kleine Stimme im Kopf.

„Nein …!", flüsterte ich. Er konnte nicht tot sein. All die Wochen wusste ich es irgendwie, aber nie hätte ich gedacht, dass dieser Albtraum wirklich mein Leben ist.

„Nein … Nelson?" Ich brach zusammen in Annes Armen, und gerade jetzt, als ich Nelson wirklich brauchte, seine warmen Hände, seine Schultern, die mich vor allem beschützen würden, war er weg.

Er stand nicht mehr da wie noch vor zwei Minuten, er war weg und ich wurde wütend.

„Nelson!!!", schrie ich in die Nacht und das war das Letzte, woran ich mich erinnern konnte, als ich in meinem Himmelbett wieder aufwachte.

Er ist tot … Ich bin allein …, schossen meine Gedanken durch den Kopf.

* * *

Die Beerdigung war schrecklich. Ich wusste, dass es wohl wieder einer der schlimmsten Tage in meinem Leben wird, aber ich hätte nicht gedacht, dass ich so an meinen Tränen ersticken würde. Insgeheim hatte ich gehofft, Nelson würde mich begleiten, aber als mich am letzten Samstag eine schwarze Limousine abholte, saß ich allein in dem viel zu großen Gefährt, ohne irgendeine Schulter, an der ich mich hätte anlehnen können.

Nelson war seit der Nacht, in der mein Grandpa gestorben ist, nicht mehr aufgetaucht. Er war nicht in der Schule, nicht beim Essen, er war nicht einmal in seinem Zimmer. Wo war er? Und wieso passierte das alles an diesem Ort, sodass man glauben könnte, irgendetwas stimmt hier nicht? Das alles konnte kein Zufall mehr sein. Aber was eigentlich?

Mein Kopf spielte verrückt, alles wollte ich zwanghaft auf dieses Märchen beziehen und sogar die unmöglichsten Ideen wurden von mir so zusammen gesponnen, dass ich selbst nicht mehr wusste, was wahr oder nur ausgedacht war.

Sie sagten mir, ich solle nach vorne schauen und die Vergangenheit ruhen lassen. Aber wie kann ich die Vergangenheit vergessen, wenn sie so wichtig für meine Zukunft sein könnte?

Zwei Wochen nach der Beerdigung rief Ilvy mich an. Es war nicht mehr wie früher, das bemerkte ich sofort, als ich hörte, wie sie mich begrüßte. Es fühlte sich fremd an, ihre Stimme zu hören. Zu gerne hätte ich mich bei ihr ausgeheult und wollte ihr alles erzählen. Doch vom ersten Moment an wusste ich, dass die Zeit, die wir voneinander getrennt waren, schon zu lang war, um einfach so weiterzumachen, wie ich es aus tiefstem Herzen gewollt hätte.

Auf einmal spürte ich wieder diesen Hass. Den Hass auf Nelson, der mich alleingelassen hatte, obwohl er wusste, dass er der Einzige in meinem Leben ist, den ich gerne bei mir habe. Ich spürte einen Hass auf Grandpa, der mich mit allem im Stich gelassen hatte, der mir etwas hinterlassen hat, was ich so sehr hasste, dass ich daran zu zerbrechen drohte. Und ich spürte, dass ich auf die ganze Welt sauer sein könnte, einfach weil ich allein war.

Ich wusste nicht, ob Nelson noch mal wiederkommen würde, ob ich ihm überhaupt in irgendeiner Weise wichtig gewesen war, bis er eines Nachts mit Spinnweben in den Haaren wieder in meinem Zimmer stand.

„Lily? Hey, können wir reden?" Er sah ziemlich hilflos und mitgenommen aus. Als hätte er seinen Ausdruck seit unserem letzten Treffen nicht verändert.

„Worüber?" Ich musste flüstern, weil Jolina sich in ihrem Bett bewegte. „Ich wüsste nicht worüber, ehrlich gesagt."

Ich freute mich irgendwie, ihn zu sehen. Er war nass geschwitzt, schmutzig und eigentlich sah er genauso aus wie bei unserem ersten Aufeinandertreffen. Ich musste die Gedanken verdrängen, wieso er so aussah, weil ich mich darauf konzentrieren wollte, sauer auf ihn zu sein.

„Bitte!", hörte ich ihn flüstern, und ich konnte nicht anders, als mit ihm zu gehen.

„Wo warst du?"

Wir saßen wieder unter den Kirschbäumen, auf dem kleinen Hügel und der Vollmond warf seine Schatten auf das riesige Anwesen. Es war fast so wie an dem Abend, als er mich verlassen hatte. Es wäre so schön gewesen, wenn ich mich nicht so alleine gefühlt hätte.

Er saß da, starrte mich an und machte nicht die Anstalten, auf meine Frage zu antworten.

Ich guckte weg, wendete mich von ihm ab und starrte auf den allein gelassenen See, der hinter dem Anwesen lag. Still und ruhig glitzerte er vor sich hin. Romantischer würde es gar nicht gehen, wenn da nicht diese bedrückende Stille in der Luft lag, die mich schwer atmen ließ.

„Hör zu, es tut mir leid!" Als er das sagte, hatte ich meine Frage darauf schon fast wieder vergessen und ich war verwundert, dass er überhaupt geantwortet hatte.

„Was? Was tut dir leid? Dass du einfach verschwunden bist? Dass du mich alleingelassen hast? Oder dass du überhaupt nicht wiedergekommen bist?" Ich flüsterte, weil ich genau wusste, wenn ich lauter werde, dann könnte ich die Tränen nicht mehr aufhalten.

„Alles. Ich weiß, es gibt keine Entschuldigung für das, was ich dir angetan habe …" Auch er flüsterte, warum weiß ich nicht. Hier ist es weit genug weg von allem, wir konnten nicht gehört werden.

Ich unterbrach ihn: „Nein, du hast recht. Wieso war ich auch nur so blöd und vertraue jemandem, den ich erst seit zwei Monaten kenne?" Jetzt konnte ich nicht mehr flüstern, weil ich sauer wurde. Meine Stimme brach.

„Ich dachte wirklich, du würdest bei mir bleiben, aber nein! Jeder muss ja auf irgendeine Weise aus meinem Leben verschwinden, ohne sich zu verabschieden!" Nun begann ich zu schreien. Ohne Kontrolle warf ich ihm Vorwürfe an den Kopf und er saß nur da und machte nichts.

Ich hörte mich weinen, aber ich wollte nicht stark bleiben. Er konnte ruhig sehen, wie ich zusammenbrach und er sollte wissen, dass er auch schuld war. Alles, was sich in den letzten Wochen und Monaten angestaut hatte, musste jetzt raus, ich konnte und wollte es nicht stoppen.

„Hey, Lily, nicht weinen. Ich bin doch hier!" Er kam näher an mich heran gerutscht und wollte mich trösten, aber ich ließ es nicht zu.

„Jetzt ist es zu spät, Nelson! Ich hätte dich in der Nacht gebraucht, in der du verschwunden bist!!" Ich schrie ihn an und sah ihm fest in die Augen. Dann drehte ich mich um, ohne noch ein Wort zu sagen, und verschwand in die Nacht.

Ich hörte ihn meinen Namen rufen: „Olivia!" Doch der Name hallte in meinem Kopf nach, als sei es nicht meiner.

KAPITEL 7

Lily

Obwohl ich ganz genau wusste, was ich eigentlich zu tun hatte – nämlich mich langsam meiner eigentlichen Aufgabe zu widmen –, verbrachte ich den ganzen Oktober damit, den Blättern zuzusehen, wie sie von den Bäumen fielen und heißen Kakao in meinem Himmelbett zu trinken. Nelson kam kein einziges Mal vorbei und auch in der Schule sah ich ihn eher selten. Ich konnte ihm nicht in die Augen gucken, denn ich wusste nicht, ob ich stark genug sein würde, wenn ich es tat. Es wurde kälter in Thornforest und die Tage wurden immer kürzer.

Thornforest – Der Name des Ortes, welchen ich ab jetzt mein Zuhause nennen sollte, war mir noch immer fremd. Ich bin auch erst einmal nach unten in das kleine Dorf gegangen, weil ich einen Funken Hoffnung hatte, dass ich irgendetwas über das, was hier vor sich gehen soll, herausfinden konnte. Ich lag falsch.

Dieser Ort, mit dem finsteren Wald, in dem meine Schule lag und dem noch dunkleren und dichteren Wald dahinter, war anders als Orte, die ich schon kannte. Die Menschen hier waren nicht nur reich, sondern hatten auch alle eine dunkle Seite. Eine Seite, die man nicht kennen wollte, mit Geheimnissen und Schmerzen.

Und ich steckte mittendrin, weil ich auf der Suche nach dem wohl dunkelsten Geheimnis war, das man sich nur vorstellen konnte. Aber dafür müsste ich jemanden finden, der mindestens genauso anders ist, wie ich es bin und bis jetzt ist mir noch niemand wirklich aufgefallen.

Bis ich *ihn* gesehen habe. Er passte nach Thornforest, er passte in diese dunkle Welt, die ich nur aus Büchern kannte. Ich nahm ihn zum ersten Mal richtig in meinem Geschichtskurs wahr, als er sich wie selbstverständlich auf Nelsons Platz setzte, als habe er da, rechts neben mir, schon immer gesessen. Er hatte schwarze

Haare, schwarze Kleidung und Augen, die so dunkel waren, dass ich nicht sehen konnte, ob er überhaupt eine Pupille besaß. Aber ich kannte diese Augen.

Ich hatte diesen mysteriösen Jungen noch nie gesehen und war nicht gerade begeistert, als er Nelsons Platz einnahm.

Es war ein verregneter, kalter und dunkler Oktobermorgen und mit jedem Atemzug, den ich machte, fühlte ich mich schlechter und unwohler in seiner Gegenwart.

Er starrte mich eine Zeit lang so auffällig an, dass ich am liebsten etwas gesagt hätte, aber pünktlich zum Unterrichtsbeginn kam Miss Roberts, unsere Geschichtslehrerin, in den Raum und begrüßte alle mit einem übermotivierten: „Hallöchen, schön euch alle zu sehen!"

Eigentlich war es ein ganz normaler Schultag: Ich trug nur noch Hoodies, um mich zu verstecken. Jeder hatte irgendetwas, worüber er lästern konnte und Miss Roberts versuchte vergeblich, die Aufmerksamkeit auf den Unterricht zu lenken. Sie ging ein paarmal ihre Unterlagen durch, runzelte die Stirn und richtete sich dann an den Neuen:

„Mr. Morrington, haben wir auch mal wieder das Vergnügen, Sie in diesem Gebäude zu sehen?!" Die Klasse musste lachen, nur ich nicht.

Mr. Morrington? Ich verschluckte mich an meiner eigenen Spucke, musste husten und verließ, ohne ein weiteres Wort, den Unterricht.

Angekommen im Kirschbaumgarten, sank ich auf dem Hügel zusammen, auf dem ich eigentlich nur mit Nelson saß, und das obwohl es regnete und kalt war. Ich kannte diese Augen. Von jemandem, den ich als glücklichen, höflichen Teenager kennengelernt hatte. Jemand, dem ich vertraut hatte. Jemand, in wessen Armen ich liegen wollte, von dem Moment an, als er mich aufgefangen hatte, damit ich nicht hinfiel. Es waren Nelsons Augen.

Doch waren sie voller Dunkelheit und Ausdruckslosigkeit. Sie waren kalt und es fühlte sich gefährlich an, hineinzugucken. Man würde sich in diesen Augen verlieren wie in einem Labyrinth, und man würde nie wieder herausfinden, dachte ich.

Diese beiden Augenpaare, die so gleich waren, aber nicht miteinander zu vergleichen waren. Sie trugen den gleichen Namen: Morrington.

Und das, obwohl diese stahlblauen Augen, die ich so abgöttisch liebte, mir einst sagten, sie seien allein, ohne Geschwister. Auch diese Augen konnten lügen.

Nelsons Augen logen. Denn die Augen, in die ich heute Morgen geschaut hatte, waren definitiv mit seinen verwandt.

Als ich aus meinen Gedanken wieder herausbrach, war ich nass bis auf die Unterwäsche. Wenn ich nicht krank werden wollte, dann sollte ich jetzt runter in mein Zimmer laufen und mich umziehen. Mascara lief an meinen Wangen herunter, wobei das nicht an dem Regen gelegen hat. Nein. Große Tränen kullerten meine Wangen hinunter, als ich in den großen Spiegel in meinem Zimmer sah. Ich war völlig fertig und hatte auch nicht vorgehabt, wieder in die Schule zurückzugehen. Sollten die doch von mir denken, was sie wollen.

Natürlich befand ich mich aufgrund meines plötzlichen Verschwindens am Vormittag später im Büro von Mrs. Woodland – oder Anne, oder wie auch immer. Nicht, dass es etwas Neues für mich ist, mit Leuten über mein schlechtes Verhalten zu sprechen, aber irgendwie fühlte es sich hier anders an als früher. Mein Grandpa war nicht mehr da und ich hatte eindeutig andere Probleme, um die ich mich kümmern sollte. Schlimm genug, dass ich mich um diese Probleme ganz alleine kümmern muss. Wenn ich jetzt auch noch mit dieser überfürsorglichen Direktorin über mein Benehmen reden muss, dann platzt mir echt der Kragen.

„Ich habe von Miss Roberts gehört, dass du heute geschwänzt hast? Möchtest du mir einen Grund dafür nennen, wieso du aus ihrem Unterricht verschwunden und auch nicht wiedergekommen bist?" Sie redete auf mich ein, als sei sie mein Psychiater. Ihre Stimme war ruhig und viel zu nett, um jemandem zu erklären, dass er etwas Verbotenes getan hat.

Aber auch sie war nicht blöd, sie wusste genauso gut wie ich, dass Schule gerade mein kleinstes Problem war. Ungefähr einen

Monat nach dem Tod meines Grandpas, der nebenbei die einzig verbliebene Person in meinem Leben war, die ich liebte, vielleicht nicht ganz, aber er war die einzige Person gewesen, die *mich* geliebt hat.

„Natürlich bekommst du keine Strafe aufgrund der entsprechenden Umstände, aber ich bitte dich für die Zukunft, dich abzumelden, wenn es dir nicht gut geht." Sie redete weiterhin mit dieser fürsorglichen Stimmlage, dennoch schaute sie mich jetzt etwas strenger an. Ich musste mich immer noch bemühen meine Tränen herunterzuschlucken und antwortete mit einem leisen, kaum verständlichen: „Ja, Entschuldigung!"

Eine Weile saßen wir beide in ihrem Büro. Ich wusste nicht, ob ich einfach gehen konnte, ohne aufgefordert zu werden, also blieb ich sitzen bis sie mir erlaubte zu gehen.

Mrs. Woodland kritzelte etwas in ihre Unterlagen und in der Zeit überlegte ich, ob sie wusste, wo Nelson sein könnte. Ich wollte eigentlich nicht fragen, weil das schon ziemlich komisch kommen würde, aber so langsam machte ich mir echt Sorgen.

„Ähm, Mrs. Woodland, in den letzten Wochen in der Schule, da habe ich Nelson Morrington gar nicht mehr auf den Fluren oder in den Kursen gesehen. Wissen Sie eventuell, wo er sein könnte?"

„Lily, Nelson hat es im Moment nicht so leicht, ähnlich wie du."

Mehr sagte sie nicht, und wenn ich mich nicht irrte, klang ihre Stimme zum ersten Mal angespannt und gar nicht mehr höflich.

Als ich dann gehen durfte, war ich mehr als verwirrt. Was meinte sie, als sie sagte, Nelson habe es im Moment nicht so leicht? Und weshalb musste ich zu ihr ins Büro, wenn ich nicht zur Schule ging, aber Nelson musste nicht hin?! Und wo zum Teufel war Nelson?

Wieso taucht auf einmal jemand auf, der den gleichen Nachnamen hat wie er, die gleichen Augen und doch so anders ist?

Wieso war Thornforest ein Ort, wo nichts dem Zufall überlassen werden konnte?

Tausende Fragen schwirrten mir durch den Kopf und ich hatte das Gefühl, dass Nelson, wenn er mir die Wahrheit sagen würde, viel mit all dem zu tun haben würde.

Es war kurz vor Unterrichtsende und es dauerte nicht mehr lange, bis alle Schüler den Kiesweg hinunterliefen, um von dem einen perfekten Gebäude, unserer Schule, ins andere perfekte Gebäude zu gelangen.

Keine Ahnung, wieso ich nach dem Gespräch mit Direktorin Woodland wieder zurück in die Schule gelaufen war, denn in den Unterricht musste ich jetzt auch nicht mehr gehen. Alles, was ich jetzt davon hatte, war, dass in wenigen Minuten Hunderte von Schülern durch die Flure hasteten, damit sie so schnell wie möglich hier rauskamen. Und genau bei dem Gedanken klingelte die Schulglocke, die Türen sprangen auf und ich war nicht länger alleine. Als Erste kam Jolina. Jolina hatte mir gerade noch gefehlt mit ihren perfekt gemachten Nägeln, den perfekt geföhnten Haaren und überhaupt war wieder einmal alles an ihr perfekt. Hinter ihr liefen ihre Anhänger, alles Mädchen, die so sein wollten wie sie. Sie passten wirklich alle *perfekt* hierher. Sie setzte ein zuckersüßes Lächeln auf und tat so, als sei sie besorgt: „Hey. Olivia, ist alles in Ordnung bei dir? Nancy hier, aus dem Zimmer neben uns, meinte, du hättest zwei Stunden lang über der Toilette gehangen und gekotzt?!"

Nein, Lüge! Ich funkelte Nancy böse an.

Ich probierte Jolina zu sagen, dass das nicht stimmte, aber irgendwie gelang mir das nicht so ganz. „Hi, Jolina. Nein, ich habe nicht gekotzt und danke, mir geht's gut." Aber Jolina bemerkte gar nicht, dass ich mit ihr redete.

„Komm erst mal mit in unseren Schlafsaal, wir machen heute einen Wellness-Nachmittag und dann geht es dir morgen schon besser. Ich verspreche es dir, das wird toll."

Nein, bitte nicht! Das wird nicht toll!, ging es mir durch den Kopf. Aber ich konnte mich schon gar nicht mehr wehren, weil ich mit dem Menschenstrom in Richtung Ausgang gezogen wurde.

Doch dann ging alles ganz schnell. Mein rechtes Handgelenk wurde von einer anderen Hand umschlossen und ehe ich etwas ändern konnte, wurde ich von jemandem aus der Menge herausgezogen. Plötzlich stand ich in einer Ecke in einem der Nebengänge. Es war natürlich total leer, denn jetzt war niemand mehr hier nach Schulschluss. Außer mir und …

„Nelson?!" Ich flüsterte seinen Namen und wusste nicht, was ich denken sollte.

„Hey, ich dachte wir …" Weiter kam er nicht, denn in dem Moment knallte meine flache Hand auf seine Wange. Ich wusste nicht, wieso ich das getan hatte, aber in dem Moment fühlte es sich einfach richtig an. Doch gleich darauf hatte ich es schon wieder bereut, als ich in seine Augen sah und bemerkte, dass er hier war, um alles aufzuklären.

„Du wolltest reden? Ich bin so froh, dass du hier bist. Es tut mir leid!" Ich hatte nicht mal erwartet, dass er noch mit mir reden wollte und ich war auf einmal überglücklich.

Ich umarmte ihn und als er mich zurück umarmte, wusste ich, dass er nicht sauer war.

Wir saßen eine Weile einfach nur da, mit dem Rücken an die Spinde gelehnt, und sahen uns in die Augen. Zwischendurch dachte ich mir, ihn nach dem mysteriösen Jungen mit seinem Namen zu fragen. Aber ich wollte diesen Moment nicht ruinieren, was ich auch nicht tat, denn Nelson tat es, irgendwie. Er brach das Schweigen, was nach einer gewissen Zeit ziemlich unangenehm wurde: „Lily, ich möchte, dass das funktioniert mit uns, was auch immer das ist und ich muss dir vertrauen, genauso wie du mir vertrauen musst. Verstehst du? Es gibt da Dinge, worüber wir jetzt noch nicht reden können, aber du musst mir vertrauen, dass ich alles tun werde, um dich zu beschützen!"

Ich merkte wie unsicher er war und wie vorsichtig er seine Worte wählte, damit er ja nicht zu viel über sich oder seine *Familie* erzählte. Ich wusste es, weil ich die letzten Wochen und Monate genauso vorsichtig über mich gesprochen hatte wie er jetzt. „Aber wovor denn, Nelson? Wovor musst du mich beschützen und wie soll ich dir vertrauen, wenn du mich bei den kleinsten Sachen anlügst?" Meine Stimme zitterte, obwohl ich mich bemühte stark zu bleiben. Ich wollte nicht immer wegen ihm heulen. So sehr ich mich auch zusammenriss, ich musste die ganze Zeit an den Typen denken, der auf Nelsons Platz gesessen hat.

Nelson sah mich etwas verdutzt an, als wüsste er nicht, worüber ich redete. „Was meinst du, Lily? Wann habe ich dich angelogen?"

„Heute in der Schule bei Miss Roberts, da ist ein Junge aufgetaucht. Ungefähr so groß wie du, komplett schwarz gekleidet, schwarze Haare und er hatte deine Augen *und* deinen Nachnamen. Wer war das, Nelson? Du meintest, du seist ein Einzelkind." Ich musste ihn einfach fragen, damit ich die Wahrheit erfuhr. Ist es denn zu viel verlangt, die Wahrheit wissen zu wollen?

„Ja, es tut mir leid." Es fiel ihm sehr schwer, darüber zu reden. „Das war Cormac. Cormac Morrington, mein Zwillingsbruder. Er ist das komplette Gegenteil von mir."

„Wieso hast du mir nicht von ihm erzählt?" Ich wusste nicht, ob ich enttäuscht klingen sollte oder erleichtert, dass er es mir jetzt erzählt hatte.

„Lily, er ist anders. Kompliziert. Anstrengend. Egoistisch und komplett wahnsinnig. Er hat ein Problem mit mir und mit jedem Menschen, der ihm widerspricht. Aber ich glaube, am meisten hat er ein Problem mit sich selbst. Und weil er sich nicht selbst die Schuld geben will, gibt er sie dem einzigen Menschen, den er noch hat: mir! ... In letzter Zeit dreht er völlig durch, denn er macht mich für etwas verantwortlich, was ich nicht mal beeinflussen kann!" Noch bevor er fertig war, wendete er seinen Blick von mir ab. Er hatte sich in Rage geredet und erst jetzt merkte er, wie boshaft er über seinen Bruder sprach.

„Wofür gibt er dir die Schuld?", flüsterte ich und noch während ich die Frage stellte, wusste ich, dass ich auf sie keine Antwort bekommen würde. Nelson schwieg und blickte auf den Boden.

„Du musst dich von ihm fernhalten, okay? Er will mir wehtun und ich befürchte, er schreckt vor nichts zurück." Als er das sagte, nahm er meine Hände, die so kalt waren, dass ich zusammenzuckte, als er sie mit seinen warmen, großen Händen umschloss.

„Ich bleibe bei dir!", sagte ich leise und lehnte meine Stirn an seine. „Mir ist egal, wieso du weggegangen bist. So lange du hier bleibst, ist alles gut."

„Ich muss noch ein paarmal weg, Lily Charly. Einige Sachen regeln. Dinge, die ich Cormac nicht anvertraue. Es hat etwas mit der Familie zu tun. Aber ich verspreche dir, ich komme wieder. Nur für dich, Lily Charly McWheel."

Dann küsste er mich. Langsam berührten sich unsere Lippen und es verging eine Ewigkeit, bis sie sich wieder voneinander lösten.

Seine Lippen strichen weich über meine und es fühlte sich an, als wären sie füreinander gemacht. Ohne zu wissen, was ich hier tat, erwiderte ich dieses Zeichen der Zuneigung, des Vertrauens. Mein Körper wurde mit einer Wärme geflutet, die mir das Gefühl von Geborgenheit gab. Ein Gefühl, dass ich seit so langer Zeit nicht mehr spüren durfte. Ein Gefühl von Heimat.

Er berührte mich an der Wange und strich mir eine Haarsträhne hinters Ohr. Sanft und behutsam. Gott, hatte ich ihn vermisst!

Das war er also, mein erster Kuss. Auf dem Boden in den Fluren der *Thornforest Boarding School*.

* * *

Niemals hätte ich gedacht, dass ich an diesem Ort unter diesen Umständen glücklich sein kann. Vor kurzer Zeit dachte ich noch, ich hätte jeden aus meinem Leben verloren, der mir irgendwie wichtig war. Und doch saß ich an diesem Abend auf meinem Bett, trug einen von Nelsons Pullis und war einfach glücklich. Ich redete sogar mit Jolina über ihn, nur weil sie mich ausfragte natürlich. Man ist wohl nie ganz ungestört, auch nicht in den Schulfluren nach Schulschluss. Irgendjemand hatte uns gesehen und es an alle Kontakte weitergeleitet.

Also wussten es alle. Es war offiziell und wir mussten uns in den kommenden Tagen in der Schule nicht verstecken, um Händchen zu halten.

Es war der 2. November und langsam fühlte ich mich hier wohl, was zu 99% daran lag, dass ich mit Nelson jemanden gefunden hatte, dem ich vertrauen wollte und konnte.

Aber auch meine Abneigung Jolina gegenüber schrumpfte. Ich konnte mit ihr reden und obwohl wir so unterschiedlich waren, passten wir auf einmal zusammen. Auch sie veränderte sich in meiner Gegenwart. Ihre Girls-Gruppe wurde aufgelöst und wenn ich nicht bei Nelson war, dann sah man uns beide zusammen durch die Flure schlendern.

Eigentlich hätte mein Leben jetzt richtig starten können und alles würde gut werden.

Aber trotz allem, was so perfekt hier war, blieb ich die Nächte wach, las das Märchen, was der eigentliche Grund war, wieso ich hier war und machte mir haufenweise Gedanken.

Ich hatte Grandpa versprochen, seine Arbeit fortzuführen, und konnte ihn nicht enttäuschen.

Zwar konnte ich immer noch nicht ganz glauben, was er mir erzählt hatte, aber wenn es stimmte, dann hatten die Kreaturen im McDobbin-Forest, meinen Berechnungen zu Folge, jetzt mehrere Wochen keinen Herrscher und ich wollte nicht wissen, was dann passieren würde.

Auch wenn ich das Märchen jetzt schon um die hundertmal gelesen hatte, schlug ich das Buch auf und endlich wieder seit so langer Zeit umschloss mich das mir so bekannte Gefühl von Wärme und Zuneigung, als ich anfing zu lesen. Schöne Erinnerungen, die dieses Buch mit sich brachte und die Welt, in die man sich hineinlesen konnte, öffnete ihre Tore. Nur für mich. Kurz danach verlor ich mich, wie immer, in einer Welt, die ich besser kannte als meine eigene.

KAPITEL 8

Lily

in neuer Herrscher war geboren.

Die Schmerzen, die McDobbin ertragen musste, waren entsetz-lich. Nicht auszuhalten. Er sank in die Knie. Und doch konn-te er sich nicht bewegen. Alle, jede einzelne Kreatur, gab nun die Laute von sich, die McDobbin schon so oft gehört hatte.

Und dann, in einem Moment der Stille, ließen die Schmerzen nach. Die Geschöpfe beruhigten sich und McDobbin kam zurück auf seine Beine. Er spürte nichts mehr, keinen Schmerz, keine Angst. Nur ein Hauch von Abenteuerlust und Hoffnung kroch in ihm hoch, bis er sich erleichtert, mit einer gigantischen Narbe auf seinem Rücken, in seinen Thron fallen ließ.

Ein weiteres Mal erleuchtete der Thron in einem hellen Grün und auf der Stuhllehne entzifferten sich die Runen, die er des Öfteren gelesen hatte.

„FOUND US"

Es stand dort geschrieben, als wäre es schon immer dort gewesen. Doch McDobbin wusste bereits, dass einiges in dieser unscheinbaren und scheinheiligen Welt anders war, als er sich immer vorgestellt hatte. Doch McDobbin wurde aus seinen Gedanken gezogen. Hunderte von Stim-men redeten auf ihn ein und das, obwohl er wusste, dass durch die Dor-nen-Tore niemandem jemals Zutritt in diesen geheimnisvollen Wald ge-währt wurde.

„Hilfe, sie sind auserwählt. Es ist ihre Aufgabe …!" Die Stimmen ließen nicht nach, selbst nicht, als McDobbin seine Augen rieb und sei-ne Ohren überprüfte.

„… uns zu beschützen. Sie sind der Herrscher!" Die beiden größten Kreaturen von jeder Art bäumten sich vor ihm auf und allmählich wurde ihm bewusst, wo die Stimmen herkamen. In seinen Ohren hallten die Verse, die er in seinem Buch gelesen hatte:

„Zu seiner Hilfe sei ihm eine Gabe gegeben … Die Sprache der Tiere, um ihnen Schutz zu geben!"

McDobbin sah den Geschöpfen in die Augen und mit einem Mal wusste er, was ein würdiger Herrscher zu tun hatte:

Sein Schloss stand inmitten der beiden Hügel. Und so teilte McDobbin die Kreaturen, die von nun an die seinen waren, auf diese beiden Hügel auf. Jede Art auf einen Hügel, um die Kämpfe der Geschöpfe zu vermeiden.

Und in der Mitte, in seinem Schloss, das dafür gebaut wurde, diese Wesen zu beschützen, der würdige Herrscher der Aquila und Iubes …

Ich wusste nicht, wie lange ich gestern Nacht gelesen hatte. Aber es war spät in der Nacht, als ich bemerkte, dass ich schon einmal eingeschlafen war.

„Lil! Aufstehen … Los, wir haben verschlafen!" Das war eindeutig Jolinas Stimme, die sich genauso müde und fertig anhörte, wie meine, als ich antwortete: „Was? Wie spät ist es?"

Es war 7:56 Uhr. Noch vier Minuten. Ich kannte mich aus mit dem Zuspätkommen und eins wusste ich: Jetzt lohnte es sich auch nicht mehr, sich zu beeilen. Wir kamen eh zu spät. Eigentlich hatte ich damit kein Problem, über unentschuldigte Fehlstunden konnte sich sowieso niemand aufregen, denn wem sollte ich am Ende des Jahres schon mein Zeugnis zeigen?

Aber dann war da ja noch die Sache mit Nelson … Ich hatte ihm versprochen, dass wir uns 7:30 Uhr bei den Kirschbäumen treffen würden … Scheiße! 7:30 Uhr war schon vorbei und er saß da jetzt alleine.

„Lina?" Das war mein Spitzname für Jolina, weil sie mich immer Lil nannte. „Wo ist mein Handy? Scheiße, ich muss Nelson anrufen, ich bin zu spät!"

„Der hat schon viermal angerufen, deswegen bin ich ja aufgewacht. Ich würde ihn zurückrufen!" Sie zwinkerte mir verschwörerisch zu und warf mir mein Handy rüber.

„Komm schon, geh ran!" Er war bestimmt sauer.

„Lily? Alles okay bei dir, ich habe mir Sorgen gemacht … Kannst du dich nicht wenigstens melden, wenn du nicht kommst?"

„Verschlafen!", rief ich aufgeregt ins Telefon. „Wo bist du gerade?"

„In der Bibliothek, ich habe erst um 9:00 Uhr Schule!", sagte er etwas verdutzt, aber er war nicht enttäuscht, glaube ich.

„Glück gehabt, ich habe gerade beschlossen, auch erst um 9:00 Uhr hinzugehen! Bleib genau da, wo du bist, ich bin in zehn Minuten bei dir!" Dann legte ich auf.

„Erst 9:00 Uhr Schule? O man, Lil! Was soll ich heute sagen? Migräne?" Lina musste lachen, weil ich dastand, wie jemand, der gerade den Bus verpasst hat. Ich musste auch lachen.

„Überleg dir was, okay?" Sie nickte. „Danke, du bist ein Schatz! Das nächste Mal Kino geht auf mich." Ich drückte sie einmal fest und wollte gerade zur Tür, bis sie mir, mit einer extravaganten Geste zeigte, dass ich so, wie ich jetzt aussah, nicht zu meinem Freund gehen konnte. Sie hatte recht, so wie ich aussah, konnte ich überhaupt zu niemandem gehen.

Als ich meine Haare gekämmt hatte, etwas Richtiges anhatte und geschminkt war, eilte ich 15 Minuten später durch die riesige Bibliothek, in der Hoffnung, ich würde irgendwo einen weißblonden Hinterkopf sehen. Es war jetzt schon ein paar Mal vorgekommen, dass Nelson sich mit mir in der Bibliothek treffen wollte, was ich äußerst unromantisch und blöd fand, weil man hier erstens leise sein musste und zweitens war Nelson immer so in seine Arbeiten vertieft, dass wir wenig Zeit füreinander hatten. Aber egal, schließlich war ich diejenige, die ihn heute Morgen hat sitzen lassen. Also stöhnte ich nicht all zu laut, als ich ihn, mit Bücher beladen, hinter dem letzten Regal fand.

„Hey, es tut mir so, so unendlich leid, ich habe einfach meinen Wecker nicht gehört und Jolina hat auch verschla..." Weiter kam ich nicht, weil ich in meinem Redefluss nicht bemerkte, wie er sich zu mir herunterbeugte und mir einen Kuss gab. Ich muss zugeben, daran hatte ich mich noch nicht ganz gewöhnt, aber es fühlte sich gut an, als würde er mich beschützen.

„Es ist alles gut. Wirklich, ich bin nicht sauer, oder so. Nur jetzt musst du damit klarkommen, dass dir nicht meine gesamte Aufmerksamkeit gilt, weil ich noch einiges zu tun habe."

Ich verdrehte die Augen und nahm ihm die Hälfte der Bücher ab. Nelson wusste wirklich alles und manchmal fühlte ich mich in seiner Gegenwart ein bisschen hilflos. Es gab nichts, was er nicht erklären konnte und eigentlich war er der geborene Streber, wenn er nicht so verdammt gut aussehen würde.

Also saßen wir da, in der Bibliothek. Ich, diejenige, die ihren Unterricht schwänzt, um ihrem Freund beim Lernen zuzugucken. „Bravo, Lily, davon wirst du auch nicht schlauer!", sagte mir eine gemeine Stimme im Kopf und irgendwie musste ich sie verdrängen. Ich ging in die hinterste Ecke des letzten Regales und wollte wenigstens so tun, als ob ich mich für irgendetwas interessierte. Aber dann, plötzlich, lag dort ein Buch, für das ich mich möglicherweise wirklich interessieren würde: Es war unter das Regal gerutscht und als ich es aufhob und in den Händen hielt, spürte ich, dass es mir bekannt vorkam. Ich drehte es um, damit ich den Titel lesen konnte: *Thornforest's Legend*

Eigentlich ist es auch nicht wirklich besonders, ein Märchen in der Bibliothek zu finden, aber als ich mich umsah, um zu schauen, wo es möglicherweise herausgefallen sein könnte, bemerkte ich etwas. Dieses Märchenbuch war das einzige Märchen, was ich in den umliegenden Regalen entdecken konnte. Ich suchte nach anderen Märchen, um es zurückzulegen, aber ich fand kein Regal, in welchem Märchenbücher standen.

Ich ging zurück an Nelsons Platz und weil er in jeder freien Minute hier war, wollte ich ihn fragen, wo ich das Buch hinlegen sollte. Als ich mich zu ihm setzte, sah er mich mit großen Augen an. „Lily, du liest? Also das habe ich echt nicht von dir gedacht!"

Ich musste wieder einmal schmunzeln, dass er etwas von mir nicht wusste, obwohl es meine absolute Leidenschaft war.

„Um ehrlich zu sein, habe ich, bevor ich hierhergekommen bin, nichts anderes gemacht. Aber nur Märchen, den Rest finde ich nicht so spannend." Als ich das Wort „Märchen" aussprach, musste ich sofort an meinen Grandpa denken, was mich stolz und todtraurig zugleich machte.

Nelson schüttelte lachend den Kopf. „Aber du weißt schon, dass du dann ziemlich falsch hier bist? Lily, das hier ist eine Schulbibliothek. Hier gibt es keine Märchen!"

„Ach ja?" Ich schob ihm *Thornforest's Legend* unter die Nase. „Das habe ich gerade eben unter dem letzten Regal dahinten gefunden." Ich zeigte ihm, wo es gelegen hatte, doch das interessierte ihn gar nicht mehr. Er wurde auf einmal irgendwie ernst und probierte, sich bezüglich des Buches gleichgültig zu verhalten. Es fiel mir sofort auf.

„Keine Ahnung, wieso es dagelegen hat, aber leg es bitte einfach wieder weg. Ist mir egal, wohin, und jetzt sei mal etwas leiser, ich muss wirklich noch was schaffen."

Wieso war er auf einmal so unfreundlich? Ich machte ein beleidigtes Geräusch und wollte gerade gehen, als er mich, wie so oft, an der Hand zurück zu sich zog. Ich fiel auf seinen Schoß und eigentlich wollte ich beleidigt wirken, aber ich fühlte mich dort so wohl, als hätte ich dort schon immer hingehört. Ich konnte einfach nicht sauer auf ihn sein.

„Hey, es tut mir leid! Ich bin einfach etwas im Stress, weil bald die Prüfungen anfangen und ich weiß auch nicht …!" Er war so süß, wenn er sich immer für alles entschuldigte! Ich musste lächeln und ließ mich noch ein bisschen weiter nach vorne fallen, bis er mir so nah war, dass wir uns küssten. Es war einfach nur schön und ich wollte ihn nicht loslassen. Heiß durchflutete es meinen ganzen Körper, wie tausend kleine Stromschläge, jedes Mal, wenn seine Lippen meine berührten. Ich vergrub meine linke Hand in seinen dichten, blonden Haaren, die jetzt wahrscheinlich noch strubbeliger wurden, als sie ohnehin schon waren. Ich genoss jede Sekunde der Aufmerksamkeit, die er mir gab und wollte es ihm mindestens genauso stark zurückgeben. Nichts und niemand hätte diesen Moment zerstören können. Ich wollte nicht aufhören und die Zeit blieb stehen … Bis ich merkte, dass uns jemand beobachtete. Nelson bemerkte es auch, aber erst als ich ein Räuspern hörte, lösten wir uns voneinander.

„Was willst du, Cormac? Verzieh dich!" Nelson war genervt und ich war es auch.

„Cormac, das ist Olivia Charlotte, meine Freundin. Du kannst jetzt aufhören, sie so komisch anzustarren. Lily, das ist Cormac, mein Bruder!" Er sagte es, als wäre es eine Schande. Einen kurzen Moment tat Cormac mir leid, aber als ich bemerkte, dass er mich immer noch anstarrte, auch schon wieder nicht mehr. Ich wollte irgendwas sagen, aber „Freut mich sehr." hätte nicht so gut gepasst.

„Hi, wir haben uns schon einmal in Geschichte gesehen", sagte ich so desinteressiert, wie es nur ging. Eigentlich hatten wir uns gar nicht gesehen, weil ich rausgerannt bin und völlig überfordert war. Eigentlich wie jetzt: Mit seinen schwarzen Augen und dem durchbohrenden Blick fühlte ich mich sichtlich unwohl in seiner Gegenwart und es verging eine halbe Ewigkeit, bis er überhaupt auf mein Hallo reagierte.

Die Höflichkeit bei Nelsons Bruder ließ irgendwie zu wünschen übrig. „Hm, kann sein!", sagte er stur und dann drehte er sich um und sagte im Weggehen: „Nelson, ich muss mit dir reden, ist wichtig!"

Dann war er weg. Komischer Typ.

„Ja, du kannst mich mal!", murmelte Nelson und als die Tür hinter Cormac ins Schloss fiel, wollte er sich wieder entschuldigen. Aber bevor er etwas sagen konnte, legte ich meinen Finger auf seine Lippen und brachte ihn zum Schweigen. Ich konnte in seine Augen sehen und mich darin verlieren. Er küsste mich, aber nur kurz, weil ihm dann wieder einfiel, wieso er eigentlich hier war. Ich wollte wieder diese beleidigte Miene aufsetzen, die ich natürlich nicht ernst meinte, aber ich bezweifele, dass er es überhaupt bemerkt hätte. Er hatte seinen Kopf schon längst wieder in einem viel zu dicken Buch vergraben. Ich gab es auf, hier konnte ich seine Aufmerksamkeit wirklich nicht auf mich lenken und ich muss zugeben, inzwischen war meine Aufmerksamkeit auch auf etwas anderem gerichtet.

Ich hatte Nelson einen Abschiedskuss gegeben und nahm das Buch mit an einen Ort, wo ich genauer hineingucken konnte, ohne dass irgendjemand etwas dagegen haben könnte.

Ich setzte mich auf meinen Balkon in meinem Zimmer und wickelte mich in eine Decke ein, um dann eine besonders unerwartete Entdeckung zu machen. Dieses Märchenbuch war anders als meins, einfach aus dem Grund, dass es noch weiterging an der Stelle, wo mein Märchen schon längst zu Ende erzählt worden war.

… der würdige Herrscher der Aquila und Iubes war geboren.

Liam lebte Jahrzehnte allein, ohne jemanden, mit dem er sein Leben teilen konnte. Die Dornen wurden mit jedem Jahr dicker und es war kein Durchkommen.

Ohne ein einziges Gefühl von Schwäche zu verspüren, blieb Liam McDobbin der alleinige Herrscher des McDobbin-Forests und er fand heraus, dass nicht nur die Sprache der Tiere eine Bereicherung in seinem Leben sein soll. Er zählte die Jahre, sie vergingen wie im Flug und doch wurde er nicht alt oder schwach oder gebrechlich. Ihm war das ewige Leben gegeben worden, welches nur von den Geschöpfen selbst beendet werden konnte, die es ihm gaben.

Er verstand mit den Jahren immer mehr und allmählich war er seinen Aufgaben gewachsen. Er vertraute den Geschöpfen, half ihnen und er machte sich bewusst, dass er für immer der Herrscher in diesem Wald sein sollte, damit nichts aus der Balance gerät.

Die Kreaturen waren nur an diesem einen Ort sicher und sie durften unter keinen Umständen aus diesem Wald entkommen.

Durch seine magischen Fähigkeiten hatte McDobbin keine Schwierigkeiten, die Wesen innerhalb des Waldes zu halten. Sein Körper wurde stärker und mit jedem Jahr, das er älter wurde, wuchsen die Kräfte in ihm. Er arbeitete Tag und Nacht, um seiner Bestimmung gerecht zu werden und nichts konnte ihn davon abhalten.

Nur die Kreaturen selbst.

Es war Vollmond. Der Mond stand so hell und groß am Himmel, dass er schon Schatten warf und seine Kreaturen legten sich zur Ruhe, nachdem der letzte Flügelschlag getan war. Auch Liam zog sich in sein Schloss zurück, als er plötzlich ein grünes, strahlendes Licht am Waldrand wahrnahm, das heller war als jeder Mondstrahl in jener Nacht. Er wurde geblendet und konnte nur verschwommen sehen, was sich am Waldrand abspielte.

Die Dornen weiteten sich. Es war wie Magie und in einer Welt voller magischer, fantastischer Geschöpfe war Magie wohl kaum wegzudenken.

Trotzdem konnte Liam nicht glauben, was er da sah. Die Dornen hatten sich vorher noch nie geweitet. Sie schützen die Außenwelt vor einem Berg aus Kreaturen und nun war das Tor zur Außenwelt, wenn auch nur einen kleinen Moment, geöffnet.

Ohne zu wissen, wie sich all das zugetragen haben könnte, sah er das Licht schwächer werden und im nächsten Moment klopfte es an seinem riesigen Tor in der Eingangshalle.

Eine Frau trat ein ...

Sie sah ganz gewöhnlich aus: Jung, schlank und wunderschön hatte Liam einen kurzen Moment gedacht, doch dann riss es ihn wieder in die Realität zurück, in der er wusste, dass die junge Frau, die dort stand, nicht gewöhnlich sein konnte.

Noch nie war jemand aus der Außenwelt, die McDobbin noch nicht zu Gesicht bekommen hatte, in seinen Wald hineingedrungen.

Die junge Frau bat um eine Bleibe für die Nacht, denn der Wind draußen heulte lauter, als die Wölfe ihren Mond anheulten.

Für einen erwachsenen Mann, wie McDobbin einer war, sollte es ein Leichtes sein, einer Frau Schutz zu gewähren, doch war Liam Cormac Will McDobbin nicht wie andere Männer. Er war es nicht gewohnt, Kontakt zu Menschen aufzubauen.

Dennoch ließ er die schüchterne Frau in sein Schloss, voller Neugier, weshalb es ihr gelungen war, in seinen Wald einzudringen.

Doch die Zeit verging wie im Fluge und sie blieb. Die Frau, die auf den Namen Greta hörte. Die Frau, die sich einst verirrte in einem einsamen Wald, der so viel mehr verbarg, als sie sich jemals hätte erträumen können ...

* * *

Ich musste schlucken. Immer mehr Geheimnisse wurden auf diesem Anwesen durch unlogische Art aufgedeckt. Und ich stolperte über sie drüber, ob ich nun wollte oder nicht.

Ich lehnte mich zurück und konnte von meinem Balkon aus auf den Kirschgarten blicken, mit den kleinen Hügeln, von denen man, wenn man dort saß, auf den See schauen konnte. Der See war zu dieser Jahreszeit eher modrig und nicht gerade ein schöner Ort, um dort seine Zeit zu vertreiben. Der Wald war grau und Thornforest wurde in den letzten Tagen von Unwettern heimgesucht, die manchmal Furcht einflößender waren als einige Märchen.

Als ich so dasaß, musste ich mich an die Zeit erinnern, in der meine Familie noch zusammen in Grandpas Villa gelebt hatte. Es waren nur Bruchteile von Erinnerungen, weil diese Zeit schon so lange her war. Meine Familie. Aber je mehr ich mich auf diese Erinnerungen einließ, desto klarere Bilder malte mein Unterbewusstsein.

Ich erinnerte mich gerne an die Zeit, obwohl ich immer noch an dem Punkt war, an dem ich nicht einfach über meine Vergangenheit reden konnte und dabei lachte. Nur bei dem kleinsten Gedanken über sämtliche Familienabende oder Ähnliches, fing ich an zu weinen. Deshalb dachte ich nur an sie, wenn ich alleine war. Ich ließ mir von meinem Unterbewusstsein Bilder malen, an die ich mich gerne erinnerte, obwohl sie manchmal schmerzten. Ich dachte an die Tage zurück, an denen es so heiß war, dass man nichts anderes machen konnte, als Märchen zu lesen, denn Grandpa sagte immer: „Auch wenn es für alles eine Ausrede gibt, Märchen kann man immer lesen."

Und dann malte ich mir die Villa und die Kirschbäume mit der Hängematte, die genau so aussahen wie hier in Thornforest. Ich malte mir eine Sonne und ein Lachen ins Gesicht. Ich dachte an alles, was für mich die letzten Monate so unmöglich gewesen war. Ich konnte das Lachen spüren –das Lachen, an das ich dachte, als meine Mum meinem Grandpa die Märchenbücher an den Kopf warf, um ihn zu überzeugen, dass es Schwachsinn sei. Ich dachte an die Lagerfeuer, die ich mit Dad gemacht hatte, und an die Marshmallows, die ich Ilvy ins Haar geschmiert hatte. Ich malte es in meinem Kopf, meine Fantasie erzeugte diese Erinnerungen und einen kurzen Moment wusste ich nicht, ob es überhaupt echte Erinnerungen waren. Ich wusste nicht, ob ich jemals so glücklich gewesen sein konnte. Aber ich war es und der Fakt, dass ich dies bezweifelte, machte mich traurig und zog mich in die Wirklichkeit zurück.

In dieser Wirklichkeit hatte ich gerade ein Buch gelesen. Ein Buch, in dem ein Mann mit dem gleichen Nachnamen, wie mein Freund ihn hätte haben können, eine Frau kennenlernte, die durch mysteriöse Weise in einen verwunschenen Wald eintrat. Ich wusste, irgendetwas stimmte hier nicht und das gefiel mir, denn irgendwie hatte ich das Gefühl, es brachte mich näher an mein Ziel heran.

Ich hatte nicht vorgehabt, heute noch in die Schule zu gehen, obwohl ich es eigentlich musste, weil ich genauso wenig Lust hatte, Mrs. Woodland wieder einmal zu erklären, wieso ich nicht dort war. Aber andererseits hätte ich an diesem Nachmittag meinen Nähkurs und es war lange her gewesen, als ich das letzte Mal genäht hatte. Außerdem wollte ich endlich wieder in meinen normalen (soweit man es normal nennen kann) Alltag reinkommen und da würde ein Hobby gut hineinpassen. Ich wusste ja selbst, wie komisch ich mir vorkam, immer diesen Gedanken im Hinterkopf zu haben, man müsse eine übernatürliche Aufgabe bewältigen. Immer wieder erwischte ich mich, wie ich mich in alles viel zu sehr hineinsteigerte und manchmal fand ich es ziemlich nervig.

Ich stöhnte, packte meine Sachen in die Tasche und rutschte die Regenrinne herunter. Wenn ich das tat, dann ersparte ich mir einige Meter, die ich sonst durch die Flure laufen musste. Da mein Zimmer im ersten Stock lag, passierte auch nie etwas. Jolina fand es total gefährlich und gar nicht cool, wenn ich das tat, aber da sie gerade nicht da war, ersparte ich mir das Treppenhaus.

In der Schule fiel mir auf, dass ich für meinen Nähkurs viel zu früh dran war, weil ja eigentlich noch Schule war. Also setzte ich mich auf den Boden in einen der Nebengänge, wo sowieso niemand herumlief.

Aber mir fiel relativ schnell auf, dass ich nicht die Einzige war, die die Nebengänge zum Alleinsein bevorzugte. Ich hörte Stimmen, eine fremde und eine sehr vertraute. Obwohl ich es nicht wollte, ertappte ich mich beim Zuhören. Die erste Stimme, welche mir nicht direkt bekannt vorkam, war aufgebracht und ärgerlich.

„Ich habe dich gewarnt! Genau das sollte nicht passieren", hörte ich die Stimme sagen, es war ein Junge, hatte ich sie nicht doch irgendwo schonmal gehört?

„Ach komm, sei doch leise! Dich geht das überhaupt nichts an!" Ich wusste genau, wem *diese* Stimme gehörte.

„Nelson, du bist so bescheuert. Wieso ausgerechnet sie? Ich dachte, wir ziehen das zusammen durch. Genau das hast du mir damals versprochen!" Was zogen sie zusammen durch? Ich wollte wirklich nicht lauschen, aber ich war mir irgendwie sicher, dass mit „*sie*" ich gemeint war und ich konnte nicht weghören.

Ich presste meinen Rücken gegen die kalte Mauer und versuchte, darauf zu kommen, zu wem die andere Stimme gehörte.

Nelson sprach weiter: „Cormac, du bist so primitiv. Du bist kein Nachfolger! Wie hast du dir das vorgestellt, Alter? Selbst Mum wusste nicht, wie du reinkommen kannst!"

Cormac atmete tief ein: „Ich habe doch auch keine Ahnung! Aber ich werde meine Bestimmung garantiert nicht an eine reiche Tussi aus der Stadt abgeben. Sie hat noch nicht mal herausgefunden, wo sie zu finden sind!"

Okay, jetzt wurde es spannend. Ich war mir ziemlich sicher, dass ich hier nicht ganz unbeteiligt bin und ich hatte auch das Gefühl, dass Nelson mir immer noch nicht die ganze Wahrheit über sich erzählt hatte. Wo sollte wer zu finden sein? Und was war eigentlich ihre *Bestimmung*? Ich glaube, als ich in dem Moment dastand, mit dem Rücken an der kalten Wand und aus Angst entdeckt zu werden die Luft anhaltend, wusste ich tief in mir, worüber die beiden Brüder sich stritten. Ich musste mir auf die Unterlippe beißen, um nicht loszuheulen. Schon wieder. Einfach aus Enttäuschung und aus Angst vor dem, was als Nächstes kommen sollte.

„Denkst du, ich habe mir ausgesucht, dass sie auch ein Herrscher ist? Niemand kann etwas dafür, dass wir beide es sind. Ich hätte es ihr doch schon längst gesagt, wo sie hingehen muss, um es zu vervollständigen! Aber du wolltest es ja nicht." Das war wieder Nelsons Stimme, laut und zornig.

„Es geht mir nicht darum. Ich will nicht, dass sie es vervollständigt, sie soll verschwinden! Du und ich, Nelson, wir beide sind die rechtmäßigen Herrscher der Kreaturen im McDobbin-Forest und nicht sie! Wenn sie nicht von selbst verschwindet, dann werde ich dafür sorgen. Ich habe langsam keinen Bock mehr. Du hast gesagt, dass du dir etwas einfallen lässt. Du bist schuld, wenn ihr etwas passiert! Sie hat nicht das Recht ein Herrscher zu sein. Er hatte damals nicht das Recht, einfach der zweite Herrscher zu werden ... Verdammt!" Den letzten Satz sagte er sehr leise und ich hörte seine Worte in meinem Kopf nachhallen:

Du und ich sind die rechtmäßigen Herrscher ...

Das war es also, Nelson wusste es, alles, und er war vorbereitet. Ich dagegen, ich hatte nichts. Ich wusste nichts von allem, außer dass ich ein Märchen gelesen habe und das nicht mal ganz zu Ende, weil mir die Seiten fehlten.

Nelson flüsterte und bei seinen Worten fing ich wirklich an zu weinen: „Bitte, Cormac, tu ihr nichts! Ich weiß, wie wichtig das hier für dich ist, aber Liam hat damals nur seinen erstgeborenen Enkelsohn bestimmt. Und das bin ich. Ryan hat sie gewählt. Aber ich probiere Lily davon abzuhalten. Sie wird nichts erfahren und wir finden einen Weg, wie wir zusammen über den Wald herrschen können!" Bei diesen Worten rutschte ich die Wand hinunter und kauerte mich zusammen.

„Aber bitte tu ihr nichts, das hat sie nicht verdient!" Ich liebte ihn und gleichzeitig wollte ich ihn nie wiedersehen.

Cormac war unbeeindruckt. „Ich habe das auch nicht verdient. Es ist deine Schuld, also auch deine Verantwortung. So langsam solltest du herausfinden, wie wir durch das Tor kommen. Du und ich. Und nicht sie!" Er redete leise, als habe er Angst gehört zu werden. „Wir haben schon viel zu viel Zeit verloren und irgendetwas haben wir die ganze Zeit über nicht beachtet, sonst wären wir schon längst drin, Alter!"

Das war genau der Punkt, an dem ich nicht mehr konnte. Ich konnte nicht mehr zuhören. Dieses Gespräch war nicht für meine Ohren bestimmt und trotzdem lauschte ich, ein Ohr an die kalte Wand gepresst, wie eine Verrückte. Alles, was sie sagten, hörte sich so unecht an. Ich wollte das alles nicht glauben. Wenn ich noch länger mit dem Rücken an der Wand dastehen würde, dann würde mein Schluchzen mich verraten und ich wollte nicht wissen, was passieren würde, wenn Nelson herausfinden würde, dass ich ihn belauscht habe. So schnell ich konnte, packte ich meine Tasche, setzte die Kapuze von meinem Sweatshirt auf und verschwand so leise es ging aus diesem verfluchten Nebengang. Hoffentlich hatten sie mich nicht gehört.

KAPITEL 9

Lily

Ich wusste nicht, ob ich mich jetzt, wo ich alles wusste, besser fühlen sollte. Ich hatte in den letzten Monaten nur mit dem Gedanken gelebt, dieses Geheimnis zu lüften und jetzt, wo es so weit war, wusste ich auch nicht, was ich zu tun hatte.

Das einzig Schlaue wäre gewesen, zu Nelson zu gehen und mit ihm über alles zu reden. Er wusste ja schließlich nicht, dass ich sein Gespräch mit Cormac gehört hatte. Ich wollte mit ihm reden, aber ich hatte Angst, dass er mich wieder wegstoßen würde, wenn er wüsste, dass ich, spätestens jetzt, alles zu dem Thema wusste.

Ich beschloss, nicht über das Thema zu reden, oder das Märchen, das ich in der Bibliothek gefunden hatte, noch einmal zu erwähnen. Ich versuchte wirklich, mir nichts anmerken zu lassen und ich riss mich zusammen, aber es war schwerer als erwartet. Dazu kam, dass ich seit dem Gespräch, immer wieder Cormac sah, wie er mich beobachtete oder hinter mir herlief. Vielleicht kam es mir aber auch nur so vor. Vielleicht war ich wirklich verrückt geworden. Ich konnte nachts nicht schlafen und tagsüber war ich nie richtig da, immer nur körperlich. In meinen Gedanken war ich weit weg, so weit weg, dass ich Jahre brauchte, bis ich meinen Weg in die Wirklichkeit zurückfand. Immer wieder erwischte ich mich selbst beim Tagträumen und irgendjemand musste immer schnipsen oder mich kneifen, damit ich wieder aufwachte. Meistens war es Jolina, die wirklich eine Freundin geworden war in den letzten Wochen. Mal ganz abgesehen von ihren hohen Ansprüchen an allem und jedem und von ihrer bestimmenden Stimme, war sie echt total in Ordnung, wenn nicht sogar richtig nett und cool. Wir redeten viel über Jungs und Models und über Sachen, über die normale 17-jährige Mädchen eben mit ihren Freundinnen reden. Natürlich lenkte es mich nicht eine Minute komplett von meinen echten Problemen ab, aber ich hatte manchmal, wenn auch nur einen klitzekleinen Moment, das Gefühl ein ganz normales Mädchen zu sein. Und weil Jolina wirklich ganz normal war, gab sie mir das Gefühl, wenn ich mit ihr unterwegs war. Ein anderer Grund, warum Jolina meine Tagträumerei aushalten musste, war, dass ich Nelson aus dem Weg ging. Nicht weil ich sauer auf ihn war, oder es ihm übel nahm, dass er mir nie etwas erzählt hatte, sondern eher, weil ich ein schlechtes Gewissen hatte. Ich fühlte mich schuldig. Ich konnte nichts dafür, aber ich hatte trotzdem das Gefühl, einen Keil zwischen ihn und Cormac geschlagen zu haben, ohne dass ich es beabsichtigt hatte.

Ich hatte schon so viele Menschen verloren und wenn ich Nelson jetzt auch noch verlieren würde, dann wüsste ich nicht, wie ich mir das je verzeihen könnte.

Ich kam nicht ganz darum herum, ihm aus dem Weg zu gehen; wir gingen immerhin auf die gleiche Schule und wohnten im gleichen Gebäude. Aber ich besuchte ihn nicht mehr in der Bibliothek oder kam einfach mal so in sein Zimmer, ich mied ihn einfach. Es fiel ihm natürlich auf und in der letzten Novemberwoche kam er dann zu mir ins Zimmer. Dieses Mädchen-Jungen-Zimmer-Ding war wohl auch nur ein Klischee aus „Hanni und Nanni" und es gab dieses Verbot, in die Zimmer von den anderen zu gehen, überhaupt nicht.

Es klopfte also und ich lag auf meinem Bett. Jolina war weg, sie meinte irgendwann, sie brauchte frische Luft und wollte spazieren gehen, also war ich alleine.

Nelson kam rein mit einem Karton in den Händen, den er auf meinem Schreibtisch abstellte.

Ich schaute ihn verdutzt an, konnte aber nichts sagen, weil er sich im nächsten Moment zu mir in dieses gigantische Himmelbett legte, in dem ich immer noch so klein drin aussah. Er grub seine linke Hand in meine Haare und streichelte mit der anderen mein Gesicht. Er küsste mich, erst vorsichtig und dann immer stärker. Ich konnte nichts dagegen machen und wollte auch nicht. Aber ich fühlte mich schlecht. Ich tat so, als sei alles in Ordnung, obwohl sein Bruder Nelson gedroht hatte, mir etwas anzutun, wenn ich nicht von selbst verschwinde.

Einen kurzen Moment dachte ich daran, aber als wir uns drehten und ich dann mit meinem Kopf auf seiner Brust lag, war es mir egal. Es war wunderschön und richtig.

Es fühlte sich an als seien Stunden vergangen und trotzdem hatte noch keiner von uns beiden etwas gesagt, seit er hier war. Für manches brauchte es einfach keine Worte.

Ich lag da und konnte mir nichts Schöneres vorstellen und doch wäre es gelogen, wenn ich sagen würde, ich hätte nie mit dem Gedanken gespielt, mit ihm Schluss zu machen. Es wäre so viel einfacher und unkomplizierter, wenn nicht auch noch unsere Beziehung zwischen allen Problemen, die wir nun mal hatten, stünde. Aber was war schon einfach oder unkompliziert? In meinem Leben nichts und in seinem anscheinend auch nichts, sonst wären wir beiden nicht diejenigen, die diese gigantische Aufgabe vor sich hatten. Dass Cormac sich uns nun in den Weg stellte, kam erschwerend hinzu. Es war so schrecklich, ich wusste was vor uns lag, er wusste es, aber er dachte, ich wüsste nichts. Machte das überhaupt Sinn? Ich wusste, er wollte mich beschützen, aber wovor, war es wirklich so gefährlich? Ich wusste, dass ich ihm sagen musste, dass ich das Gespräch mitgehört hatte. Aber nicht jetzt, denn jetzt war ein Moment, den ich nicht kaputtmachen konnte. Es hatte Zeit, dachte ich mir, als ich mit ihm in meinem Bett lag. Aber ich wusste ganz genau, dass es gelogen war und dass ich hier an diesem Ort alles hatte, nur nicht Zeit, denn die spielte wirklich gegen mich.

Am liebsten wäre ich eingeschlafen. Wenn ich irgendwo schlafen konnte, dann an Orten, wo ich mich wohlfühlte. Er kraulte meinen Arm und ich fühlte mich so wohl, dass ich überlegte, wie ich es hier ohne ihn aushalten würde.

„Wie habe ich es hier nur ohne dich ausgehalten?", flüsterte er in mein Ohr und ich musste lächeln.

„Womit habe ich es verdient, dich zu haben, Lily Charly?" Ich wusste, dass ich darauf nicht antworten musste. Ich liebte es, wie er mich „Lily Charly" nannte, wie er mit mir redete und eigentlich liebte ich alles an ihm.

Ich schloss die Augen und flüsterte, so leise, dass ich es fast selbst nicht hörte: „Ich liebe dich, Nelson!"

„Ich liebe dich, Lily Charly!"

Er hatte es zurück gesagt. Die drei Worte. Drei Worte, die man als kleines Kind so komisch fand. Ich konnte mich an ein Märchen erinnern, in dem es ein Prinz zu einer Prinzessin sagte und ich hatte meinen Grandpa gefragt, ob es echt war. Ich wunderte mich, ob man es auch in echt sagen durfte oder ob es diese drei Wörter auch im echten Leben gab.

Heute wusste ich, dass man es wirklich sagen durfte, und dass es das Echteste und Ehrlichste auf der Welt war, was man jemandem sagen konnte.

In dem Karton, den Nelson auf meinen Schreibtisch gestellt hatte, war ein Adventskalender. Ich fühlte mich schlecht, weil ich keinen für ihn hatte. Trotzdem war es das schönste Geschenk, das ich je bekommen hatte. Jeden Tag bekam ich also ein Geschenk mehr und das vergrößerte dieses schöne Gefühl im Bauch um jeden Tag.

Der Dezember hatte begonnen und mit ihm kam der Winter, kalt und grau, aber trotzdem wunderschön. Spätestens, als der See hinter dem Internat so zugefroren war, dass die jüngeren Kinder darauf Eishockey spielten, erinnerte ich mich daran, wie sehr ich den Winter früher geliebt hatte.

Aber mit der Zeit, vergaß ich es. Ich vergaß so vieles, was mir eigentlich Spaß machte. An diesem Ort hatte ich, vielleicht sogar zum ersten Mal nach so langer Zeit, die Möglichkeit, wieder Spaß zu haben.

Und das war wegen Nelson. Dieser Dezember sollte der Beste seit so vielen Jahren werden, allein schon wegen dem Adventkalender, der mir half, zum ersten Mal seit so langer Zeit all die schlimmen Erinnerungen zu verdrängen.

Heute lief ich über die Flure, um Nelson abzuholen, denn wir wollten einen Spaziergang machen und uns vorher bei ihm im Zimmer treffen. Ich klopfte, weil es auch immer sein kann, dass man so kurz vor Weihnachten Sachen sieht, die man eigentlich nicht sehen sollte. Als nichts zurückkam, trat ich einfach ein. Aber es war nicht Nelson, der dort stand, Oberkörper frei und komplett verdutzt, dass ich einfach eingetreten bin. Es war sein Bruder. Das war das erste Mal, dass wir wirklich miteinander redeten. Ich blieb länger als erwartet auf seiner Bettkante sitzen, denn Nelson kam nicht. Cormac meinte, er sei beschäftigt, und ich bemühte mich, ihm nicht zu zeigen, wie enttäuscht ich war, weil ich versetzt wurde.

Aber der klitzekleine Moment, in dem ich glaubte, dass Nelsons Bruder nicht nur der mürrische Außenseiter war, verstrich, als Nelson hereinkam. Long Story Short: Es war ein Missverständnis gewesen, denn Nelson hatte auf mich gewartet, nur dachte er, wir treffen uns bei mir. Und Cormac wusste es auch. Trotzdem ließ er es so aussehen, als habe Nelson mich versetzt. Dieser kurze Gedanke, dass Cormac doch einen kleinen Funken Licht in sich trug, löste sich auf, als ich ein letztes Mal an diesem Tag in seine ausdruckslosen, bösartigen Augen sah, die dunkler wirkten, als das tiefste Schwarz.

Lange überlegte ich, wieso er so entschlossen versuchte, meine Gefühle und Gedanken zu verwirren und zu manipulieren, bis es mir einfiel: Er hatte schon längst damit angefangen, mich aus dem Weg zu räumen. „Wenn sie nicht von selbst verschwindet, dann werde ich dafür sorgen." Das hatte er gesagt und er hatte schon längst damit angefangen, mich so zu manipulieren, dass ich mich irgendwann gegen Nelson stellen werde. Aber das würde er nicht schaffen.

Ich beschloss mich von ihm fernzuhalten, ich wollte jeglichen Kontakt vermeiden, denn obwohl ich es nicht zugeben wollte, er machte mir Angst. Ich hatte wirklich Angst vor ihm, weil ich nicht wusste, was er als Nächstes tun würde, um mich aus dem Weg zu räumen. Wie wörtlich musste ich diese Drohung nehmen?

* * *

Am 4. Dezember hatte ich nichts in meinem Adventskalender. Ich fragte mich, wieso, aber ich war nicht enttäuscht, weil ich generell nicht mit einem Adventskalender gerechnet hatte. Jeden Morgen, als ich aufwachte, musste ich mir einen Freudenschrei verkneifen, weil mich diese Geste so unglaublich glücklich machte.

Der Tag war relativ ruhig, eigentlich ein ganz normaler Schultag. Es war ein Dienstag und ich hatte mit nichts Besonderem gerechnet. Aber da war ja noch mein leeres Türchen in meinem Adventskalender und kurz nach der 5. Stunde wusste ich dann auch, wieso es leer war. Jolina überredete mich, mit ihr unten an den See zu gehen und da ich wusste, dass man Jolina nicht wiedersprechen sollte, tat ich es, ohne etwas dazu zu sagen.

Und da stand Nelson, als hätte er von Anfang an gewusst, dass heute der perfekte Tag zum Eislaufen ist: Die Luft war trocken und kalt. Es hatte gestern Abend aufgehört zu schneien und jetzt war keine einzige Wolke am Himmel zu sehen und die Sonne ließ das Eis glitzern.

Er hatte Schlittschuhe an und in seiner linken Hand baumelten ein Paar, die so aussahen, als hätte er sie einer Eisprinzessin geklaut.

„Fehlt dir nicht noch ein Geschenk aus deinem Adventskalender?", fragte er mit einem schiefen, verlegenden Grinsen.

„Sind die etwa für mich?" Ich stieß einen Freudenschrei aus – dieses Mal wirklich und eigentlich viel zu laut und schrill – und lief ihm in die Arme. Ich küsste ihn, es hätte nicht besser sein können. Dass man sich Schlittschuhe als Adventskalender-Überraschung schenkte, war wohl normal, wenn man auf diese Schule ging und ich stellte es auch nicht weiter infrage.

Jolina traf sich dort mit ihrer Clique, zwinkerte mir im Vorbeigehen zu und ließ mich mit ihm allein.

„Du weißt gar nicht, wie schön ich dieses Geschenk finde. Aber wie hast du gewusst, dass wir heute Eislaufen gehen können?", sagte ich überglücklich.

„Du, Lily Charly, ich habe halt einfach meine Kontakte!" Er lachte, weil er genauso gut wusste wie ich, dass das totaler

Blödsinn war und hob mich hoch. Er trug mich auf die Eisfläche und somit war unser Tag perfekt.

Ich konnte noch erstaunlich gut eislaufen und erinnerte mich an die Zeit, in der ich als kleines Mädchen immer davon geträumt habe, eine Eisprinzessin zu werden.

Als ich fünf geworden bin, haben meine Eltern mir mein erstes Paar Schlittschuhe geschenkt und ab dem Tag an war ich immer beim Eiskunstlauf-Training. Meine Eltern haben all das gefilmt und ich schaue mir diese Aufnahmen immer noch gerne an. Aber nach dem Tod meiner Eltern habe ich, neben so vielen anderen Sachen, die ich gerne mochte, auch das Eiskunstlaufen aufgegeben. Als ich mit Nelson nach so langer Zeit wieder auf dem Eis stand, wollte ich plötzlich in diese Zeit zurückreisen.

Auch Nelson war nicht schlecht auf dem Eis, aber Jolina übertraf mal wieder alle. Sie war unglaublich und es sah wunderschön aus, wie sie über die Eisfläche schwebte. Es machte mich ein kleines bisschen neidisch und als wir den kleinen Waldweg zurück zum Internat gingen, musste ich sie einfach fragen: „Wie lange machst du das schon?"

„Sehr lange, meine Mum hat mich damals dazu überredet und ich habe mich irgendwie in die Sportart verliebt. Wieso fragst du?" Man merkte, wie sehr sie die Aufmerksamkeit auf sich genoss.

Ich musste lächeln: „Nur so, ich habe es auch mal gemacht und habe es gerade eben irgendwie vermisst. Als ich dann dich gesehen habe ... Es war wirklich wunderschön."

Jolina strahlte: „Danke, aber wenn du möchtest, dann kriegen wir dich auch wieder so hin, du hast ja bestimmt schon Erfahrung."

„Ich weiß nicht, ob das jetzt noch etwas für mich ist." Kurz wurde ich traurig, aber bevor ich an die Vergangenheit denken konnte, die mich noch immer einholte, nahm Jolina meine Hände.

„Hey, das wird bestimmt super, ich zeig dir ein paar Sprünge. Für so etwas sind beste Freunde doch da!" Ich sah, wie die Aufregung in ihren Augen aufblitzte. Jolina war verrückt nach solchen Projekten und ich konnte nicht anders, als einzuwilligen. „Also gut, zeig mir alles, was ich können muss."

Wir schlenderten den verschneiten Waldweg zurück, bis mir auffiel, dass Nelson nicht mehr neben uns herlief. Er war schon den ganzen Rückweg sehr ruhig gewesen, aber jetzt war er gar nicht mehr da.

„Hatte Nelson gerade gesagt, wieso er einfach geht?" Ich schaute mich verdutzt um, konnte ihn aber nirgendwo sehen.

„Nein, ich habe es auch nicht mitbekommen." Auch Jolina suchte nach ihm in der weißen Winterlandschaft. „Komisch, vielleicht hat er auch etwas vergessen, keine Ahnung. Mir ist ziemlich kalt, Lil! Lass uns zum Internat zurückgehen, er kommt bestimmt gleich."

Ich nickte abwesend und als ich mich noch mal umdrehte, fiel mir auf, dass wir vor einer Abzweigung standen: Rechts ging es zum Anwesen des Internats und als ich nach links schaute, sah ich einen viel kleineren Weg, den man nur zu Fuß passieren konnte.

Vorher war er mir noch nie aufgefallen, aber jetzt war er so präsent, als wäre er schon immer da gewesen.

„Lil, jetzt komm bitte!" Jolina war schon rechts abgebogen und die letzten Meter zum Anwesen gelaufen.

Ich drehte mich zu ihr um und wollte gerade losgehen, als ich einen Schrei hörte. Einen Schrei, der so fremd und doch so vertraut war, dass es mir Angst machte. Er kam aus dem Wald zu meiner Linken und ich wusste ganz genau, was es war.

„Hast du das gehört, Lina?"

„Was soll ich gehört haben? Lily, Nelson kommt bestimmt gleich und wenn du jetzt nicht kommst, dann gehe ich alleine."

Alle Stimmen in mir sagten mir, ich soll bleiben. Genau nach so einem magischen Zeichen habe ich die letzten Wochen und Monate gesucht und da war es. Es kam aus dem Wald, den ich die ganze Zeit gesucht hatte. Ich musste der Sache auf den Grund gehen und jetzt, wo ich so nah war wie noch nie, entfernte ich mich automatisch von dem Wald und ging mit Jolina in Richtung Internat, ohne mich noch einmal umzudrehen ...

KAPITEL 10

Lily

Ich saß an der Fensterscheibe, als er den verschneiten Kieselweg hochlief. Die Kapuze tief ins Gesicht gezogen, nervös über die Schulter blickend, aus Angst, so spät noch erkannt zu werden. Inzwischen war es 20:49 Uhr und es war stockdunkel. Nur die altmodischen Laternen beleuchteten den Garten vom Anwesen und der Schnee glitzerte im schwachen Lichtschein. Nelson probierte leise zu sein, weil wenn er zu dieser Zeit außerhalb von seinem Zimmer entdeckt werden würde, dann – das wusste ich am besten – kriegte er richtig Ärger. Ich war enttäuscht und einen kurzen Moment machte es mir nichts aus, wenn er erwischt werden würde. Er kam zweieinhalb Stunden später von unserem gemeinsamen Ausflug zurück als Jolina und ich und ich hatte mir unendliche Sorgen gemacht, bis ich mich zusammengerissen habe, weil es schließlich nicht meine Schuld gewesen wäre, wenn ihm was passiert wäre. Ich starrte aus dem Fenster auf den Weg mit seinen Fußspuren, die mit jeder frischen Schneeflocke unschärfer wurden. Ich wusste nicht, ob sie unscharf wurden wegen des neu fallenden Schnees oder wegen meinen Augen, die sich plötzlich mit Tränen füllten, so sehr, dass ich sie nicht mehr zurückhalten konnte. Aber ich wollte es auch nicht, ich war alleine in unserem Zimmer und meine Playlist mit traurigen Liedern lief den ganzen Abend schon in Dauerschleife. Jetzt konnte ich sie nicht mehr aufhalten. Ich fiel auf mein Bett und vergrub meinen Kopf in meinem Kissen, das so nach ihm roch, sodass ich anfing zu schluchzen. Ich wusste nicht mal, warum ich weinte. Es gab so viele Gründe im Moment: Nelson, der mir nicht vertrauen wollte, mit einer Sache, die mich genauso etwas anging wie ihn. Oder der Druck von einer Herausforderung, der ich nicht gewachsen bin. Oder die Leere, die ich in mir spürte, weil ich niemanden in meinem Leben hatte, dem ich zu hundert Prozent vertrauen konnte. Ich hatte immer mindestens eine Person, die mir zugehört und alle ihre eigenen Probleme für mich zur Seite geschoben hatte. In dem Moment wusste ich, wie egoistisch sich das anhören musste, aber ich konnte nicht anders. Ich brauchte jemanden, der einfach da ist, ohne Anforderungen zu stellen oder selber mit seinen Problemen zu kämpfen zu haben.

Ich wollte das Gefühl von Sicherheit spüren, und so sehr ich es mir eingeredet hatte, dass ich mich bei Nelson so fühlen konnte, es stimmte nicht. Es war nichts im Verlgeich zu der Liebe und Sicherheit, die mein Grandpa mir geben konnte. Jetzt spürte ich, wie sehr er mir fehlte, so viel mehr als meine Eltern es taten oder Ilvy oder irgendjemand auf diesem Planeten.

Ich hatte Nelson bestimmt fünfzehnmal angerufen und ihm Nachrichten geschrieben, weil ich mich noch für den wunderschönen Tag bedanken wollte. Aber jetzt, wo sich alles in einen Albtraum verwandelt hatte, konnte er mir gestohlen bleiben. Ich weinte immer noch, auch als es an meine Tür klopfte. Jolina war es nicht, sie klopfte nie. Es musste Nelson sein, doch ich wollte ihn nicht sehen. Ich hätte ihn vermutlich nur angeschrien und das hätte alles nur verschlechtert.

„Lily, bitte! Ich weiß, dass du da drin bist. Wieso weinst du?" Stille.

„Lily, kann ich reinkommen? Es tut mir leid, dass ich einfach verschwunden bin, ich kann es nicht erklären. Du musst mir vertrauen." Er flüsterte und doch hörte ich ihn, als sei seine Stimme direkt neben meinem Ohr. Ich sollte ihm vertrauen, weil er all seine Geheimnisse nicht erzählen konnte. Wie bescheuert war das denn bitte?!

Ich stellte mir vor, wie er gerade vor der Tür stand und wartete, aber ich antwortete nicht, auf keine seiner Fragen. Mir war es egal, er würde schon gleich gehen.

Doch Nelson blieb in der Nacht und als ich am nächsten Morgen aufstand, um in die Schule zu gehen, saß er auf der Türschwelle, immer noch mit den gleichen Klamotten von gestern, den Rücken an die Wand gelehnt und der Kopf auf seiner Schulter. Er hatte vor meiner Tür geschlafen. Er sah so gut aus, selbst wenn er schlief und in dreckigen Klamotten und ungekämmten Haaren. Ich wollte ihn so sehr wachküssen, aber im nächsten Moment fiel mir auf, dass Jolina nicht da war, nicht in ihrem Bett und auch nicht im Badezimmer. Vielleicht war sie schon frühstücken oder schon in der Bibliothek, aber das wäre eher untypisch für sie. Ich musste sie suchen, und so schlecht ich mich dabei fühlte, Nelson da sitzen zu lassen, Jolina war mir gerade einfach wichtiger. Dachte ich zumindest, bis ich über den Flur der Schlafsäle der Jungen lief und genau in dem Moment Jolina aus einem Zimmer stieß. Sie erschrak noch stärker als ich und starrte mich mit großen Augen an. Ich wusste genau wessen Zimmer das war, aber weil Nelson diese Nacht auf meiner Türschwelle geschlafen hatte, gab es nur noch einen, der die letzte Nacht in diesem Zimmer geschlafen hatte.

Jolina zog das viel zu große Shirt, das sie trug, so weit runter wie es nur ging und machte eine hektische Handbewegung in Richtung Zimmer, aber das war schon zu spät. Cormac kam auch zur Tür heraus, Oberkörper frei und die Hose noch nicht zu. Er starrte mich ebenfalls an und ich konnte nichts sagen. Ich musste zugeben, er sah gut aus. Seine Haut war dunkler als die von Nelson, aber die Haare waren genauso unordentlich wie die von seinem Bruder, nur halt in Schwarz. Ich musste ziemlich blöd ausgesehen haben, wie ich Cormac anstarrte und mit meinem Freund verglich. Jolina war die Erste, die ihre Stimme wiederfand:

„Ähh, Lil. Das ist ganz anders …" Sie wurde rot.

„Eigentlich ist es genau so, wie es aussieht", sagte Cormac mit diesem schiefen Grinsen, welches ich schon so gut kannte. Viel zu gut. Es war gruselig, wie ähnlich er seinem Zwillingsbruder gerade sah. Denn er war eigentlich so anders und ich hatte irgendwie Angst vor diesem Grinsen, auf jeden Fall auf *seinen* Lippen.

„Entschuldigt mich …" Sofort drehte ich mich auf der Stelle um und ging den Weg, den ich gekommen war, wieder zurück, ohne zu wissen, wohin ich wollte.

Jolina und Cormac? Ich brauchte erst mal ein bisschen Zeit, um das, was ich da gerade gesehen habe, zu verarbeiten.

Ich musste kurz überlegen, aber Cormac wurde bald 18 und Jolina war auch gut zwei Monate älter als ich. Es war nicht unnormal. Nur ein wenig überraschend.

Plötzlich erwischte ich mich dabei, über etwas nachzudenken, was mich nun wirklich nichts anging. Ich war geradewegs auf dem Weg zurück in mein Zimmer, bis mir auffiel, dass dort Nelson war und ich ihn jetzt echt nicht sehen wollte. Hinterher musste ich mich rechtfertigen für etwas, was ich gesehen habe und das wurde mir gerade wirklich zu kompliziert.

Ich nahm den Seitenausgang und stand schließlich bei den Pferdeställen. Es stank dort auch im Winter und ich hielt die Luft an, bis ich am Paddock vorbei war. Es schneite, die Schule war von hier aus noch ungefähr 50 Meter entfernt und ich warf einen Blick auf meine Uhr. Fast 8:00 Uhr. Ich wollte nicht zu spät kommen. Allerdings wusste ich selbst nicht, wieso ich auf einmal Wert auf Pünktlichkeit legte, aber ich fing an zu rennen.

Ich hatte es an diesem Dienstagmorgen wirklich geschafft pünktlich an meinem Platz zu sitzen, in einer Klasse voller Menschen. Fremde Menschen. Mir fiel es heute anscheinend zum ersten Mal auf: Ich kannte niemanden hier, obwohl ich schon ein halbes Jahr hier lebte und diese Menschen hier jeden Tag und jede Nacht in meiner Umgebung waren.

Ich blickte nervös durch das Klassenzimmer und entdeckte ganz hinten die Mädchen, die sich anfangs immer um Jolina getummelt haben. Jetzt hatten Nancy, Page und Cathy jedoch eine neue „Anführerin": Jessica Laurine Collins, das It-Girl der ganzen Schule. Ich musste schmunzeln, denn eigentlich war sie nicht wirklich hübscher oder cooler als die anderen Mädchen, die über unsere Flure liefen und sie hatte auf den ersten Blick sehr viel mit Jolina gemeinsam. Perfekte Nägel, geföhnte Haare und den rosaroten Lippenstift perfekt aufgetragen. Ich wusste, warum Nancy, Page und Cathy jetzt lieber bei *Jess* Dienerinnen spielten als bei Jolina. Ich wusste, dass eine Freundschaft mit mir auf dieser Schule alles andere als cool war. Ich war immer beliebt gewesen bei meinen Freunden in Blackford, aber da war es auch etwas ganz anderes. Ich hatte lieber Sneakers als Pumps an und hatte eine Abneigung gegen Rüschen. Außerdem mochte ich keine Pferde und lese Märchen. Ich glaube, dieses ständige Fehlen in der Schule ist auch ein Grund, warum sie mich angucken, als sei ich vom Mars. Ich wusste manchmal nicht, warum Jolina es vorzog, mit mir befreundet zu sein, als mit den hübschesten Mädchen der Schule. Aber es kann mir auch egal sein.

Ich befand mich nach meinem Gedankengang immer noch in einer Klasse voller Fremder. Jess, Nancy, Page und Cathy starrten mich jetzt auch an und tuschelten dabei. Dabei hörte ich Jess sagen: „Sie hält sich für was Besseres, nie kommt sie in die Schule ...“

Ich drehte mich ohne einen Gegenkommentar um und blickte in die Augen eines Jungen. Auch ihn kannte ich nicht, obwohl ich sagen kann, dass ich ihn schon mal wahrgenommen habe. Er war einer von den Pferde-Leuten, die im Sommer nichts anderes taten, als zu reiten.

Ich erschrak und lehnte mich so weit von ihm weg wie es ging. Er war gestriegelt wie sein Pferd und hatte einen Anzug an – einen Anzug!!

Ich wusste, dass er der Sohn von irgendeinem reichen Unternehmer war, und dass er mit Nachnamen Hutcherson hieß, oder so.

„Oh mein Gott, hast du mich erschreckt, Wesley!“ Ich musste überlegen. „Es war doch Wesley, oder? William? W...“

Er unterbrach mich mit einem Grinsen, wo so unnatürlich weiße Zähne zum Vorschein kamen, dass ich lachen musste: „Wren. Alles gut! Ich habe es auch nicht so mir Namen zu merken, *Olivia Charlotte.*“ Ich lachte nervös, als er immer näher kam. Er sagte meinen Namen, dass mir ganz unwohl dabei wurde, ihm zuzuhören. Dieser Wren roch nach Schweiß und ich hielt die Luft an, bis er mir mit seiner feuchten Hand, vor allen anderen in der Klasse, die Haare aus dem Gesicht strich. Ich schlug ihm mit der flachen Hand ins Gesicht, und erschrak, als ich merkte, was ich da gerade getan hatte. Was sollte das hier, war das so eine scheiß Aktion, bei der auf einmal alle ihre Handykameras auf mich richteten?

„Das hättest du nicht tun sollen!", zischte er zornig und wurde rot. Jetzt galt die ganze Aufmerksamkeit uns beiden und alle tuschelten schon wieder, bis Wren von hinten gepackt und so heftig gegen die Wand gedrückt wurde, dass sein Kopf lautstark gegen die kalte Mauer schlug.

Es war Cormac, der zusammen mit Jolina in den Raum kam. Er hatte Wren zurückgezogen. Er kam zu mir, legte seine Hand auf meine Schulter und war eindeutig zu nett, als das ich es in Erinnerung hatte. Mir war diese ganze Aufmerksamkeit unangenehm, und dass Cormac jetzt den Beschützer spielte, wollte ich auch nicht. Immerhin war er derjenige gewesen, der seinem Bruder gedroht hatte, mir etwas anzutun, wenn er keine Lösung fand.

„Ey, Alter, lass sie los, Mann! Verpiss dich, Cormac! Was machst du da?" Das war Nelsons Stimme, laut und wütender, als ich sie jemals gehört habe. Er kam genau in dem Moment, in dem Cormacs warme Hand meine Schulter berührte. Zum Glück.

„Was ist falsch bei dir? Lass sie einfach in Ruhe!" Nelson hatte immer noch die Klamotten von gestern an und mir fiel auf, dass er tiefe Ringe unter den Augen hatte. Er hatte wirklich auf meiner Türschwelle übernachtet.

Nelson schubste Cormac zur Seite und ging auf mich zu. Ich saß da und konnte nichts sagen, denn ich war mit der Situation überfordert und wenn jetzt auch noch Nelson kam, dann würde ich verrückt werden. Automatisch sprang ich auf, lief zur Tür und stieß mit meinem Mathelehrer Mr. Kingsley zusammen. Unpassender hätte er gar nicht kommen können, aber auch seine Worte, die er hinter mir her brüllte, konnten mich nicht aufhalten. Ich musste raus hier.

* * *

Blind und schockiert lief ich durch die Flure der Schule. Ich wusste nicht, was ich schlimmer finden sollte: Dass ich noch immer den Atem von Wren in meinem Gesicht spürte, oder dass ich den festen Griff von Cormacs Hand auf meiner Schulter nicht loswurde.

Ich entschied mich, dass beides nicht nur halb so schlimm war, wie die Scham, die ich spürte. Ich schämte mich, dass ich Nelson heute Morgen keines Blickes gewürdigt und ihn auf dem Boden sitzen gelassen habe. Ich bin geflohen, obwohl er alles für mich machen würde. Er stellte mich heute ein weiteres Mal vor seinen eigenen Bruder. Ich wusste, wie sehr er sich nach seinem Bruder sehnte und trotzdem würde er mich eher beschützen, als zu ihm zu halten. Ich sank hinter einem der Spinde voller Scham in mich zusammen. Es war mir so peinlich, wie ich mich ihm gegenüber verhalten hatte, dass ich mich fragte, wieso ich so war. Jedes Mal, wenn ich ihn sah, wollte ich, dass es perfekt war, doch fiel es mir so schwer, nicht an das Gespräch zu denken, was ich damals mitgehört hatte.

Ich musste immer an Cormacs Worte denken, wie er alles dafür tun würde, damit er über den schwarzen Wald jenseits des Sees herrschen kann.

Ich wollte keinen Keil zwischen die beiden Brüder treiben, aber ich konnte Cormac auf keinen Fall vertrauen, nicht nach den Worten, die ich aus seinem Mund gehört hatte. Umso schwerer fiel es mir, mit der Situation umzugehen, dass er derjenige war, der Wren von mir weggerissen hatte und dass er sich um mich gesorgt hatte.

Ich war mir sicher, dass Jolina ihn überredet hatte, mir zu helfen. Ich konnte mir nicht vorstellen, dass Cormac mir wegen seines großen Herzens geholfen hat.

Ich vergrub den Kopf in meinem Schoß und wusste überhaupt nicht mehr, was ich denken sollte: Mein Freund verschwieg mir den wohl wichtigsten Bestandteil dieser ganzen Aufgabe und er fühlte sich dabei nicht einmal schlecht.

Und sein Bruder spielte ein ziemlich falsches Spiel, denn ich kann mir nicht vorstellen, dass er nach einer Nacht mit meiner Freundin zu einem besseren Menschen geworden ist. Vielleicht waren die beiden Morrington-Zwillinge gar nicht so unterschiedlich, wie ich immer gedacht hatte. Allein dieser Gedanke versetzte mir einen Stich ins Herz, so schmerzhaft, dass ich am liebsten aufgeschrien hätte.

Ich spürte, wie mir die Verzweiflung tief in den Knochen saß, so tief, dass ich es nicht wagte mich zu bewegen. Der Boden war kalt und die Kälte drang durch meine Hose durch, bis sie meinen ganzen Körper umschloss, sodass ich anfing zu zittern. Es war wie in einem dieser Filme, wenn eine eigentlich so unwichtige Handlung einen Charakter total zerstören konnte. Ich wusste nicht, ob ich gerade an diesem Punkt angekommen war oder ob es noch schlimmer werden konnte.

Früher hätte ich genau gewusst, was ich gemacht hätte: Ich konnte vor meinem Gesicht die Bilder vorbeifliegen sehen, kurze Erinnerungen, wie meine Streitereien mit Ilvy. Ich hätte in meinem Bett in Blackford gelegen, in meinem Zimmer oder in der Hängematte, die im Garten auf der Wiese mit den Kirschbäumen hing. Ich wäre meinem Grandpa aus dem Weg gegangen und hätte nach spätestens 15 Minuten gehofft, dass er mich suchen und finden würde. Er fand mich jedes Mal. Ich hätte in der Zeit, in der ich auf ihn wartete, mein Märchenbuch gelesen, immer dieses eine Märchen. Das Märchen, welches mir jetzt mein Leben so schwer machte, wie ich es nie erwartet hätte. Grandpa wäre gekommen und ich hätte ihm alles erzählt, er hätte nur zugehört und nichts gemacht außer genickt. Danach hätte er das Telefon geholt und mich überredet, Ilvy anzurufen. Wir hätten uns vertragen und der Streit wäre Geschichte gewesen.

Ich wachte aus meiner Träumerei auf, als ich etwas knallen hörte. Wie konnte ich nur so naiv sein, zu denken, dass ich meine jetzigen Probleme mit denen von früher vergleichen konnte?! Ich hatte keine albernen Streitereien mehr und auch keinen Grandpa, der mir half, sie zu klären. Ich wollte nicht mehr in einem Märchenbuch lesen, das mein Leben so kompliziert machte, und ich war generell an einem Ort, den ich nicht mit meinem alten Leben vergleichen konnte.

Ich stand auf, um nachzusehen, woher der Knall kam. Ich musste dreimal abbiegen, um von dem Seitengang, in dem ich saß, in den Hauptgang der Schule zu gelangen.

Dort stand Nelson, relativ verloren. Er stützte sich verzweifelt an die Spinde und schlug mit der flachen Hand dagegen. Er weinte, ich konnte sein Gesicht nicht sehen, weil er es zwischen seinen Armen vergrub, aber ich wusste, dass es ihm genauso schlecht ging wie mir.

Eigentlich war es doch genauso albern wie meine früheren Streitereien. Ich wusste, dass es zu kompliziert ist und doch wollte ich nichts mehr, als bei ihm zu sein.

Ich stand mindestens genauso verloren am anderen Ende des Flures, meine Hände ineinander verschlungen und unsicher, ob ich zu ihm gehen sollte.

Es dauerte eine halbe Ewigkeit, bis er mich bemerkte und als er zu mir aufsah, wollte ich am liebsten weglaufen.

Ich hatte mein Zeitgefühl verloren, keine Ahnung wie lange ich hinten im Seitengang gesessen hatte, oder wie lange er schon gegen den Spind gestützt dastand, mit dem Kopf zwischen den Armen. Seine Augen waren rot und geschwollen. Ich hatte noch nie einen Jungen so aufgelöst und verloren dastehen sehen. Der Junge, der nun dastand mit einem Blick, der mich noch mehr zum Heulen brachte, hatte nichts mehr mit meinem Freund zu tun. Nichts mit dem Jungen, der mich zum Schlittschuhlaufen entführte oder der mich zum Lachen brachte. Sein Anblick war so erschreckend und traurig, er war so allein. Ich war so allein.

Als er mich sah, wendete er sich von mir ab, als sei es ihm peinlich, dass er so von mir gesehen wurde.

Für einen Moment war ich mir nicht sicher, was ich tun sollte. Ich konnte ihn nicht dastehen lassen. Ich ging auf ihn zu und wollte ihm auf die Schulter fassen, damit er mir nicht mehr den Rücken zuwandte. Er erschrak und zuckte zusammen, als er meine eigentlich so vertraute Hand auf seiner Schulter spürte. Er zog sie weg und entfernte sich einen weiteren Schritt von mir. Ich spürte eine neue Träne auf meiner Wange.

„Nelson. Hey ..." Ich flüsterte so leise, dass ich mich selbst nicht hörte. Ich wollte nicht, dass er und ich so fremd und verloren nebeneinanderstanden.

„Wie oft noch?", flüsterte er zurück. „Wie oft noch willst du mich von dir wegstoßen?"

Ich schwieg und konnte nicht antworten. Ich hatte ihn auf dem Boden sitzen lassen. Auf der Türschwelle meines Zimmers.

„Wie oft noch, Lily?" Sein Flüstern wurde jetzt lauter, die Enttäuschung in seiner Stimme war nicht zu überhören. Ich fühlte mich so schlecht.

„Was habe ich falsch gemacht? Wieso wendest du dich von jedem ab, den du liebst?" Seine Stimme war jetzt so laut, dass ich bei jedem neuen Wort zusammenzuckte. Ich wäre am liebsten im Erdboden versunken.

„Ich habe auf deiner Türschwelle geschlafen, falls du es bemerkt hast. Ich mache Fehler, jeden Tag. Das weiß ich, Lily. Aber ich probiere sie wiedergutzumachen. Und du drehst mir den Rücken zu."

Ich schwieg immer noch, obwohl ich wusste, dass ich etwas sagen musste.

„Ich weiß. Ich weiß, Nelson. Es tut mir leid." Ich hauchte es in die Luft. Mehr fiel mir jetzt gerade nicht ein.

„Es tut dir immer leid und trotzdem verzweifle ich an dir. Ich weiß, dass ich einiges falsch gemacht habe, aber ich muss die Fehler bei dir suchen. Ansonsten suche ich die Fehler an mir und dann kann ich vielleicht nicht mehr aufhören, denn ich ertrinke jetzt schon jeden Tag an ihnen ..." Seine Stimme wurde wieder leiser und die letzten Worte waren nur noch ein Hauchen.

Ich sah zum ersten Mal, wie verzweifelt er wirklich war. Ich konnte die Überforderung in seinem leeren Blick sehen und den Druck. Ich sah, wer Nelson Morrington wirklich war.

Er stand so weit weg, ich zog ihn näher zu mir heran und berührte seine Wange.

„Hey, ich bin da. Shh ..." Ich wollte ihn so sehr lieben und vermisste ihn jede Sekunde, wenn ich ihn nicht sah und jetzt war er so zerbrechlich, dass er jede Sekunde zusammenbrach. Ich konnte eine Schwäche sehen, die er mir zuvor verschwiegen hatte.

„Bitte verlass mich nicht! Ich schaff das nicht ohne dich!" Er weinte und im nächsten Moment verlor er den Halt unter den

Füßen und brach zusammen … Langsam rutschte er mit dem Rücken den Spind hinunter und ich setzte mich neben ihn.

Wir saßen auf dem Boden, er den Kopf auf meiner Schulter, niemand sagte etwas.

Sekunden wurden zu Minuten und die Zeit verstrich. Keiner von uns beiden hatte noch einen Gedanken daran verloren, wieder in den Unterricht zu gehen. Ich hatte die Zeit vergessen. Wir saßen einfach nur da, starrten an die Wand und warteten auf nichts.

Ich war mir bewusst, wie schwer es war, für ihn und für mich. Wir waren uns unserer Aufgabe bewusst, nur konnten wir dem Druck nicht standhalten. Mir ging es schon eine ganze Zeit so, nur hatte ich nicht gewusst, dass auch Nelson so an dieser Aufgabe scheitern und verzweifeln würde. Doch jetzt sah ich es: Ein verzweifelter Blick in seinen Augen, seine Tränen überströmten Wangen und die zitternden Hände verrieten mir, dass auch er am Ende war. Ich hätte ihm so gerne geholfen, ihm so gerne erzählt, dass ich es wusste. Ich kannte die Aufgabe, er war nicht allein. Aber Nelson wusste nicht, dass ich sein Gespräch gehört hatte, und dass mein Grandpa mir alles noch rechtzeitig erzählt hatte. Nelson dachte, ich sei ahnungslos, aber das stimmte nicht. Ich wollte ihm so gerne zeigen, dass er nicht alleine war. Wir könnten alles zusammen durchstehen, aber er wollte mich vor seinem Bruder beschützen und vielleicht noch vor ganz anderen Dingen. Dinge, die ich vielleicht schon längst wusste.

Ich spielte seit so vielen Tagen mit dem Gedanken, ihm zu sagen, dass ich es wusste, dass ich bereit war, ihm zu helfen. Ich war mir zwar sicher, dass ich alles andere als bereit bin für diese Aufgabe, aber ich wusste auch, dass wir nicht für immer warten konnten. Die Zeit lief uns davon und wenn Nelson wüsste, dass ich weiß, dass er der andere Herrscher war, dann könnten wir die Zeit vielleicht noch rechtzeitig einholen. Vielleicht könnten wir zusammen schneller sein als die Zeit.

Schließlich entschied ich mich es zu versuchen. Ihm zu sagen, dass ich über alles Bescheid wusste. Über ihn und seinen Bruder. Über ihr Gespräch. Ich versuchte ordentliche Sätze in meinem Kopf zu bilden. Es war so unendlich schwer, ich hatte Angst, dass er sauer wird, weil ich ihn belauscht hatte. Oder dass er selber noch mehr Angst bekam, weil er mich beschützen wollte. Vielleicht war er auch erleichtert oder glücklich, weil er es mir so nicht mehr selbst sagen musste. Aber alle diese Theorien waren nicht mehr wichtig, weil er das Schweigen brach:

„Lily, hast du vielleicht mal darüber nachgedacht, ob es das alles hier noch schwieriger macht, als es ohnehin schon ist?" Er flüsterte diese Worte in mein Ohr, dass ich zusammenzuckte. Ich musste diese Worte in meinem Kopf nachhallen lassen, bis ich wirklich verstand, was er mir damit sagen wollte. Dann traf mich der Schmerz wie ein Schlag ins Gesicht.

Ich konnte nichts sagen, die Tränen machten mich blind und der Schmerz machte mich taub. Ich wollte weglaufen, aber dann würde ich wieder vor meinen Problemen weglaufen und das konnte ich ihm dieses Mal nicht zumuten.

Er merkte, dass ich nicht antwortete, und setzte sich auf. Er nahm meine Hände in seine und ich musste in seine Augen schauen, seine stahlblauen Augen, in die ich mich von Anfang an verliebt hatte. Aber ich konnte ihn nicht weiter ansehen, denn ich musste meine Tränen wegblinzeln. Ich wollte nicht, dass er mich so sah, wegen ein paar Worten, die er zu mir gesagt hatte.

„Hey, sieh mich an!" Nelson berührte meine Wange und drehte mein Gesicht wieder in seine Richtung. „Ich will, dass du weißt, dass ich nie aufhöre, dich zu lieben. Ich würde nie aufhören wollen, in deine Augen zu schauen. Aber mein Leben ist gerade einfach so kompliziert. Meine Mum, mein Bruder – alles bricht auseinander und dann ist da noch vielmehr, eine Geschichte, in die ich dich nicht mit heineinziehen möchte."

Ich konnte nicht glauben, was er mir erzählen wollte, denn er benutzte seine Familie als Ausrede für seine richtigen Probleme. Probleme, aus denen er mich heraushalten wollte, obwohl ich ein genauso wichtiger Teil davon war wie er. Ich war wirklich so kurz davor, ihm alles zu erzählen. Alles, was ich eigentlich schon wusste, ihm aber verschwiegen hatte. Das Gespräch, das Märchen, alles, wovor er mich beschützen wollte, aber nicht konnte. Doch wenn ich es ihm jetzt erzählen würde, dann würde das unmöglich etwas daran ändern, wie wir jetzt gerade in diesem Moment übereinander dachten. Ich drückte mich von ihm weg und ohne mein Gesicht zu sehen, wusste ich genau, wie ich aussah. Der Hass in meinen Augen war unmöglich zu übersehen. Meine Hände ballten sich zu Fäusten und ich schaute den Jungen, den ich liebte, an, als würde ich ihn überhaupt nicht kennen.

„Du kannst mich nicht beschützen. Du denkst, ich bin ein emotionales Wrack und brauche in jeder Hinsicht Hilfe, weil meine Eltern und eigentlich jeder, den ich liebe, gestorben ist. Aber stell dir vor: Ich habe es überlebt und ich bin nicht diese Art von Mädchen, die traurige Songs zum Einschlafen hören und die halbe Nacht durchheulen." Meine Stimme sollte sich ruhig und bestimmt anhören, aber schon nach dieser ersten Aussage konnte ich meine Tränen nicht mehr zurückhalten und meine Stimme brach. „Ich bin nicht irgendein Projekt, das du in Ordnung bringen kannst. All das hier ist eine verdammte Scheiße und du hast mir wirklich geholfen, hier ein neues Leben aufzubauen, aber wenn du jetzt denkst, du beschützt mich, indem du mich verlässt, dann bist du genauso bescheuert wie der Rest der Welt!"

Nelson dachte, er kannte mich und meine Geheimnisse. Er dachte, er könnte mich aus etwas raushalten, was zufällig die einzige Verbindung ist, die ich zu meinem Grandpa noch hatte. „Lily, ich kenne dich. Du hast schon so viel durchgemacht. und verdienst es nicht, dir auch noch meine abgefuckten Probleme anhören zu müssen!" Er versuchte genauso ruhig zu bleiben und mit jedem Wort, das er jetzt gerade sagte, machte er alles nur noch schlimmer.

Jetzt konnte ich mich nicht mehr zurückhalten. Ich packte meine Tasche, sprang auf und schrie: „Die Tatsache, dass du denkst, ich könnte deine Probleme nicht verstehen, zeigt, wie schlecht du mich wirklich kennst. Steck dir deine gottverdammten Probleme sonst wo hin! Ich weiß schon alles!" Dass ich es gerade so formulierte, brachte es so sehr auf den Punkt. Ich wusste alles: Nicht nur, dass Nelson derjenige ist, der mich von sich wegstößt, sondern auch, dass ich alles, was dieses Märchen mit sich brachte, wusste.

Keine Ahnung, ob er verstanden hatte, was genau ich mit dieser Aussage meinte, aber es interessierte mich in diesem Moment auch nicht. Ich musste hier weg. Nach einer Ewigkeit wachte er aus seiner Versteinerung auf und stand auf. Er fasste mich am Handgelenk, doch ich war schneller und entzog es ihm. „Fass mich nicht an!", schrie ich voller Verzweiflung. Flehend sah er mich an. Jede Faser meines Körpers fühlte sich zu ihm hingezogen, doch ich konnte jetzt nicht nachgeben. Wenn ich das hier jetzt nicht beendete, dann würde er es tun, und ich weiß nicht, ob ich es überleben würde, diese Worte aus seinem Mund zu hören. Ein letztes Mal drehte ich mich zu ihm, mein Blick war leer und auf einmal fiel mir auf, wie erschöpft ich war. Dieser Streit ist einfach eskaliert und ich glaube nicht, dass ich so etwas noch einmal aushalten würde. „Bitte, beende etwas, was vielleicht nie hätte beginnen dürfen. Rede dir ein, dass du es nur machst, weil du mich beschützen willst. Ach Scheiße … rede dir doch ein, was du willst! Es ist mir egal, denn ICH BIN FERTIG MIT DIR NELSON! Mein Blick war voller Leere und Ausdruckslosigkeit. Ich sah ihm in die Augen. Ein letztes Mal. Dann drehte ich mich um und verließ den Flur, an dem gleichzeitig die schlimmsten und schönsten Erinnerungen mit Nelson hingen, die ich je erlebt habe.

- 2 -

KAPITEL 11

Nelson

*E*r war sauer. Das sah man dem kleinen Jungen an. Jeder hätte es sofort gemerkt. Bei Kindern war es noch eindeutiger. Er saß draußen auf der Schaukel, es regnete und die Kälte setzte sich in seinem Körper ab. Seine Gummistiefel baumelten lustlos in der Luft und er schniefte. Es war ein schrecklicher Tag: Grau, windig und der Donner grollte in der Ferne. Immer mussten sie sich streiten, dachte er. Mit seiner Handvoll Jahren, die er mit seinem Zwilling geteilt hatte, wurden es immer mehr Streitereien. Er hatte vergessen mitzuzählen und jetzt saß er hier und wollte eigentlich wieder ins Haus gehen.

Er hasste den Donner.

Doch wenn er wieder reingehen würde, dann hätte sein Bruder gewonnen und er wollte nicht nachgeben, denn sein Stolz war zu groß. Der kleine Junge konnte von seiner Schaukel aus in das hell beleuchtete Haus hineinschauen. Er sah seine Eltern, sie standen in der Küche und er wusste, dass sie glücklich waren.

Die beiden Erwachsenen konnten sehen, dass ihr Sohn dort draußen im Regen saß und trotzig seine roten Gummistiefel anschaute. Sie mussten schmunzeln, jedoch wussten sie, dass es von Tag zu Tag mehr Streitereien zwischen den beiden Brüdern gab. Man konnte es kaum noch ertragen und jeden Abend um die gleiche Zeit zog sich der Ältere der beiden seine roten Gummistiefel an und setzte sich auf die Schaukel. Ob es regnete oder die Sonne schien, im Winter wie im Sommer.

Und jedes Mal, das wussten seine Eltern auch, kam er nach ein paar Minuten wieder, um sich bei seinem Bruder zu entschuldigen, weil er es niemals ohne ihn aushalten würde. Aber auch, weil er wusste, dass sein Bruder niemals zu ihm gehen würde. Er war einfach der Vernünftigere.

Es regnete immer stärker und der kleine Junge hörte das Donnern immer lauter. Es machte ihm Angst, doch konnte er nicht aufgeben, denn er wollte hier sitzen bleiben, bis sein Bruder herauskam, um sich zu

entschuldigen. Doch er war nicht blöd – Er wusste, dass so etwas nie-
mals passieren würde. Am Ende war er doch immer wieder derjenige,
der um Verzeihung bat. Er konnte nicht ohne ihn. Sein kleines Herz
schmerzte, als er an ein Leben ohne seinen Zwilling dachte. Er wollte
das doch gar nicht.

Der kleine Junge hatte sich einen Schokoriegel mitgenommen, falls
er länger warten musste, aber jetzt gerade wollte er nichts lieber, als die-
sen mit seinem Bruder zu teilen. Seine Kapuze rutschte ihm ins Ge-
sicht und der kleine Junge sah so verloren aus, dass seine Eltern Mitleid
mit ihm bekamen.

Für ihn war eine halbe Ewigkeit vergangen und er sprang enttäuscht
von seiner Schaukel. Auch nach diesem Streit war sein Bruder nicht zu
ihm gekommen und hatte sich nicht entschuldigen können. Auch sein
Stolz war zu groß. Er verließ die Schaukel mit dem verzweifelten und
traurigen Gedanken, sie morgen bestimmt wieder zu besuchen.

Er mochte das nicht und hasste den Streit.

Er schlenderte den Weg zum Haus zurück, das so gigantisch dalag,
dass er sich auf einmal winzig klein fühlte.

In diesem Moment sah er einen gigantischen Blitz den Horizont er-
leuchten und begann zu rennen. Seine Kapuze versperrte ihm die Sicht
und als er an den Blumenbeeten vorbeirannte, in Richtung Haus, da stol-
perte er über etwas und fiel hin. Seine Hose riss auf und er spürte, wie
sein Knie blutete. Der Schmerz trieb ihm Tränen in die Augen, aber er
wollte nicht weinen. Als er sein Knie betrachtete, sah er plötzlich ein Buch
auf dem Weg liegen. Es war riesig und dick und der kleine Junge hatte es
noch nie zuvor gesehen, aber – das wusste er – es war für ihn bestimmt.

Er wollte es niemandem zeigen, denn es war seins und man konnte
den Trotz in seinem Gesicht erkennen. Der kleine Junge wollte es hoch-
heben und zurück ins Haus gehen, als er hinter seiner Schaukel etwas
sah. Er erschrak, denn er wusste nicht, was er sah. Es war etwas Unge-
wöhnliches und der kleine Junge fürchtete sich. Doch als er einmal blin-
zelte, sah er es in den Büschen verschwinden.

Er drehte sich auf der Stelle um und rannte den Weg hoch zum Haus.

Drinnen standen seine Eltern noch immer zusammen und neben ih-
nen ein älterer Mann. Ein unbekannter Mann, der jedoch den gleichen
Namen trug, wie die Mutter der kleinen Jungen.

Er wachte auf. Es war nur ein Traum, nicht real und voller Fantasie. Und doch kam er ihm vertraut vor, er kannte ihn. Nelson träumte nicht gerne, aber heute war es anders als sonst. Heute erwachten Erinnerungen in ihm. Er kannte die Geschichte oder dachte zumindest, sie zu kennen.

Der Regen und die Schaukel, das alles war echt, nur nicht heute. Es waren Bilder der Vergangenheit. Die nie endenden Streitereien mit seinem Bruder. Er kannte sie noch immer.

Der junge Mann wurde ständig daran erinnert, denn ihn plagte ein stetiges schlechtes Gewissen. Vielleicht hätte er damals doch zu ihm gehen sollen. *Er* hätte nachgeben sollen, dann hätte man es vielleicht vermeiden können. Er wurde traurig.

KAPITEL 12

Nelson

M ein Leben, ein einziges Chaos! Es war nicht immer so, aber nach einiger Zeit hatte ich gelernt damit umzugehen. Ich habe mich oft gefragt, wann man sich als gute Eltern bezeichnen darf. Ich glaube, das liegt größtenteils daran, weil ich fest davon überzeugt bin, dass meine Eltern alles andere als gut waren. Natürlich waren sie nicht immer schlecht gewesen, aber heute glaube ich, unsere Familie wurde mit einem Fluch gesegnet. Kann man das überhaupt sagen? Mit einem Fluch gesegnet werden? Egal … Mein Dad, dazu kann ich nicht viel sagen. Er war einmal mein größtes Vorbild, ich liebte ihn mehr als alles andere auf der Welt. Doch dann ist er einfach abgehauen, ich weiß bis heute nicht, wieso. Ich wusste lange nicht, wann man so einen Verlust verarbeiten kann, bis ich es verarbeiten musste, weil meine Mum auch ein Problem hatte. Ich weiß heute, dass sie damals mit dem Verschwinden von Dad nicht klargekommen ist. Sie hat angefangen zu trinken, sehr viel zu trinken. Ich weiß nicht, was schlimmer ist: Ein Vater, der auf einmal aus deinem Leben verschwindet und dich ohne mit der Wimper zu zucken im Stich lässt, oder eine Mutter, die durch pure Verzweiflung, dem Alkohol ausgesetzt, auch langsam aus deinem Leben verschwindet, weil sie nicht mehr zurechnungsfähig ist.

Ich habe mich dafür entschieden, dass beides gleich schlimm ist, weil am Ende das Gleiche dabei rauskommt: Ich war alleine!

Vielleicht nicht ganz alleine. Ich hatte noch meinen Bruder, meinen Zwillingsbruder Cormac. Cormac und ich waren seit unserem 10. Lebensjahr auf uns allein gestellt und sind von den Western Isles und von unserer Mutter weggelaufen. Nicht jedes Kind hat im Alter von 10 Jahren schon so etwas erlebt. Ich hätte auch lieber auf diese Erfahrung verzichtet, aber schließlich sind wir in Thornforest untergekommen.

Ich weiß noch genau, wie wir hierhergekommen sind. Wir wurden von einem alten Mann hierhergeschickt. Er hatte uns mit der Fähre rüber von der Insel aufs Festland gefahren und uns den Weg erklärt. Es war nicht einfach den Weg zu finden, es hat lange gedauert, aber schließlich haben wir die Schule in dem finsteren Wald entdeckt. Erst später habe ich erfahren, wieso der Mann uns nach Thornforest schickte ...

Mein Name ist Nelson, Nelson Morrington. Seit ungefähr sieben Jahren wohne ich in Thornforest, auf diesem riesigen Anwesen, das die Menschen als Schule bezeichnen. Mit 10 Jahren sind Cormac und ich vor unserem Leben geflohen und manchmal habe ich das Gefühl, dass ich immer noch nicht in einem neuen Leben angekommen bin. Ich habe keine Angst vor dem Älterwerden, hatte ich noch nie, aber ich glaube, ich müsste so langsam meinen Platz auf diesem Planeten finden, sonst würde es schwer werden. Ich hatte keine Lust, dass die Zeit mir davonläuft, denn dann müsste ich einen Wettlauf gegen die Zeit laufen und den kann man nicht gewinnen.

Den Spruch hatte ich von Cormac. Ich hatte vieles von ihm gelernt und er vieles von mir. In einer Welt, in der man nur eine Person hat, auf die man sich verlassen kann, wird diese Person zu einem überlebenswichtigen Bestandteil. Bei uns war es so und wir wussten es. Ich hatte eine übernatürliche Bindung zu meinem Bruder und ich spürte diese Bindung in jeder Sekunde und mit jedem Schritt, den ich tat.

Wenn man auf der ganzen Welt nur eine Person hatte, dann lernt man mit der Zeit, dass nichts wichtiger ist als Vertrauen. Wir mussten uns aufeinander verlassen, und wenn wir das nicht taten, dann waren wir allein. Das war meine größte Angst.

Das Alleinsein war etwas, vor dem ich mich seit meiner Kindheit fürchtete. Der Gedanke, alleine in einem Raum zu sitzen, ließ mich heute noch zusammenzucken. Ich dachte all die Jahre, bei Cormac sei es nicht anders. Heute weiß ich, dass ich unrecht hatte, dass Cormac nie großen Wert auf ein Zusammenhalten gelegt hatte.

Schlagartig wurde mir bewusst, was das für mich heißt: Ich hatte nur ihn und er brauchte niemanden, also hatte ich nur mich, was die Sache komplizierter machte. Nie hätte ich gedacht, dass irgendetwas auf dieser Erde mich und meinen Bruder auseinanderbringen kann. Wie unrecht ich hatte ...

* * *

Ich hatte wirklich gedacht, dass jetzt alles noch viel schlimmer werden würde. Kurz nachdem der Sommer zu Ende war, hörte ich sie. Jeder normale Mensch hätte sie nicht gehört, aber ich war anscheinend nicht normal und irgendwie kamen mir die Schreie bekannt vor, denn ich hörte sie nicht zum ersten Mal. Den ganzen Sommer über habe ich sie hören können. Erst einen Schrei und dann ein Brüllen. Ich hatte sie immer nur gehört, als ich alleine war.

An dem Tag, als ich sie ein weiteres Mal hörte, wusste ich, dass sich nun alles ändern würde. Die Schreie waren lauter und stärker als jemals zuvor, etwas hatte sich verändert. Der Tag war gekommen.

Kurz vor den Sommerferien wusste ich davon noch nichts, doch das sollte sich am 6. Juni 2018 ändern. Die Sonne schien ununterbrochen auf den gigantischen See hinter dem Internat und die Kirschbäume im Garten blühten auf.

Ich zog mich an, denn es war ein Mittwoch und somit ein ganz normaler Schultag. Auch hier, irgendwo im Nirgendwo, musste man zur Schule gehen. Eigentlich ist es der schönste Ort, den man sich vorstellen kann, um dort zu wohnen. Zumindest für ein Mädchen: Das Anwesen hatte ein Gestüt mit über zwanzig Pferden und wenn das Wetter gut war, konnte man im See schwimmen gehen. Im Garten, in dem die Kirschbäume standen, hing zwischen jedem Baum eine Hängematte, die im Sommer immer besetzt waren.

Jeden August, wenn neue Schüler hier ankommen, steigen sie aus ihren Limousinen aus und bestaunen das perfekt gepflegte, weiße Anwesen. Ich muss zugeben, ich hatte auch gestaunt, als ich es zum ersten Mal sah. Es ähnelte schon fast einem Schloss und ich wusste auch, dass nicht jeder hier einfach zur Schule gehen konnte. Aus irgendeinem Grund konnten wir es seit inzwischen sechs Jahren.

Früher sind Cormac und ich am Tag der Ankunft der Neuen immer in den Wald gelaufen oder wir haben uns ein Boot genommen und sind über den See gerudert. Wir mochten es beide nicht, zuzusehen, wie die neuen Schüler alle von ihren Eltern hierhergebracht wurden und heilfroh waren, als ihre Eltern endlich wegfuhren. Die meisten Kinder, die hierherkamen, waren anders als wir. Verwöhnt und hochnäsig und bei jedem beliebt. Die Kinder hier waren reich, und obwohl Cormac und ich nicht weniger reich waren als alle anderen, verhielten wir uns so anders. Als kämen wir von einem anderen Planeten.

Wir hatten nicht besonders viele Freunde, gar keine um genau zu sein. Für mich war das okay, denn ich brauchte keine Freunde. Ich hatte mein ganzes Leben keine Freunde, nicht in meiner Heimat und auch nicht hier. Ich hatte Cormac, er war schon immer da gewesen und ich war mir so sicher, dass Cormac es genauso sah wie ich: Wir brauchten nur uns beide. Wir beide waren diejenigen, die von unserer Familie noch übergeblieben sind. Ich war der Meinung, dass wir daran festhalten mussten. Bis zu diesem Tag, an dem alles auf den Kopf gestellt wurde, wegen etwas, was wir uns nie hätten erträumen können:

Ich ging in die Schule – Ich wartete nie auf Cormac, weil es ihn null interessiert, was da abging. Wenn er einen guten Tag hatte, dann konnte man so ab 10:30 Uhr mit ihm dort rechnen, aber das kam auch nicht so häufig vor.

„Wen soll es denn interessieren, wenn ich mein Abi nicht schaffe?", hatte er heute Morgen in sein Kissen gemurmelt, ohne irgendwelche Anstalten zu machen aufzustehen. Ich seufzte, der Gedanke, was nach der Zeit hier passieren sollte, machte mich nervös. Wir konnten hier nicht für immer bleiben. Ich wusste das, aber ob Cormac das wusste, bezweifelte ich manchmal.

„Alter, Cormac! Reiß dich verdammt noch mal zusammen, du kannst es dir echt nicht leisten, so viel zu verpassen!" Ich schlug seine Decke zurück, damit er aufstand.

Er stöhnte, seine pechschwarzen Haare standen unordentlich in alle Richtungen ab. Manchmal habe ich das Gefühl, er verändert sich nicht. Seine Haare standen schon immer so ab und Cormac hatte auch noch nie irgendwelche Anstalten gemacht, sie zu bändigen. Früher hatte er deswegen immer Ärger mit unserer Mum. Ich musste bei der Vorstellung lachen, als Mum Cormac durch das ganze Haus gejagt hatte, mit der Bürste durch die Luft wedelte und ihm drohte, ihn zu den Ratten im Keller einzusperren, weil er da in dem Zustand hingehörte. Mein Dad und ich hatten diese Szenen immer aufgenommen. Er meinte, das ist gutes Bestechungsmaterial für später, wenn wir älter sind. Das war eine der schönen Erinnerungen, an die ich mich noch erinnern kann. Eine Erinnerung, in der alle drei Menschen, die mir einst am wichtigsten auf der Welt waren, einen Platz in meinem Kopf bekamen. So war es heute nicht mehr, das wusste ich.

Cormac riss mich mit einer hysterischen Handbewegung aus meinen Gedanken und sagte feierlich: „Nelson, guck uns an, ich bin der Gutaussehende von uns beiden. Ich heirate eine reiche Frau, das wird schon, aber geh du mal lernen. Du hast es nötig!"

Er klopfte mir grinsend auf die Schulter und ich warf ihm meine Schultasche an den Kopf.

Dann ging er duschen und ich in Richtung Essenssaal, um zu frühstücken. Ich saß alleine, wie üblich. Überall waren Cliquen verteilt. Ich konnte sehen, wie die Jungen aus meinen Kursen mich mit abfälligen Blicken begutachteten. Nein, so etwas gab es nicht nur bei Mädchen. Aber es machte mir nichts aus. Es machte mir sowieso alles ziemlich wenig aus hier an dieser Schule. Ich weiß, dass ich der komische, mysteriöse Kerl war, der schon immer hier gewesen war und womöglich auch niemals verschwinden wird. Die Menschen gucken immer erst misstrauisch, weil sie Angst vor etwas Neuem, Ungewohntem in ihrer Umgebung haben. Das hat mein Dad immer gesagt, zumindest so ähnlich, glaube ich. Ich war diese Blicke gewöhnt und hatte kein Problem mit ihnen. Ich wollte nicht, dass sie es abstellten, denn das würde heißen, ich müsste mit ihnen darüber reden und da hatte ich definitiv keinen Bock drauf. Bei Cormac war es anders. Er verbrachte den Großteil seiner Freizeit mit mir oder mit sich selbst, aber er kannte sie alle. In den sechs Jahren, die wir jetzt in Thornforest lebten, gab es wohl niemanden an dieser Schule, der nicht mit meinem Bruder gesprochen hat. Cormac tut sich gerne wichtig, er steht eben gerne im Mittelpunkt, obwohl er das so niemals zugeben würde. Außerdem war es auch nicht besonders schwer, nicht aufzufallen. Cormac musste nur durch die Flure laufen, mit dieser arroganten, schwarzen Aura und alle Mädchen stellten sich irgendwelche Bad-Boy-Szenarien vor. Cormac hält nicht wirklich was von Schule oder seinen Mitmenschen, geschweige denn von Vernunft oder Empathie.

Jedes Jahr am Tag der Ankunft beobachteten wir die Neuankömmlinge und Cormac sah jedes Mal so aus, als suche er Frischfleisch, das er in Anspruch nehmen konnte. Ich glaube insgeheim, Cormac hat auf dem ganzen Anwesen verteilt seine kleinen Soldaten, die er dazu zwingt, ihn durchs Schuljahr zu bringen. Sonst hätte er es niemals bis in die 11. Klasse geschafft. Wenn ich es mir genau überlege, dann würde ich jemandem wie Cormac auch nicht widersprechen. Ein Blick und man denkt, man müsste sterben.

Mir konnte der Blick schon lange nichts mehr anhaben, doch auch ich sollte bald feststellen, dass ich meinen Bruder dermaßen unterschätzt hatte …

Ich hörte Nancy, Page und Cathy tuscheln: „Ich frage mich, wieso er immer alleine überall sitzt, er sieht so gut aus …"

Ich lief extra nah an ihnen vorbei und konnte im Augenwinkel erkennen, wie mich ihre Blicke durchlöcherten. Ich musste innerlich lachen. *Ja Cormac, du bist der Gutaussehende,* dachte ich, als ich mich alleine an einen Tisch setzte.

Ich machte meine Tasche auf und wollte meine Hausaufgaben herausholen, als ich es zum ersten Mal sah: Ein Buch, ziemlich groß und eigentlich nicht zu übersehen, aber ich hatte es noch nie vorher wahrgenommen. Ich schlug es auf, aber es war kein Aufkleber von der Bibliothek darin, ich hatte es also nicht ausgeliehen. Aber wo kam es her? Ich warf einen Blick auf den Buchdeckel, der schwer leserlich und veraltet war. Nach einiger Zeit bemerkte ich, dass es gar keinen richtigen Titel hatte.

„A fairytale for you" stand da. „Ein Märchen für dich."

Ich kannte dieses Buch nicht, das wusste ich, aber irgendetwas wollte mich vom Gegenteil überzeugen. Wo kam es her?

Ich hatte schon ziemlich viele Bücher gelesen und wusste sofort, dass dieses anders war. Ich hatte keine Ahnung, wieso, aber ich spürte eine Anziehung, den dringenden Impuls, es zu öffnen, mich in den Seiten zu verlieren. Jeder normale Junge hätte es bescheuert gefunden und wenn auch nur 20 % in der ganzen Halle wüssten, was ich gerade dachte, dann wäre ich automatisch das neue Mobbingopfer geworden. Ich war keine Lusche, ich war einfach anders und ich stand dazu. Aber ich wusste, niemand außer mir selbst würde das jemals verstehen können. Vielleicht war das ein weiterer Grund, warum ich mit niemandem sprach. Ich passte einfach nicht in die Welt eines normalen 17-jährigen Jungen. Ich war ein Einzelgänger.

Meine Gedanken wurden unterbrochen, als ich Cormac aus dem Augenwinkel wahrnahm, wie er durch die große Flügeltür in den Essenssaal geschlendert kam. Er bewegte sich langsam, aber seine Schritte waren so groß, dass er binnen Sekunden vor mir stand. Seine Haare sahen aus wie immer. Sein muskulöser, gebräunter Oberkörper steckte in einem schwarzen Shirt. Er besaß nichts anderes. Seine Boots waren wie immer nicht geschnürt und seine schwarze Jeans hatte definitiv zu viele Löcher.

Wieder fingen die Mädchen an zu tuscheln. Beide Morrington-Brüder auf einem Fleck musste wohl zu viel für sie sein. Grinsend sah ich mich kurz um, doch ich verdrängte meinen arroganten Gedanken und blickte in die Augen meines Bruders.

„Sie ist hier!", raunte er. Seine Stimme war so tief, dass ich kurz neidisch wurde. Meine Stimme war auch tief, aber seine klang noch so viel mächtiger, stärker. Überrascht blickte ich ihn mit großen Augen an. „Mum, sie ist bei der Direktorin! Wir … wir müssen da glaub' ich mal hin …" Als wollte er nicht gehört werden, blickte er verstohlen über seine linke Schulter und packte mich dann am Arm. Schnell steckte ich das Buch in meine Tasche, bevor er es noch sah. Cormac hätte irgendwas Unpassendes gesagt, wahrscheinlich auch noch viel zu laut, und dann hätten es doch alle mitbekommen. Ich hatte keine Angst vor denen, nur keinen Bock auf Stress und deswegen ließ ich es leise in meine Tasche gleiten. Ich wusste ja nicht, dass Cormac dieses Märchen jetzt schon so viel besser kannte, als jeder andere …

Ich musste mich sammeln, wir hatten sie seit sechs Jahren nicht mehr gesehen und der Gedanke, ihr gegenüberzustehen, war nicht gerade der schönste.

Ich schluckte hart. „Wie kommst du jetzt darauf? Cormac, verarsch mich nicht!"

Er wurde ernst, noch so viel ernster, als er ohnehin schon war. „Alter, Nelson, wir sollen jetzt ins Direktorat! Komm jetzt! Ich hab' doch auch keine Ahnung!"

Ich nahm meine Sachen und lief hinter Cormac her. Was wollte sie, wieso war sie hier? Was könnte auf einmal so wichtig sein, dass sie nach sechs Jahren ihre Söhne besucht? Ich hatte keinen Bock auf sie. Sie hatte unsere Familie zerstört. Wir liefen durch die Gänge. Das Direktorat der Leiterin befand sich im Internat und nicht in der Schule, was heute ziemlich gut war, weil wir somit nur aus dem Essenssaal in den dritten Stock hochlaufen mussten. Ich war irgendwie aufgeregt und mit einem Mal wieder enttäuscht. Ich konnte mir keinen Grund vorstellen, der so wichtig war, dass sie sich nach sechs Jahren doch dazu entschlossen hatte, sich um uns zu sorgen.

Wir standen vor der großen Tür zu Mrs. Woodlands Büro und Cormac sah mir in die Augen. „Egal, was da drinnen passiert, Alter. Wir bleiben hier! Sie kann uns hier nicht wegschicken."

Ich merkte, wie wichtig es ihm war, hierzubleiben und auf einmal merkte ich auch, dass es mir ebenfalls verdammt wichtig war, hierzubleiben, obwohl ich keine Freunde hatte. Dieser Ort war perfekt für jemanden wie mich und hier hatte ich zum ersten Mal herausgefunden, wer ich wirklich war, glaubte ich zumindest. Das ließ ich mir von ihr nicht auch noch zerstören.

Ich nickte und musste grinsen. Er sah mich verdutzt an, denn er konnte sich ja nicht selbst sehen.

„Was ist los, Alter? Warum lachst du so?", fragte er mit einem schiefen Grinsen. Ich konnte das schiefe Grinsen auch und machte es ihm nach: „Du guckst morgens auch nicht in den Spiegel, oder? Du hast nicht mal deine Haare gekämmt!"

Er schaute schulterzuckend auf den Boden und sah auf einmal aus, wie eine 5-jährige Version, die heimlich Süßigkeiten gegessen hatte. Er wuschelte sich durch die Haare und benutzte seine Handykamera als Spiegel.

„Ja, sorry! Ich bin es nicht gewohnt, so früh aufzustehen, hat mich voll die Überwindung gekostet, dir überhaupt hinterherzulaufen!"

Wir grinsten wieder und ich hätte dieses Grinsen auf den Lippen meines Bruders unter Tausenden heraussehen können. Es war etwas Seltenes, ihn so grinsen zu sehen, doch wenn er es tat, dann meinte er es auch so. Er schenkte es nicht vielen, eigentlich niemandem. Vielleicht war das der Grund, weswegen ich mich immer gleich besser fühlte, wenn ich es würdig war, sein Grinsen zu sehen.

* * *

Dort stand sie, neben dem Schreibtisch der Direktorin. Ihr Blick wirkte verkrampft und starr, ihre fast komplett schwarzen Augen beobachteten uns. Ihr langes schwarzes Haar war noch dunkler als das von Cormac und hing fade an ihrem Kopf herunter. Wir standen da, in dem runden Raum, ziemlich verloren und niemand sagte ein Wort.

„Mrs. McDobbin, wollen Sie Ihren Söhnen nicht sagen, wieso Sie hierhergekommen sind?" Es war Mrs. Woodland, die sich als Erste zu Wort meldete, um dieser unangenehmen Stille ein Ende zu bereiten. Die Frau mit den schwarzen Haaren und dem starren Blick zuckte zusammen, als sie ihren Namen hörte. Ich erkannte sie nicht wieder, sechs Jahre sind eine lange Zeit, aber ich hatte gedacht, seine Mutter vergisst man nicht einfach so. Vielleicht lag es daran, dass diese Frau, die vor uns stand und sich genauso unwohl fühlte wie ihre Söhne, nicht mehr meine Mutter war. Unsere Mum war fröhlich und immer gut gelaunt gewesen, sie war hübsch und Cormac hatte immer gesagt, dass er sie eines Tages heiraten wird. Sie konnte einen durch den ganzen Garten jagen, ohne dass sie müde wurde und sie war die erste Frau in meinem ganzen Leben, die mir zeigte, was Liebe ist. Sie hatte uns geliebt und sie hatte unseren Vater geliebt, mehr als alles andere.

Aber diese Frau, die da vorn stand, sie war nicht unsere Mutter. Ich konnte ihr nicht in die Augen sehen. Konnte nicht so tun, als kannte ich sie. Ich wollte sie nicht kennen und ich wollte nicht mit ihr sprechen.

„Was machst du hier?" Cormac blickte auf und sah ihr in die Augen, mit einem Blick, der so kalt war wie der Norden, und so eisig wie der tiefste Winter. „Ich will dich hier nicht, ich habe die letzten sechs Jahre das schönste Leben gelebt, das du dir vorstellen kannst, und du bist kein einziges Mal darin vorgekommen!" Ich wusste, dass ich nichts dazu sagen musste. Das überließ ich Cormac, denn er hatte eine Gabe, mit Worten umzugehen. Er sprach nicht viel, aber wenn er sprach, dann war jedes Wort sorgfältig ausgewählt.

Man konnte sehen, wie sehr seine Worte trafen, ihr Gesicht wurde bleicher, als es ohnehin schon war und ich konnte sehen, wie sich ihre Augen mit Tränen füllten.

„Wir brauchen dich hier nicht, sonst wären wir zurückgekommen. Du bist nicht zu gebrauchen, sieh dich doch an! Also, was auch immer du zu sagen hast, und bitte lass es wichtig sein, ansonsten habe ich meine Zeit für nichts geopfert, sag es schnell.

Damit du so schnell wie möglich wieder verschwindest!" Cormac wurde mit jedem Wort lauter und sicherer, aber ich spürte, dass er zitterte und ich zitterte auch. Seine Worte waren brutal, doch was noch viel brutaler war: Es war die Wahrheit.

Nie hätte ich es so gesagt und doch war es genau das, was ich für diese Frau empfand. Ich hatte kein Mitleid, sie tat mir nicht leid. Ich spürte nur die Enttäuschung, die so tief in mir saß, dass ich sie wohl nie mehr loswerden würde.

Ich blickte auch auf und nach einer halben Ewigkeit wagte ich es, in ihre Augen zu sehen. Wenn nicht bald was passierte, dann brach sie zusammen, das konnte ich sehen. Ich musste die Tränen, die ich spürte, unterdrücken, denn ich wollte nicht weinen. Ich wollte stark sein dieses eine Mal, so wie Cormac es war. Er konnte es, dieser Blick, der zeigte, dass es ihn kein bisschen interessierte. Und obwohl es so echt aussah, wusste ich, dass er sich eigentlich ganz anders fühlte. Er zeigte keine Gefühle, das tat er nie.

Trotzdem war er mit der Situation überfordert, das sah ich. Ich war auch überfordert und obwohl ich es nicht wollte, musste ich etwas sagen, denn noch länger konnte ich die Tränen nicht unterdrücken.

„Wo warst du?" Ich spürte die erste Träne meine Wange herunterlaufen, noch bevor ich die Frage aussprechen konnte. Ich hasste es. Wieso konnte ich nicht so wie Cormac jegliche Art von Gefühlen abschalten? Diese Unsicherheit machte mich klein und verletzlich. Mein Dad hatte uns immer gesagt, wir dürfen nicht weinen, wir müssen uns wie echte Männer verhalten. Ich probierte es, jedes Mal, wenn ich weinen musste, probierte ich es zu unterdrücken. Ich wusste schon früher, dass ich es nicht konnte.

Ich dachte noch immer über meine Sensibilität nach, als ich von einer so fremden, aber vertrauten Stimme aus den Gedanken gezogen wurde: „Ihr seid so groß geworden, ich bin so stolz auf euch."

Die Stimme meiner Mutter hallte in meinem Kopf nach und ich probierte mich an die Stimme von früher zu erinnern. Neben mir stutzte Cormac und warf seinen Kopf in den Nacken. Mit einem höhnischen Unterton brüllte er sie an.

„Das ist alles? Mehr hast du nicht zu sagen? Es ist unglaublich, nach sechs Jahren kreuzt du hier auf. Wenn man es mir nicht gesagt hätte, hätte ich dich überhaupt nicht wiedererkannt. Deine Stimme klingt so fremd, als hätte ich sie noch nie gehört und du sagst, du seist stolz auf uns?" Alles, was ich dachte, warf er ihr mit Worten an den Kopf. „Du kannst gar nicht stolz auf uns sein, du kennst uns gar nicht! Du hast doch nicht mal bemerkt, dass wir eines Tages einfach nicht mehr da waren."

Cormac wendete sich von ihr ab, er drehte ihr den Rücken zu, mir auch. Trotzdem sah ich, dass er sich die Tränen aus dem Gesicht wischen musste. Er trat gegen eine Vase, die klirrend zu Boden fiel: „Scheiße Mann!"

Stille.

Irgendwie hatte Mrs. Woodland es geschafft, die Situation vor der Eskalation zu entschärfen und wir saßen schließlich an dem großen Tisch, der hinten am Fenster in ihrem Büro stand. Noch immer wussten weder Cormac noch ich, weshalb sie hergekommen ist.

Es war kurz vor den Sommerferien. Im kommenden September würden wir unser letztes Schuljahr auf dieser Schule beginnen, wie jeder normale Schüler auch. Cormac würde weiter die Schule schwänzen, ohne dass es irgendwen interessiert und ich würde jeden Morgen aufstehen, alleine. Ich könnte mir ein schöneres Leben vorstellen: Mein eigenes Zimmer, in meinem Haus. Ein Haus, in dem ich mit meinen Eltern lebte und mit meinem Bruder.

Freunde, die ich einladen konnte und eine Stadt, in der wir uns auch in der Nacht noch rumtrieben.

Es ist doch nicht zu viel verlangt, hatte ich gedacht, als ich hier ankam. Jetzt, sechs Jahre später, wollte ich nichts anderes mehr, weil ich Angst hatte, dass es irgendwo anders vielleicht doch noch schlimmer werden könnte. Ich wusste ja nicht, dass es auch in Thornforest Schattenseiten und Regentage geben kann. Doch die gab es und der erste dieser Tage war ein Mittwoch, der 6. Juni. 2018.

Wir saßen immer noch zu viert an diesem Tisch und es wurde mit jeder Minute schlimmer. Bis unsere Mutter sich schließlich aufrichtete, ihre Haare in den Nacken warf und tief durchatmete.

„Ich bin nicht gekommen, um euch aus eurem Leben zu rei-
ßen. Ihr seid hier an einem Ort, der nicht sicherer sein könnte."
Sie lächelte oder versuchte es zumindest.

Die Tränen blitzen in ihren Augen auf und sie zitterte.

„Ich wusste damals nichts davon, ich hatte ihm nicht geglaubt.
Ich glaubte nicht an all das ..." Sie fuhr fort und raufte sich verzweifelt die Haare. „Ich hatte ihn mein ganzes Leben nicht gesehen, er war nie da und als er plötzlich in unserer Küche stand,
konnte ich nicht glauben, was er euch angetan hatte."

Ich verstand nichts von dem, was sie sagte. Weder Cormac noch
ich konnten ihr folgen. Ich sah, dass Cormac seine Wut nicht länger
zurückhalten konnte, doch bevor er ihr noch mehr an den Kopf
werfen konnte, fragte ich mit einer ruhigen schneidenden Stimme: „Wer war der Mann? Der, der damals in der Küche stand?"

„Euer Großvater."

„Was wollte er?" Es war Cormacs Stimme, ruhig und angespannt zugleich.

„Er erzählte uns, was er getan hatte, seine Geschichte. Sie
war verrückt und ich glaubte sie ihm nicht. Es ging um ein Märchen mit Fabelwesen und einer magischen Herrschaft. Er benutzte die Wörter ‚Unsterblichkeit' und ‚Nachfolger'. Ich konnte es
ihm nicht glauben. Ich hatte meinen Vater seit Jahren nicht gesehen und hielt ihn für verrückt." Ihre Stimme zitterte mit jedem Buchstaben, den sie herausbrachte.

Cormac räusperte sich und guckte sie fragend an. „Wieso erzählst du uns das? Dein Vater war verrückt und was verdammt
noch mal hat das bitte mit mir oder Nelson zu tun?"

Ich hatte alles gehört, trotzdem war ich nicht da. Ich stellte
mir tausend Fragen und musste zu dem Entschluss kommen, dass
ich nicht einmal wusste, wer mein Großvater überhaupt war. Ich
hatte ihn noch nie gesehen, geschweige denn mit ihm gesprochen. Ein dumpfes Klopfen an der Tür ließ mich aufschrecken.
Bald wusste ich, wer er war.

Mrs. Woodland, die ich schon ganz vergessen hatte, öffnete
die Tür und ein alter Mann trat ein. Ich kannte diesen Mann. Ich
musste einen Moment überlegen, woher, aber dann fiel es mir ein.

„Sie haben uns hierhergebracht. Das waren doch Sie, ich kenne Ihr Gesicht." Auch Cormac erkannte den Mann. Er war nicht einen Tag gealtert und unsere Begegnung lag nun sechs Jahre zurück.

„Hi, Dad ...", hauchte unsere Mum. Stille.

Was sollte ich dazu sagen?! Der Mann, der uns ein neues Zuhause gegeben hatte, war unser Grandpa. Ich wusste es irgendwie, so etwas konnte kein Zufall sein. Trotzdem starrte ich ihn an, als hätte ich ihn noch nie zuvor gesehen.

Er lächelte und es war ein Lächeln, das man fast nicht wahrnahm und doch strahlte es Wärme aus. Wärme, die dieser Raum dringend gebrauchen konnte.

„Hallo Jungs. Es ist schön, euch endlich richtig kennenlernen zu dürfen." Er hatte genauso dunkle Augen wie Cormac und meine Mum. Man sah, dass sie von der gleichen Blutlinie abstammten. Ich dagegen war anders. Wie immer fühlte ich mich überflüssig, zur falschen Zeit am falschen Ort. Wenn ich nur wüsste, wie mein Vater heute aussah. Nur um sich sicher sein zu können, dass ich überhaupt irgendwo hingehörte.

Wir saßen ziemlich sprachlos eine Weile in dem runden Raum, bis Mrs. Woodland auf meine Schultasche deutete. „Nelson, ich möchte nicht unhöflich wirken, aber dürfte ich mal dieses Buch sehen, welches in deiner Tasche ist?"

Das gigantische Märchenbuch, das ich heute Morgen zum ersten Mal wahrgenommen hatte, blitzte aus meiner Tasche auf und ich musste sie erst fragend ansehen, als ich merkte, dass sie wirklich dieses Buch meinte. Zögernd griff ich in die Tasche und gab es ihr.

„Es beginnt also wirklich von vorn...", murmelte sie und wendete das Buch in ihrer Hand, bis sie es schließlich an unseren Großvater weitergab. Er atmete tief ein und begann die Geschichte mit einer entschlossenen, lauten Stimme zu erzählen.

„Ihr wollt wissen, wieso eure Mutter und ich hier sind? Eure Blutlinie hieß nicht immer Morrington. Euer Vater hat euch dazu gemacht, doch seid ihr die Letztgeborenen des McDobbin-Stammbaumes. June McDobbin, eure Mutter, hat ihren leiblichen

Vater, mich, nie gekannt. Nie hat sie ihn auch nur ein einziges Mal erwähnt, bis er eines Tages in ihrer Küche stand …

Liam-Cormac Will McDobbin, der alte Mann aus dem Märchenbuch, welches du heute Morgen gefunden hast, Nelson. Er lebte allein, in einem Wald, der auf den Karten Schottlands nirgends zu finden war. Nie hatte er gewusst, dass die junge Frau, die ihn einst besuchte, schwanger war, mit seiner Tochter. Bis zu dem Tag, an dem er seinen Nachfolger wählen musste …"

Cormac sah mich an, er hatte es verstanden, dass sah ich. Ich hatte es auch verstanden und trotzdem konnte ich es nicht glauben. Vor uns stand unser Großvater, der Vater von June McDobbin. Der Mann, der gar nicht gewusst hatte, dass er eine Tochter hatte. Er konnte es nicht wissen, weil er in einem Wald wohnte, allein.

Ich konnte mich erinnern. Das Märchen. Das Märchen vom McDobbin-Forest. Auch das Buch sah ich nicht zum ersten Mal. Wie Blitze drangen meine Gedanken durch, bis sie einschlugen und ich mich an alles erinnern konnte.

… eine Handvoll Jahre … die Gummistiefel … der Streit mit Cormac … die rote Schaukel … der alte Mann in der Küche … und das große Buch auf dem Weg …

Als die Blitze aufhörten einzuschlagen, kam ich wieder zu mir. An dem Tag, an dem ich das Märchenbuch mit in unser Haus brachte, versteckte ich es unter meinem Bett. Ich hatte mich damals nicht darum gekümmert, als ich es gefunden hatte. Nachdem ich es unter meinem Bett versteckt hatte, dauerte es nicht lange, bis es endgültig verschwunden war. Meine Eltern müssen es damals genommen und versteckt haben. Es machte mir damals nichts aus, und bis heute hatte ich nicht mehr darüber nachgedacht.

„Also bist du es? Liam-Cormac Will McDobbin aus dem Märchen?" Cormac fand seine Stimme als Erster wieder, doch wieso er etwas über das Märchen wusste, war mir unklar. Ich hatte es nie gelesen, wie sollte Cormac dann davon wissen? Wann hatte Cormac jemals ein Buch gelesen? Ungläubig sah ich ihn an, meinen Blicken zufolge verstand unser Großvater, dass ich nicht im Geringsten aufgeklärt war und so erzählte er uns über das Märchen. Ich musste mich bemühen, überhaupt zuzuhören und trotzdem nahm ich nur Wortfetzen auf: Er redete über Gaben, Unsterblichkeit, Blutlinien, Herrschaft und übernatürliche Kreaturen. Schnell verstand ich, dass er über sich erzählte und dass er uns versichern wollte, dass er damals der Herrscher über diese übernatürlichen Kreaturen geworden ist. Doch er war nicht alleine gewesen, denn es gab noch einen zweiten Herrscher in dem Wald, in den niemand jemals einen Fuß hineinsetzte.

„… Und so wählten wir beide, er und ich, jeweils einen Nachfolger aus, für den Fall unseres Todes. Das war der Tag, an dem ich erfuhr, dass meine Blutlinie nicht mit mir endete, sondern mit June, die inzwischen auch schon erwachsen war. Wir beide wussten, dass wir einen Nachfolger wählen mussten, doch brachten weder er noch ich es übers Herz, unsere eigenen Kinder in diese Welt hineinzuziehen. Es war damals ein Fehler, die Runen laut vorzulesen. Ich war nicht vorsichtig genug gewesen und begab mich in eine Gefahr, die ich zu spät erkannt hatte. Ich zog jemand anderes mit in diese Welt hinein. Ohne weiter darüber nachzudenken, wählten wir jeweils das erstgeborene Kind unserer Kinder aus. Ihr wart noch nicht geboren zu dem Zeitpunkt und wir waren blind, aus Angst. Um jeden Preis wollten wir vermeiden, dass unsere Kinder ein Teil von diesem Leben wurden", so beendete er seinen Satz und mit jedem Wort, das er aussprach, wurde er leiser. Ich verstand überhaupt gar nichts mehr und ich war mir sicher, dass der Mann, der da vor uns stand, verrückt war. Ich blickte zu meinem Bruder herüber, der einfach dastand und nickte. Wieso nickte er so verständnisvoll?

Das war es also, das große Geheimnis, welches die Familie McDobbin seit Jahrhunderten verfolgte. Ein Geheimnis, das meine Familie verfolgte …

„Ich habe nur einen von euch beiden ausgewählt, aber ihr werdet es unmöglich schaffen, wenn ihr alleine dieses Leben führen müsst." Seine Stimme wurde wieder ernst und bestimmt. „Ryan, der zweite Herrscher, er hat damals auch sein erstgeborenes Enkelkind ausgewählt, er hatte keine andere Wahl. Jedoch hat Ryan den Wald verlassen, als es geboren wurde. Er kam nie wieder. Wieso, weiß ich nicht. Er wird sein Enkelkind beschützen, ohne Zweifel, doch sein Nachfolger wird seinen Weg hierher finden, so wie ihr ihn gefunden habt. Doch wenn ihr beide den Wald regieren wollt, dann darf Ryans Nachfolger nie etwas von all dem hier wissen. Nie! Ihr dürft es niemandem erzählen, habt ihr mich verstanden?!"

Vielleicht hätte ich jetzt auch nicken sollen, aber das wäre gelogen gewesen. Ich hatte nichts verstanden und ich wollte es auch nicht verstehen. Wieder einmal hatte ich Angst. Ich warf Cormac einen verzweifelten Blick zu, doch in seinen Augen sah ich etwas anderes: Von der Wut und der Trauer war keine Spur mehr zu sehen. Stattdessen konnte er seine Neugier kaum zurückhalten und man sah, dass er dieses Rampenlicht genoss. An dem Tag wusste ich noch nicht, wie ein Märchen einen Jungen so beeinflussen und verändern kann. Doch eigentlich wurden wir alle beeinflusst, denn von dem Tag an, an dem Thornforest zum ersten Mal seine Schattenseiten zeigte, war alles anders. Ein einziges Gespräch und ein bisschen Magie hatten gereicht, um einen Keil zwischen mich und meinen Bruder zu schlagen.

KAPITEL 13

Nelson

Keine Ahnung, wie lange ich geschlafen hatte, als ich in einer der vielen Hängematten wieder aufwachte. Der Mond stand schon hoch am Himmel. Es war eine sternenklare Nacht. Es war warm genug, um die ganze Nacht dort liegen zu bleiben. Ich wünschte, alles wäre nur ein Traum gewesen – alles, was passiert war. Es war wie ein schlechter Traum, aus dem man aufwachte, um erleichtert hochzuschrecken und zu hoffen, dass es nicht noch einmal passiert. Aber ich wachte nicht auf. Ich sah, als ich mich umschaute, meine Schultasche auf dem Boden liegen. Das Buch war immer noch darin und signalisierte mir, dass ich nicht geträumt hatte.

Wir hatten alles erfahren, an einem einzigen Tag haben wir unsere gesamte Bestimmung herausgefunden und waren trotzdem kein bisschen schlauer. Überforderung und Verzweiflung hatten sich in mir ausgebreitet und ich wurde sie den ganzen Tag nicht los. Auch nachdem unsere Mum wieder gefahren war nicht. Sie war einfach wieder abgehauen, ohne ein Wort darüber zu verlieren, ob wir nicht vielleicht doch mitkommen wollen. Natürlich wollten wir nicht, aber ich hatte mir diese Art der Zuneigung irgendwie für einen kurzen Moment gewünscht. Wie naiv von mir zu glauben, sie habe sich verändert.

Mum war wieder weg und der alte Mann, der alles nur noch schlimmer gemacht hatte, verschwand wieder im Wald, so wie die Sonne hinter dem Horizont.

Ich weiß nicht, ob wir ihn überhaupt jemals wiedersehen würden. Nach unserem Gespräch stolperte ich über die Kieselwege, ohne zu wissen, wo ich hingehörte. Schließlich bin ich hier gelandet und in der Schulzeit sind diese Plätze nicht besetzt, weswegen ich komplett alleine war, auf dieser riesigen Wiese.

Ich war ganz allein, nicht mal Cormac war da. Ich wusste nicht, wo er war. Ich wollte ihn auch gar nicht sehen. Ich musste nur die ganze Zeit an die Begeisterung in seinen kalten, leeren Augen denken: Er sah völlig verändert aus, mit einem Mal war es ihm nicht mehr egal, was es mit dem Märchen auf sich hatte. Ich wusste nicht, was es zu bedeuten hatte, aber ich hatte Angst, dass er diese Aufgabe zu wichtig nahm, denn, vielleicht hatte er das vergessen, es konnte nur einer der Nachfolger sein. Der Erstgeborene. Ich ...

Ich dagegen konnte nichts von all dem richtig ernst nehmen. Ich wollte nicht derjenige sein, der diese besondere Aufgabe bekam. Es war schon so lange her, dass ich schon fast vergessen hatte, was in dem Buch drinstand. Es lag dort neben dem Baum, wurde angestrahlt von dem Mondlicht, das so hell war, dass ich alles genau sehen konnte und in dem Moment hörte ich es zum ersten Mal: Einen Schrei. Ich erschrak und blickte auf. Laut und deutlich hallte er zwischen den Bäumen bis zu mir hindurch und ich spürte, wie die Angst sich auf meiner Haut absetzte und sich in meinen Knochen ablagerte. Kurz nach dem Schrei kam ein Brüllen, als sei es aufeinander abgestimmt. Es kam aus dem Wald jenseits der Schule, ein Wald, der nicht nur in der Nacht dunkel war und wo das Mondlicht nicht durchdringen konnte.

Dass diese Nacht die Nacht war, in der sich alles ändern würde, hatte ich nicht gewusst. Ich hatte auch nicht gewusst, dass es unserem Großvater nicht zustand, uns etwas so Magisches einfach zu erzählen. Dass er dafür bestraft werden würde, hatte ich nicht gewusst.

Diesen Schrei hörte ich zum ersten Mal in dieser Nacht und danach eine ganze Weile nicht. Die letzten Schultage in der 11. Klasse hatte ich mir anders vorgestellt. Eigentlich hatte ich mir Schule immer so vorgestellt, dass man zum Unterricht geht, um gute Klausuren zu schreiben und etwas zu lernen. Genau deswegen bin ich die letzten zehn Jahre in die Schule gegangen. Nie hätte ich mir vorstellen können, so wie Cormac, einfach nicht hinzugehen. Aber so war es. Ich ging nicht mehr hin, ich blieb in meinem Bett liegen, wollte nichts essen, nicht reden und eigentlich auch nicht aufstehen. Immer, wenn ich aufstand, blickte ich aus unserem großen Fenster direkt in einen dunklen, fast schwarzen Wald, welcher voller magischer Kreaturen war.

Auch mit Cormac wechselte ich kaum ein Wort, er war verändert, kaum wiederzuerkennen. Voller Energie stand er morgens auf, nicht um in die Schule zu gehen, aber um in diesen schwarzen, mysteriösen Wald zu laufen, um erst Stunden später wieder herauszukommen. Ich wusste nicht, was er da machte, aber ich wusste, dass er nicht zu Liam McDobbin in den Wald gehen konnte. Es gab ein Portal, eine Lichtung, auf der zwei Bäume standen und nur die beiden rechtmäßigen Herrscher können durch dieses Portal in eine andere Welt eintauchen. So heißt es zumindest. Ich war noch nie auf dieser Lichtung gewesen, aber Cormac ging von jetzt an jeden Tag dorthin. Ich weiß nicht, ob er die beiden Bäume wirklich wahrnahm und ob es sie überhaupt gab.

Wenn man keine Freunde hat, fällt einem das Leben so viel schwerer, als wenn man jemandem von seinen Sorgen erzählen könnte. Diesen Satz hatte ich irgendwann mal in einem Roman gelesen und nie vergessen. Aber auch wenn ich Freunde gehabt hätte, gäbe es niemanden auf dieser Welt, dem ich meine Sorgen hätte erzählen können. Das machte die ganze Situation so viel schwerer. Nie hatte ich dieses Gefühl von Einsamkeit so stark gefühlt wie diesen Sommer. Ich hatte immer Cormac gehabt, ich war nie ganz allein gewesen. Aber auch Cormac entfernte sich langsam, aber sicher aus meinem Leben. Er war all die Jahre wie ein Pflaster gewesen: Ein Pflaster, das Wunden überdeckte, damit sie besser heilten. Eigentlich nervte es, immer etwas über die verwundeten Stellen zu kleben, doch sobald das Pflaster auf der Haut klebte, gab es einem die nötige Sicherheit.

Cormac war mein Pflaster gewesen und ich hatte mich so sehr daran gewöhnt, dass ich jetzt ohne ihn unsicher war. Unsicher und verwundet.

Ich konnte es zum ersten Mal wirklich spüren, wie alleingelassen man sich erst fühlt, wenn wirklich niemand mehr für einen da ist.

Schließlich waren die Sommerferien vorüber und es war wieder einmal Tag der Ankunft. Der Tag, an dem die Neuen nach Thornforest kamen, mit der Vorfreude, hier etwas ganz Neues zu erleben. Man konnte an ihren Gesichtern sehen, wie sie sich freuten, endlich hier zu sein.

Genau wegen diesen Gesichtern sind Cormac und ich früher immer in den Wald gelaufen. Ich konnte diese Freude und den Glanz in den Augen der Kinder nicht ertragen und deswegen lief ich dieses Jahr wieder in den Wald. Ich rannte, ohne stehen zu bleiben. Ich drehte mich nicht um, die Dornen zerkratzten mir die Knöchel und die Äste schnitten mir durch mein Gesicht. Ich rannte in den dunklen Wald, ohne zu wissen, wieso. Es kam mir vor wie auf einer Flucht, nur wusste ich nicht, wovor ich wegrannte: Vor der Freude der Menschen? Vor den Familien, die sich ein letztes Mal umarmten? Ich rannte, ohne stehen zu bleiben, bis ich plötzlich auf einer Lichtung stand. Eine Lichtung, die mir vertraut vorkam, und zu einem Jungen, der dort saß. Seine schwarzen Haare waren zerzaust und seine Augen waren leer. Er lehnte sich gegen einen großen Stein und schmunzelte auf eine Art, die ich nur zu gut kannte.

„Läufst du mal wieder vor dir selber weg?", rief er mir entgegen, als ich auf ihn zukam. *Vor mir selbst,* dachte ich und wusste, wovor ich geflohen bin. Es war lächerlich, das wusste ich.

„Es ist doch jedes Jahr das Gleiche, Nelson. Du hast Angst, du müsstest mit ihnen reden. Aber vielleicht solltest du dich deiner Angst stellen, ich war lange genug dein einziger Freund." Cormacs Stimme war ausdruckslos und kalt. Ich erkannte ihn kaum wieder.

„Wovon redest du?" Ich hatte nicht viel mit ihm geredet über den Sommer, aber er war immerhin mein Bruder.

Er stand auf und kam mir entgegen: „Du hast ab sofort ein Problem, *großer* Bruder!" Er kam mir so nah, dass unsere Nasen sich berührten und ich seinen warmen Atem spürte. „Du bist älter, aber ich werde nicht zulassen, dass eine armselige Kreatur wie du die Macht über diesen Wald bekommt. Ich werde der Herrscher sein. Der einzige! Ich brauche dich nicht und auch keinen anderen zweiten Herrscher, wer auch immer das sein soll."

Seine Stimme wurde immer leiser und mit jedem Wort bedrohlicher. Am Ende stieß er ein Lachen aus. Erst dachte ich, es sei so ein Lachen, das nach einem Witz kam. Aber das war es ganz sicher nicht. Mit diesem Satz drehte er sich um und ließ mich auf der riesigen Lichtung stehen. Jetzt war ich wirklich endgültig allein.

Mein Bruder, so wie ich ihn bis jetzt kannte, lustig, fröhlich und nervig, war gestorben. Die Gier nach einer unvorstellbaren Macht war einfach zu groß. Ich begriff, was gerade passiert war. Auch wenn ich es nicht wahrhaben wollte, verstand ich, dass mein Bruder besessen war. Besessen von einer magischen Macht, die ihn verändert hatte. Ich begriff, dass dieses Märchen einen viel größeren Einfluss hatte, als ich es mir in meinen schlimmsten Träumen hätte vorstellen können.

Letztendlich stand ich alleine auf der Lichtung, in meinem Kopf hallte seine hasserfüllte Stimme nach. Ich hatte ihn noch nie so erlebt. Es kam mir vor, als hätte jemand den Schalter umgelegt und plötzlich war er, mein Bruder Cormac, ein anderer Mensch. Ich wusste nicht, wieso ein einziges Märchen und ein paar Legenden ihn so verändert hatten, in so kurzer Zeit. Ich spürte den Schock tief in meinen Knochen sitzen und vor lauter Verzweiflung trat ich gegen einen Baum und schrie: „Scheiße, verdammt!" Ich glaube, ich habe ziemlich laut geschrien, aber trotzdem hätte es niemand gehört. Ich wusste, dass diese Lichtung, auf der ich stand, sich viel zu tief im Wald befand, sodass mich niemand hätte hören können.

Mit dem Rücken lehnte ich mich an einen anderen Baum, von denen gab es hier schließlich genug, und sank langsam hinab auf den Boden. Mein Rücken kratzte an der groben Rinde entlang und ohne es zu sehen, wusste ich, dass mein T-Shirt jetzt zerrissen war. Ich stütze den Kopf auf meinen Knien ab und wusste nicht, wie es weitergehen sollte, ich konnte noch nicht zurück zur Schule. Ich würde alles mitbekommen, ich würde mich alleine fühlen und ich … Ich blickte mich um und musste mir eingestehen, dass ich auch hier, ohne Cormac, nicht weniger alleine sein werde, als wenn ich einfach zurück in mein Zimmer gehen würde.

Ich stand auf und wollte mich gerade von der Lichtung fortbewegen, als ich zwei Bäume wahrnahm. Obwohl ich auf einen Blick mindestens 50 Bäume gleichzeitig in diesem Wald wahrnehmen konnte, stachen mir diese beiden besonders ins Auge: Sie waren größer als alle anderen Bäume, sie standen gerade, nahezu perfekt nebeneinander und zwischen ihnen waren vielleicht fünf Meter Platz. Je höher ich in den Himmel blickte, umso krummer wurden die beiden Tannen, bis sie sich an den Spitzen berührten. Ich blinzelte einmal, zweimal und wollte wieder gegen einen Baum treten, als ich an der Rinde des linken Baumes etwas Eingraviertes wahrnahm: *McDobbin* stand da etwas krakelig in den Baum geritzt. Auch als ich mich zum rechten der beiden Bäume wendete, konnte ich etwas erkennen. Ich musste es doppelt und dreifach lesen, bis der Name einen Sinn ergab: *McWheel*.

Keine Ahnung, ob das wirklich ein Name war, aber ich fand es komisch. Der Name meines Großvaters und der Name eines Fremden, an zwei perfekt dastehenden Bäumen, auf einer Lichtung mitten im Wald jenseits der Schule …

Ich war verrückt geworden! Scheiße, ja ich bin durchgeknallt! Wenn das nicht langsam aufhörte, würde ich bald noch selber anfangen, diesen Mist zu glauben. Ich musste aus diesem verfluchten Wald raus, ich fing wieder an zu rennen. Ohne stehen zu bleiben, rannte ich, bis ich wieder Stimmen hörte. Ich ging, so gut ich es spielen konnte, gelassen über die riesige Einfahrt, um den Kieselweg zum Internat hochzulaufen. Die vielen Menschen fielen mir erst dann auf, als ich mir meinen Weg durch dicht stehende Familien bahnen musste, ohne sie bei ihren hoch emotionalen Abschieden zu stören. Ich wollte alles, nur nicht auffallen, also guckte ich auf den Boden, um sämtliche Blicke zu meiden. Als ich es fast geschafft hatte, geriet ich ins Stolpern. Ich spürte eine Schulter an meinem Arm und fing an zu taumeln. Anscheinend war ich ziemlich schnell unterwegs, weil der Zusammenstoß mit ihr ziemlich hart war. Ich fluchte und ich war genervt. Konnte sie nicht aufpassen und sich nicht mitten in den Weg stellen?

„Alter, was soll …" Weiter kam ich nicht. Ich verstummte in dem Moment, als ich ihren Arm griff, damit sie nicht hinfiel und ihr in die Augen sah. Blaue Augen, die mich erschrocken anstarrten, als sich unsere Blicke trafen.

„Oh, sorry! Das tut mir leid, ist alles okay mit dir?" Ich fand nach einer gefühlten Ewigkeit meine Sprache wieder und ließ hektisch ihren Arm los, als mir auffiel, dass ich ihn noch immer festhielt. „Ähh … Nee, also doch. Alles gut!" Sie stotterte und hielt sich nervös ihren Arm, wo ich sie gerade noch berührt hatte. Sie hatte wirklich besondere Augen und ziemlich lange blonde Haare. Ich machte mir eigentlich keine Gedanken um das Aussehen verschiedener Mädchen, aber noch nie habe ich so lange vor einem gestanden und in ihr Gesicht geblickt. Ich wollte gar nicht mehr wegschauen, bis ich mir selbst ein bisschen blöd vorkam und mich bei meinen komischen Gedanken ertappte. *Verdammt, was macht sie da mit dir, Nelson?* Ich war extrem verwirrt und bemerkte erst gar nicht, dass ich ihr T-Shirt komplett eingesaut hatte, da ich ja gerade durch den Wald gerannt und vor mir selbst geflohen bin. Ich wies auf ihr Shirt und meinte, ich würde es ersetzen, doch sie winkte ab. Wieder verlor ich mich in ihren Augen und langsam wurde ich nervös. Wieso passierte es immer wieder? *Du kennst sie doch gar nicht!* Wenn nicht bald einer von uns beiden etwas sagte, dann würde es diese peinliche Stille geben und die wollte ich auf jeden Fall vermeiden. Ich streckte vorsichtig meine Hand aus und sagte etwas verlegen: „Nelson Morrington!"

Sie wartete etwas zu lang, bis sie sich dazu entschied, mir ihre Hand zu geben. Meiner Meinung nach zumindest. Sie hatte ziemlich kalte Hände, aber sie waren verschwitzt und als sie da so in meiner lag, fiel mir auf, wie klein sie war.

„Was? Äh … ja. Lily. Lily Charly McWheel" Sie stotterte schon wieder und ich konnte nicht anders, als es unglaublich süß zu finden. Lily Charly, bestimmt nicht ihr eigentlicher Name. Aber warte! Was hatte sie gesagt? McWheel? Sie heißt mit Nachnamen McWheel? Ich wusste nicht, wie viele Leute in Schottland McWheel heißen, aber konnte das hier nur ein Zufall sein? Mit den Gedanken war ich schon wieder bei dem Märchen, bei dem Gespräch mit meiner Mum, bei der Lichtung, wo ich ihren Namen gelesen hatte und natürlich bei Cormac. Ich zog meine Hand aus ihrer heraus und fuhr mir grob durch meine blonden Haare, als mir auffiel, dass ich extrem viele Spinnweben darin fand. Na toll, das ist wirklich der schlechteste erste Eindruck, den man machen kann. Wobei es eigentlich auch egal war, denn ich denke nicht, dass dieses hübsche Mädchen, das bestimmt Freunde im Überfluss hat, hierherkommt, um mit einem wie mir abzuhängen.

„Freut mich. Ist McWheel dein Nachname?" Ich wollte so lässig wie möglich klingen, aber ich glaube, dass ich daran genauso kläglich scheiterte, wie ich sie nicht auf ihren Nachnamen ansprechen wollte.

Sie musste grinsen. Es war ein selbstbewusstes Grinsen, etwas in ihrem Gesicht ließ sie souverän und sicher aussehen. Aber als ihr auffiel, wie selbstsicher sie mich musterte, richtete sie ihren Blick ziemlich schnell auf den Boden.

Und da standen wir nun, in der riesigen Einfahrt zu einem Gebäude, das sie sich, ihren Blicken nach zu urteilen, anders vorgestellt hatte. Ich, der genau das hier vermeiden wollte, und sie, die einfach froh war, nicht mehr alleine hier stehen zu müssen. Wir redeten, als kannten wir uns seit Jahren und ich ertappte mich dabei, wie ich es genoss. Scheiße! Wollte ich es genießen? Wo war, verdammt noch mal, der Typ, der nicht mit Menschen redet, der sie ignoriert, um sein Leben alleine zu leben?

Ich musste sie einfach fragen, warum sie hier war. Denn auch wenn ich es nicht glauben wollte, so einen großen Zufall konnte es im echten Leben nun mal nicht geben. Als ich herausfand, dass ihre Eltern tot sind, bereute ich diese Frage sofort. Ihr selbstbewusstes Lächeln erstarb augenblicklich und es zeigte mir, dass sie noch nicht drüber hinweg war. Wie auch? Es muss schlimm sein, niemanden zu haben. Ich meine, ich habe auch keine Eltern, nicht wirklich. Aber sie leben! Das ist wirklich noch mal ein Unterschied.

Ich musste zugeben, ich hätte hier ewig stehen und mich mit ihr unterhalten können. Ich blendete alles aus, die nervigen Eltern, die arroganten kleinen Scheißer von Kindern und die liebevollen Abschiede. Doch als sie auf ihre Uhr blickte, erschrak sie und murmelte, dass sie schon viel zu spät sei, und dass sie sofort zur Direktorin gehen sollte. Ich nickte lässig, zumindest hoffte ich, dass es einigermaßen so rüberkam, und verabschiedete mich mit einer Handbewegung.

Wieso ging sie zur Direktorin? Ich meine, wenn jeder Neuankömmling hier mit Mrs. Woodland reden würde, dann … Das würde auf jeden Fall nicht gehen. Wieso sie? Und wieso heißt sie McWheel? Und wieso stand ihr Name auf diesem Baum, neben meinem? Und wieso verdammt noch mal war ich so verwirrt und kriegte ihr Grinsen und ihre Stimme nicht mehr aus meinem Kopf?

* * *

Immer noch verwirrt lag ich auf meinem Bett, die Hände hinter dem Kopf verschränkt und die Füße an der weißen Wand. Was sollte das alles hier? Die Schreie und das Brüllen, der Name, sie?! Ich konnte nichts von all dem glauben, und trotzdem nahm ich mir dieses schwere Buch, legte es vor mich auf mein Bett und schlug es auf. Auf der ersten Seite stand eine Danksagung des Autors. Der Autor war, ich konnte meinen Augen nicht trauen: Liam-Cormac Will McDobbin. *Er* hatte dieses Märchen also geschrieben. Hatte er es uns deswegen erzählt? Stimmte es vielleicht wirklich? Nein, er war ein alter, einsamer Mann, der nicht weiß, was er mit seinem Leben anfangen soll und erfindet Geschichten, die mich und meinen Bruder in den Wahnsinn treiben. Ich wollte das Buch schon wieder zuschlagen, als ich mir die Danksagung doch durchlas:

Danke an Ryan McWheel, der mit mir in diesem Abenteuer gelebt und dieses Buch gefüllt hat. Das Träumen hat sich gelohnt, es wirkte echt …

Danke auch an Greta und Anne, die ihre bedingungslose Liebe an zwei Menschen gaben, die aus Geheimnissen bestanden. Danke für euer Vertrauen.

Ryan McWheel also. Ich wusste, dass es eine Parallele geben musste. Wusste ich doch? Und trotzdem wollte ich es nicht glauben. Es konnte nicht wahr sein. Nur mal angenommen, mein Großvater, Liam McDobbin, und ihr Großvater, Ryan McWheel, waren ein Teil dieses Märchens: Wieso gaben sie uns dann ausgerechnet jetzt die Aufgabe, den jeweils anderen Nachfolger zu finden? Sie herrschten doch seit Jahren in diesem Wald, wieso sollte sich das jetzt auf einmal ändern? Und wenn diese Lily wirklich über all das Bescheid wissen sollte, wieso kam sie dann hierher? So nach dem Motto, direkt in die Höhle des Löwen.

Alles drehte sich in meinem Kopf und mir wurde klar, dass ich gerade noch ganz am Anfang einer neuen Geschichte stand. Denn wenn es wirklich stimmen sollte, all das hier, dann würde Cormac sich noch mehr verändern und sie würde ein Teil unseres Lebens werden. Ich wollte nicht, dass sie ein Teil meines Lebens wurde, ich wollte noch nie, dass irgendjemand ein Teil von mir war. Aber ohne darüber nachzudenken, machte ich mich auf die Suche nach ihr. Auf die Suche nach diesen verdammt blauen Augen und dem selbstsicheren Lächeln.

Als ich auf dem Weg zu ihr durch die gefüllten Flure lief, fiel mir auf, wie fremd mir das alles hier vorkam. Noch nie zuvor war ich an diesem Tag hier gewesen, jedes Mal hatten wir uns im Wald versteckt und als ich mich zwischen schwitzenden Menschen durchquetschen musste, sehnte ich mich nach der Lichtung. Na ja, vielleicht nicht genau nach dieser Lichtung, weil sie ein Teil dieses riesigen Geheimnisses zu sein scheint, aber ich wollte hier weg, das stand fest. Es gab so vieles, so viele Bestandteile, die dieses Geheimnis vervollständigen sollten und ich war immer noch nicht an dem Punkt angelangt, an dem ich mich dazu entschied, all das hier zu glauben.

Es war so unecht und so weit hergeholt, dachte ich jedes Mal. Und trotzdem, dieses Märchen hatte auch von mir, in irgendeiner gruseligen Weise, Besitz ergriffen. Das wusste ich, weil jede Frage und jeder Gedankengang jedes verdammte Mal auf dieses Geheimnis zurück führte. Nicht nur Cormac war verrückt geworden, auch ich war es, das konnte ich nicht leugnen.

Ich irrte orientierungslos durch das Internat, bis ich an einem Zimmer im Seitenflügel vorbeikam. Ich befand mich im ersten Stock und ich musste zugeben, dass ich mich nicht erinnern konnte, dass ich die Treppen gelaufen bin. Das war jetzt auch egal, ich stand vor der großen Tür, an der ein schickes Holzschild hing. Ich weiß noch, dass bei meinem ersten Tag in Thornforest auch so ein Schild an unserer Tür hing und damals hatte Cormac es kaputtgetreten und aus dem Fenster geworfen. Bei dem Gedanken musste ich unwillkürlich grinsen. Aber wo war er jetzt?

Ich musste an etwas anderes denken und wand mich wieder dem Schild zu, auf dem zwei Namen standen: Jolina Becker und Olivia Charlotte McWheel.

Olivia Charlotte also. Wenn ich so heißen müsste, würde ich mir auch einen anderen Namen aussuchen. Ich wollte klopfen, aber kurz bevor meine Faust die Tür berührte, hielt ich inne. Wieso? Ich hatte keine Ahnung. *Jetzt stell dich nicht so an!*, redete ich mir ein und ohne auch noch mal darüber nachzudenken, schlug ich meine Faust vorsichtig gegen die weiße Tür.

Sie war angelehnt und öffnete sich einen kleinen Spalt, als ich klopfte. Ich konnte durch den Spalt sehen, wie sie sich über ihren Koffer beugte und ihre Klamotten einsortierte. Ihre langen blonden Haare fielen ihr immer wieder ins Gesicht, was sie, ihrem Schnauben nach zu urteilen, sichtlich nervig fand. Sie drehte sich hektisch um, wollte sich die Haare zusammenbinden, hielt dann aber inne, da sie sah, wie ich im Türrahmen lehnte. „Hi, Lily Charly." Wieder wollte ich extrem lässig und cool wirken und zu meinem Erstaunen hatte ich das auch ziemlich gut hinbekommen. Sie dagegen sah ziemlich verwirrt aus und ihr selbstsicheres Lächeln von vorhin war wie ausgelöscht. Sie durchbohrte mich mit einem forschenden Blick, der langsam an mir hinab wanderte. Irgendwas sollte sie jetzt sagen, sonst würde das sichtlich unangenehm für uns beide werden.

Sie winkte mich dann schließlich herein, woraufhin ich etwas von „Mädchenzimmer" und „Verbot" witzelte, aber schließlich doch eintrat.

Als ich so dastand, in ihrem Zimmer, sahen wir beide ziemlich unbeholfen aus. Zum Glück fand sie dieses Mal ihre Sprache wieder: „Ach, und du musst mich übrigens nicht Lily Charly nennen, Lily reicht." Ich hatte mir schon gedacht, dass sie so etwas sagen würde, jeder Mensch mit Doppelnamen sagt so etwas, aber ich mochte Lily Charly und als ich das sagte, wurde sie rot.

Obwohl ich mich fest dazu entschlossen hatte, nicht über irgendetwas Übernatürliches und Magisches zu reden, ging mir der Gedanke nicht aus dem Kopf, dass sie etwas mit Ryan McWheel aus meinem Buch zu tun haben könnte. Und ehe ich mich versah, hörte ich mich diese Frage fragen, ob sie ihn kennt. Natürlich kannte sie ihn. Und natürlich war er ihr Großvater. Ich wusste, dass es kein Zufall sein konnte. Womit ich jedenfalls nicht gerechnet hatte, war, dass sie mir lang und breit erzählte, wieso sie wirklich hier war. Das mit ihrem Großvater tut mir leid. Trotzdem verstand ich nicht, wieso er sie wegschickte, während er im Sterben lag. Ich kann mir schlecht vorstellen, wie es sein muss, wenn man niemanden mehr hat. Oder, warte! Eigentlich konnte ich es mir ziemlich gut vorstellen, denn wen hatte ich schon?

Nachdem ich mich mit ihr getroffen hatte, ging es mir auf irgendeine Art anders, irgendwie … besser. Glaube ich. Als ich ziemlich lange mit ihr geredet hatte, war mir aufgefallen, dass sie anscheinend genauso alleine war wie ich im Moment. Sie passte hier nicht rein, das sah man sofort. Abgesehen von den blonden, langen Haaren hatte sie nichts an sich, was ich mit den Mädchen, die hier normalerweise hinkamen, vergleichen könnte. Sie hatte extrem viele Bücher dabei, hauptsächlich Romane und Fantasy-Kram. Ich mochte es, wie sie die Bücher der Größe nach in ihr Regal einsortierte, es hatte etwas Verrücktes an sich. Wobei ich glaube, dass die Ordnung in ihrem Bücherregal die einzige Ordnung war, auf die sie Wert legte: Alles, *wirklich alles*, flog in ihrer Hälfte des Zimmers durch die Gegend und ich bemühte mich erst gar nicht, ihr zu helfen, weil nach fünf Minuten eh wieder alles kreuz und quer verteilt war. Trotz der Unordnung fühlte ich mich wohl in ihrer Gegenwart. Wir lachten und die Zeit verging wie im Flug. Wir standen am Fenster, als die Sonne schließlich unterging und hinter dem schwarzen, dichten Wald verschwand. Der Wald, der mich in meinen Träumen verfolgte und der mich an nichts anderes denken ließ, schlich sich wieder in meine Gedanken. Ich spürte, wie meine Miene sich versteinerte und sie spürte es auch. Das konnte ich an ihrem Blick festmachen. Sie wusste ja nicht das Geringste über mich.

Als ich wieder in unserem Zimmer angekommen war, war Cormac nirgendwo zu sehen. Es überraschte mich nicht. Wieso sollte er plötzlich in unserem Zimmer sitzen, wo er doch die ganzen Ferien über kaum hier war? Ein kleiner Teil von mir hatte gehofft, ihn hier anzutreffen. Auch wenn es mir seit einiger Zeit davor graute, irgendwann mussten wir darüber reden, über alles. Seine Besessenheit musste einen Grund haben und meine Unschlüssigkeit musste sich auflösen. Wenn wir nicht klar denken konnten, dann würde alles noch so viel komplizierter werden, als es ohnehin schon war. Aber er war wieder nicht da und ich hatte keine Lust, ihm hinterherzulaufen. Er sollte zu mir kommen, irgendwann würde er die Einsamkeit und die Verzweiflung doch auch spüren. Oder war es für Cormac all die Jahre nur ein Opfer, das er brachte? Ein Opfer, mich nicht alleine zu lassen. Vielleicht hatte er all die Jahre auf diesen Moment gewartet: Ein Grund, sich endlich von mir entfernen zu können …

Ich war wirklich verzweifelt, scheiße, ja! Ich hatte das alles hier für einen Moment vergessen, als ich bei ihr war. Aber jetzt – jetzt kam alles zurück. Ich sah mich in diesem Zimmer um, mein Zuhause seit sechs Jahren. Und jetzt wollte ich alles, nur nicht hierbleiben. Ich fuhr mir durch die Haare, fluchend probierte ich mich zusammenzureißen. Aber mein Verstand versagte. Ich griff nach wahllosen Gegenständen: Eine Lampe, ein Buch, eine Wasserflasche … Alles zerschellte in Sekundenschnelle an der Wand. Ohne darüber nachzudenken, schleuderte ich sie durch mein Zimmer. Ich fing an zu schreien, fluchend brüllte ich mich selber an. Erst jetzt kam der angestaute Frust der letzten Wochen zum Vorschein. Die Verzweiflung, die Wut, die Anspannung. Alles, was ich in der letzten Zeit herunterschlucken musste, kam in diesem Moment wieder hoch. Dieser Frust ließ mich blind und taub werden, ich konnte nicht mehr urteilen, alles um mich herum wurde schwarz.

„Fuck!!!" Ich hörte meine eigene Stimme nicht, meine Laute hallten durch den Raum und wurden von den Wänden verschluckt. Ich wusste nicht, wie lange ich das noch aushalten müsste, wie viele Gegenstände ich noch gegen die Wand werfen müsste, damit das alles aufhören würde. Meine Sinne erstarben und ich bekam nichts mehr mit, seit dem Moment, als der erste Gegenstand an der Wand in tausend Teile zerbrach.

„Nelson!" Ich wusste nicht, wem diese Stimme gehörte, mir war es egal. „Verdammt, Nelson, was machst du da? Beruhig dich, Alter!"

Kräftige Arme rissen mich aus meiner Trance, ich wachte auf zwischen Trümmern und zerbrochenen Gegenständen, das konnte unmöglich ich gewesen sein. Bin ich das gewesen?

Die Kraft der Arme, die auf meinen Schultern ruhten, riss mich zu Boden und ich verlor das Gleichgewicht. Mit einem Mal fühlten sich meine Beine schwer an und ich verlor an Halt. Was war passiert?

Nach einer halben Ewigkeit öffnete ich erstmals wieder richtig die Augen: Mein Rücken lehnte an meinem Bett, ich saß auf dem Boden. Die Arme auf meinen Beinen abgestützt. Er neben mir! Cormac war es gewesen, er hatte mich davon abgehalten, noch so viel mehr zu zerstören. Sprachlos legte ich meinen Kopf in den Nacken, geschockt, wozu ich in der Lage gewesen bin. Das war nicht ich! Unmöglich konnte ich zu so etwas in der Lage sein. Auch wenn ich es niemals zugegeben hätte, auch ich stand unter einem Einfluss, der mich veränderte. Irgendetwas ging hier vor sich und ich hatte Angst.

Wieder einmal rissen Cormacs Worte mich aus meinen Gedanken: „Was ist nur los mit dir? Seit wann bist du so?" Seine Stimme war bestimmt und selbstsicher, aber ruhig und leise. Ich musste lange überlegen, was ich darauf antworten sollte. Er war doch derjenige, der seit Wochen nicht mehr mit mir redete, er war der Grund für meine Verzweiflung und meine Wut. Ich musste mich zusammenreißen, ihn nicht anzuschreien. „Hast du dir auch nur ein einziges Mal darüber Gedanken gemacht, wie scheiße das hier alles ist?" Ich wollte genauso bestimmt und sicher klingen, aber ich wusste, dass es mir nicht gelang.

„Was?", entgegnete er trocken.

„Du bist meine einzige Familie und es reicht ein Besuch von unserer Mutter aus, um dich komplett von mir zu entfernen? Was ist passiert seit unserem Gespräch mit ihr und mit *ihm?*" Ich spürte, wie die Verzweiflung zurückkehrte, aber ich wollte nicht schwach wirken, nicht Cormac gegenüber.

„Du verstehst das nicht …" Er wollte nicht darüber reden. Aber ich musste es wissen, ich ließ nicht locker: „Cormac, was ist es, das dich so verändert hat? Was ist dein Problem?" Ich freute mich innerlich, als ich merkte, wie meine Stimme an Sicherheit gewann.

„Du hast es nicht gelesen, oder? Du hast es nicht einmal versucht es zu glauben. Aber stell es dir nur mal vor. Die Unsterblichkeit, die Macht und die Unabhängigkeit. Du müsstest nie wieder mit irgendjemanden reden." Bei seinen Worten blitzten seine Augen vor Aufregung und es versetzte mir einen Stich, ihn so zu sehen. Seine tiefe Stimme fuhr fort: „Du könntest dich von dem Rest der Welt abschotten und wärst mächtiger als du dir vorstellen kannst!"

Ich war sprachlos und konnte nichts mehr dagegen sagen. Nein, natürlich hatte ich es nicht gelesen und natürlich wollte ich nichts von all dem glauben. Aber ich konnte auch nicht leugnen, was gerade vor meinen eigenen Augen passierte. Unnatürliche Zufälle, magische Begegnungen und Furcht einflößende Geräusche. All das passierte wirklich und ich konnte nichts dagegen machen.

Cormac sah mir tief in die Augen und legte mir seine Hand auf die Schulter, bevor er ruhig, aber bestimmt weitersprach: „Lies es, ich weiß, dass du das Buch besitzt. Du hast es schon länger gehabt. Ich habe es doch auch bekommen. Du bist nicht alleine in diesem Traum gefangen. Du musst nur wissen, dass ich da bin, und dass es kein Albtraum ist, auch wenn du das jetzt gerade noch denkst. Du und ich, Bruder, zusammen! Lies es und lass dich darauf ein."

Seine Worte vertieften sich in meinen Kopf, ich bekam sie den ganzen Abend nicht aus meinen Gedanken. Auch lange Zeit, nachdem er wieder gegangen war, nachdem er mich auf dem kalten Fußboden in diesem verwüsteten Zimmer sitzen lassen hatte, musste ich an seine Worte denken.

„Du bist nicht alleine in diesem Traum gefangen." – War ich das womöglich wirklich nicht?

KAPITEL 14

Nelson

Wie lange hatte ich nicht mehr mit meinem Bruder geredet? Vier Wochen? Sechs? Ich hatte keine Ahnung, aber der Fakt, dass es jetzt vorbei war, ließ mich aufatmen. Ich war noch immer wütend und enttäuscht, dass er nur wegen des Märchens so verändert und verschlossen geworden ist. Ich hatte nie gedacht, dass es wirklich passieren würde, aber nach meinem Ausraster und dem Gespräch mit Cormac fand ich mich schließlich in der Bibliothek wieder und las tatsächlich dieses beschissene Buch, als ob ich keine anderen Probleme hätte. Aber hatte ich diese überhaupt? Eigentlich drehte sich doch seit Wochen alles um diesen Scheiß …

Die seltsame Ironie, dass es mich fesselte und ich nicht mehr aufhören konnte, probierte ich zu verdrängen. Es riss mich in seinen Bann und die Worte lösten etwas in mir aus, was ich nicht leugnen konnte. Selbst wenn ich es gewollt hätte.

Es war mitten in der Nacht, als ich an eine Stelle kam, die mich für einen Moment sprachlos machte:

… Die Frau, die auf den Namen Greta hörte. Die Frau, die sich einst verirrte in einem einsamen Wald, der so viel mehr verbarg, als sie sich jemals hätte erträumen können. Noch nie hatte McDobbin eine Gesellschaft, der er voll und ganz vertrauen konnte und mit jedem Jahr, in dem sie ihn doch nicht verließ, wuchs dieses Vertrauen. Die zuvor noch ungewohnte Stille beim Abendessen wurde durch aufgeregte Unterhaltungen ausgetauscht. Die Tage waren hell und die Nächte niemals dunkel. Die Liebe zwischen den beiden konnte nicht zerstört werden. Auch sie wuchs mit jedem Tag und jeder Nacht. Und doch konnte McDobbin ihr nicht von den Kreaturen erzählen, die in diesem Wald hausten und sich versteckt hinter den Hügel hielten.

Bis eines Tages ein lautes Brüllen und danach ein Schrei jenseits des Schlosses McDobbin zusammenfahren ließ. So lange hatte er diese Laute nicht mehr gehört – nicht mehr seit jenem Tag, an dem er ihr Herrscher wurde. Er konnte sich nicht erklären, wieso ausgerechnet jetzt die Geschöpfe wieder unruhig wurden.

Lange dachte er darüber nach, wollte den scheinbar einzig logischen Grund verdrängen. Er wollte so oft nachschauen jenseits der Dornenranken, ob dort jemand stehen würde. Könnte es wirklich die Möglichkeit geben, ein zweiter Herrscher habe seinen Weg zu den Geschöpfen gefunden? McDobbin wollte es vergessen, er wollte sich nur um einen Menschen auf der Welt kümmern: seine Greta. Doch jeder Tag, der verstrich, und mit jedem Mal, wenn die Sonne hinter den großen Hügeln verschwand, wurden die Schreie lauter und stärker. So stark, bis McDobbin es eines Tages nicht mehr leugnen konnte. Er musste es ihr sagen. Seine Greta musste von den Kreaturen wissen …

Doch als er sich aufmachte, um sie zu suchen, fand er sie auf der Lichtung. Die Lichtung, auf der sein Thron stand. Die Tiere unterwarfen sich ihr und es sah so aus, als kannte sie ihre Sprache, die Sprache der Kreaturen in seinem Wald. Lange stand McDobbin vor ihr, verwirrt und ungläubig, was nun zu tun war. Wieso kannte sie die Tiere und wieso respektierten sie seine Greta? War sie überhaupt seine Greta? War sie seinetwegen in diesem Wald geblieben? War sie damals wirklich nur gekommen, um nach einem Unterschlupf vor dem Sturm zu bitten? Wie war sie überhaupt durch die Dornenranken gekommen?

So viele Fragen taten sich auf und McDobbin erkannte, wie er durch die Liebe zu ihr erblindete, wie er nicht mehr klar denken konnte, und dass sie vielleicht doch ganz anders war, als er immer zu glauben vermochte.

Und dann fiel ihm noch etwas auf:

Sie stand dort nicht allein, ein junger Mann im Alter von 19 Jahren vielleicht lehnte an einem Baum. Er sah lässig auf die Kreaturen hinab, als seien sie das Normalste, das man sich vorstellen kann. McDobbin wusste nicht, ob er wütend oder verblüfft sein sollte.

Er wusste gar nichts mehr.

Und doch schien ihm im nächsten Moment alles klar zu werden: Greta hatte diesen Jungen hereingelassen, so wie sie es vor so langer Zeit bei sich getan hatte. War es wirklich so lange her?

Des Weiteren bestätigte sich sein ungutes Gefühl, dass die Schreie der Kreaturen nur durch die Nächte hallten, weil dieser Junge seinen Weg zum Portal in diesen Wald gefunden hatte.

Er sollte ein zweiter Herrscher sein …

Ich weiß nicht, wie oft ich diese Stelle lesen musste, bis sie mir einigermaßen logisch erschien. Wobei, irgendwie tat sie das noch immer nicht! Ich hatte schon so viele Bücher gelesen, sogar Romane, Liebesdramen und höhere Literatur und doch war diese Geschichte weitaus mehr besonders. So wie die Tinte auf den leicht vergilbten Seiten glänzte, tat sie es in noch keinem Buch zuvor. Noch nie hatte ich das Gefühl, einer Geschichte, einer rein erfundenen Fantasiegeschichte, so nah zu sein. War sie erfunden?

Verdammt, ich hatte keine Ahnung mehr, alles drehte sich und ich hatte vergessen, wie spät es war. Der Mond schien durch die großen Fenster in der Bibliothek und mein großes Buch lag auf meinem Schoß, als sei es dort festgewachsen.

Mit einem Mal konnte ich ihn hören. „*Du hast es nicht gelesen, oder?*"

Doch, Cormac, ich habe es gelesen und ich verstehe dich.

Ich wollte es nicht zugeben, aber ich spürte es. Eine Art Spannung, die auf den Seiten lag und mich in ihren Bann zog.

So viel musste ich in dieser Nacht verarbeiten: Diese Frau – gab es sie wirklich? Sie konnte die Ranken und das Portal öffnen. War sie die Einzige?

Dieser Junge, der ungefähr in meinem und Cormacs Alter war, er sollte der zweite Herrscher sein. War er Lilys Großvater?

Ich konnte mir nicht vorstellen, dass es alles so zusammenpassen würde. So etwas gab es nur in Märchen … Scheiße, wie verkorkst es doch alles war. Jedes Puzzleteil schien perfekt zu passen, jedes Zahnrad rastete perfekt ein. Das Uhrwerk fing an sich zu drehen und mein Kopf versuchte selbst das kleinste Detail irgendwo unterzubringen. Diese perfekte Geschichte faszinierte und beängstigte mich zugleich.

Ich wusste nicht, wann ich über meinen Gedanken eingeschlafen war. Fakt ist, dass ich zu müde war, um wieder in mein Zimmer zurückzugehen. Also musste ich in diesem unbequemen Sitzkissen eingeschlafen sein. Jetzt, wo ich wieder wach wurde, schien Licht durch die Fenster und mit jeder Sekunde, die mich einen Schritt mehr in die Realität zurückbrachte, realisierte ich, wo ich mich befand.

Die Bibliothek, das Buch, meine Gedanken.

Ich wollte gerade wieder an all diese Dinge denken – na ja, eigentlich passierte es einfach so, ich wollte an nichts von diesen Sachen denken, aber ich konnte nicht anders – da stand Mr. Wilson, der Bibliothekar, vor mir. Seine Brille, wie immer schief auf der Nase sitzend, seine Arme vor der Brust verschränkt und sein Hemdkragen hochgestellt. Er guckte mich grimmig an, zumindest glaubte ich das, weil ich meine Augen durch das helle Licht nicht ganz öffnen konnte.

Mr. Wilson guckte nie grimmig. Mist.

„Junger Mann!" Er musste sich bemühen ernst zu bleiben. Eigentlich ist er immer gut gelaunt und ich bemerkte, wie schwer es ihm fiel, mich auszuschimpfen. „Was glauben Sie eigentlich, machen Sie hier?"

Ja, was machte ich hier? Gute Frage eigentlich. Ich hatte keine Ahnung. Ich antwortete unsicher: „Lesen?" Es war eher eine Frage.

„Soso, die ganze Nacht also?" Er war nicht überzeugt, wovon auch?!

„Ja, denke schon" Ich blickte betreten zu Boden. Spätestens jetzt war ich komplett wach.

„Sie wissen doch, Mr. Morrington, dass die Bibliothek über Nacht geschlossen ist und somit unter Betretungsverbot steht?!" Natürlich wusste ich das, ich war jeden Tag hier.

Auf einmal fragte ich mich, wieso ich überhaupt hierhergekommen war letzte Nacht. Diese Schule hatte so viele wunderbare Orte zum Lesen und ich suchte mir den ungünstigsten von allen. Egal, jetzt war es sowieso zu spät. So eine Kacke.

„Ich denke, da Sie mir immer noch nicht richtig zuhören …" Was wollte er denn, ich hörte ihm doch zu! „Ich schicke Sie zur

Direktorin, dann kann sie ihr Glück mit Ihnen versuchen, also zackig. Jetzt!" Er wollte wohl schreien oder so, aber es war eher ein Piepsen, und ich musste lachen. Schnell packte ich meine Sachen, um von ihm wegzukommen.

Zur Direktorin? Wegen einer kleinen Übernachtung in der Schulbibliothek? So ein Scheiß! Ich überlegte wirklich kurz, ob es sich überhaupt lohnen würde, jetzt zu Mrs. Woodland in ihr Büro zu gehen, oder ob es nicht vielleicht schlauer wäre, einfach in den Unterricht zu gehen und das alles hier zu vergessen. Aber ich war mir ziemlich sicher, dass Mr. Wilson sich bei ihr erkundigen würde, ob ich zu ihr gegangen bin und ich hatte wirklich keinen Bock auf lebenslanges Hausverbot in der Schulbibliothek.

Jeder 17-jährige Junge wäre gerne in meiner Situation, doch allein der Gedanke, nicht mehr in die Bibliothek zu dürfen, versetzte mir einen Stich und ließ meine Brust in sich zusammenfallen. Vielleicht sah ich nicht so aus und verhielt mich nicht wie der Streber der Schule, aber wenn man viel alleine ist – Und ich bin extrem viel alleine! – Dann muss man sich Beschäftigungen suchen, bei denen man sich weniger allein fühlt. Für mich persönlich ist es ganz egal, welches Buch. Es war mir sogar egal, welche Handlung. Sobald ich mich mit einer Handlung identifizieren konnte, las ich alles. Sogar Sachbücher ... Vielleicht verriet das auch, wie einsam ich tatsächlich war, wenn ich meine Freunde in Sachbüchern suchte.

Jedoch kam es mir nie in den Sinn, Fantasy oder Märchen zu lesen: Ein fiktiver Zufluchtsort war genauso gut wie kein Zufluchtsort. Ich meine, wie soll man sich in einer Geschichte wiederfinden, die selber doch nur aus Hirngespinsten und ausgedachtem Scheiß besteht?! Ich konnte es nie verstehen. Nicht bis ich letzte Nacht in der Bibliothek anfing, in den vergilbten Seiten zu leben.

„Herein!" Ihre Stimme war fröhlich, viel zu fröhlich für einen frühen Morgen wie diesen. Der Sommer neigte sich wirklich dem Ende zu und die vielen Wolken am Himmel Schottlands bildeten eine graue Wand.

Ich drückte die Klinke herunter und trat ein. Was blieb mir auch anderes übrig.

Mrs. Woodland saß kerzengerade in ihrem Schreibtischstuhl und lächelte mir fröhlich entgegen. Ich konnte und wollte es nicht erwidern.

„Wie ich gehört habe, hast du in der Bibliothek geschlafen, Nelson." Sie betrachtete mich etwas misstrauisch, ohne dass ihr Lächeln kleiner wurde. „All das hat nicht zufällig etwas mit dem riesigen Märchenbuch in deiner Tasche zu tun?"

Sie hörte gar nicht auf, mich zu mustern, und allmählich wurde mir unwohl zumute.

Wie kam sie darauf? Noch dazu, dass es stimmte, aber woher sollte sie etwas über diesen ganzen Mist wissen?

Andererseits konnte ich mir zum jetzigen Zeitpunkt alles vorstellen und jeder in diesem gottverdammten Wald konnte mir helfen, etwas über dieses Mysterium herauszufinden.

„Kennen Sie dieses Märchen?" Die Worte kamen mir über die Lippen, noch bevor ich mich dazu entschied, sie auszusprechen.

Sie lächelte immer noch, doch jetzt blickte sie betreten zu Boden. „Nelson, kannst du dich noch an jenen Tag erinnern, hier in meinem Büro?"

Ich überlegte und musste mich anstrengen, mich an den Tag zu erinnern, den sie meinte. So oft ist es noch nicht vorgekommen, dass ich ins Direktorat musste wegen meines schlechten Benehmens, also war die Auswahl der möglichen Tage eher gering. Dieser Tag, den sie meinte, schien gerade so weit weg zu sein. Viel zu viel ist seitdem passiert, zu viele Dinge, die ich am liebsten vergessen würde. Aber es ging nicht. Man konnte nicht einmal eine Nacht in der Bibliothek verbringen, ohne dass jemand dieses Märchen erwähnt.

„Natürlich", antwortete ich schließlich, obwohl es alles andere als natürlich war.

„Nelson, warum denkst du, wäre ich dabei gewesen, wenn ich nichts von all dem hätte wissen dürfen?" Sie schaute mich an und auf einmal schmunzelte sie nicht mehr. Ich wusste nicht, wie ich ihre plötzliche Stimmungsschwankung deuten sollte. Ich war verdammt noch mal verwirrt, schon wieder. Sie fuhr fort: „Hast du jemals die Danksagung in deinem Märchen gelesen, Nelson?" Sie fragte die ganze Zeit Sachen, auf die sie schon die Antwort zu wissen schien. Natürlich hatte ich sie gelesen, das war das Erste, was ich mir angeguckt hatte. Dort hatte ich den Namen McWheel ein weiteres Mal aufgeschnappt und ab da habe ich das erste Mal wirklich gedacht, ich könnte anfangen, mich auf diese Geschichte einzulassen.

Ich kam wieder in die Wirklichkeit zurück, da ich merkte, wie Mrs. Woodlands Blick mich durchbohrte. Ich nickte kaum merklich, immer noch in Gedanken, was sie mit der Danksagung zu tun haben könnte.

Ich blieb stumm, ich wusste nicht, was ich sagen sollte, als mir irgendwann auffiel, wie Mrs. Woodland wirklich heißt: Anne Woodland. Das steht auf der Tafel mit den Lehrkräften. Das ist der Name, der auf den Elternbriefen steht als Absender. Das sind die Buchstaben, die auf dem Holzschild zu ihrem Büro stehen.

Und auch das ist der Name, der in der Danksagung steht. Ich wusste, dass ich es nicht leugnen musste, denn es würde sowieso stimmen. Auch diese Frau gehörte zu der Geschichte, die ich nicht glauben wollte. Eine gewöhnliche Schulleiterin.

Ich merkte selbst gar nicht, wie scharf ich ausatmete, doch ich sah ihr an, dass sie wusste, worauf ich gekommen war.

„Ich hatte mich gefragt, wie lange du brauchen würdest, bis es dir auffällt. Doch ich habe nicht gedacht, dass es so lange dauern würde." Sie seufzte, bevor sie fortfuhr: „Ich hätte gedacht, dass du früher anfängst, dich mit dieser Geschichte zu beschäftigen. Ihr wirktet so gefasst an dem Tag in meinem Büro. Es ist schließlich dein Schicksal."

Ich wollte ihr sagen, wie bescheuert das doch alles ist. Ich glaubte nicht an diesen Mist. Ich wollte nicht daran glauben: „Das war alles Cormac! Er ist derjenige, der wie besessen angefangen hat, diese Scheiße zu glauben!" Ich wurde laut. Ich wollte eigentlich ruhig bleiben, aber ich konnte nicht anders. Das war alles so verkorkst, so abgrundtief irreal und unnötig. Ich wollte mich unbedingt rechtfertigen und ich merkte, wie mir die Hitze in den Kopf stieg, wie meine Adern pulsierten und wie ich meine Hände zu Fäusten ballte. Auch Mrs. Woodland merkte es, man konnte es nicht übersehen.

Sie seufzte wieder und richtete ihren Blick von mir ab. „Leider ist er nur der Falsche der beiden Brüder."

Ich konnte nicht mehr. Wieso konnte sie nicht normal über alles mit mir reden, jetzt, wo ich schon mal hier saß?

„Was meinen Sie damit?" Ich probierte ruhig zu bleiben, ich musste mich im Griff haben.

„Du weißt es, Nelson. Du bist der Ältere, du bist der Nachfolger. Egal, wie besessen Cormac versucht, in diesen Wald zu gelangen. Nur du kannst mithilfe des zweiten Herrschers den Wald betreten." Ihre Stimme war ruhig, sie sprach jedes Wort klar und deutlich aus und doch vergaß ich alles, was sie sagte, sobald ich es hörte.

„Cormac ist kein Herrscher ...", dachte ich laut und für einen kurzen Augenblick graute es mir vor dem Moment, indem er diese Nachrichten erfahren würde.

„Nein, du bist auserwählt. Und genau deswegen musst du anfangen, dieses Märchen zu glauben, Nelson. Du hast schon so viel Zeit vergeudet, du kannst nicht die Tatsachen, die du vor dir siehst, auch noch leugnen."

Nein, das konnte ich wohl wirklich nicht. Ich wusste, dass das Mädchen dazugehörte, dass ihr Großvater ein Herrscher war ... Genau wie meiner.

Einen kurzen Moment spürte ich, wie mir der Zorn den Rachen hochkroch, wie sich meine Haare auftürmten, wie ich das Bedürfnis hatte, alles herauszuschreien, was ich die ganze Zeit schon sagen wollte. Und dann überkam mich diese heftige Welle der Erschöpfung. Erschöpfung, Angst und Verzweiflung und ich spürte, wie sich der Zorn zu einem Kloß formte. Ein Kloß, der mir Tränen in die Augen trieb.

Ich musste mich zusammenreißen. „Wieso ich? Sie können mir nicht erzählen, dass dieses Schicksal kein Fluch ist."

Sie schaute mir tief in die Augen. Augen, die ich bereits kannte. Augen, die mich die letzten Wochen neben diesem ganzen

Scheiß immer wieder zum Lachen brachten. Stirnrunzelnd fragte ich mich, was Anne Woodland mit diesem Märchen zu tun hatte, bis auf den Fakt, dass ihre Schule in diesem Wald stand. Die Worte der Danksagung hallten in meinem Kopf wieder: *Greta und Anne, die ihre bedingungslose Liebe an zwei Menschen gaben, die aus Geheimnissen bestanden.*

Ich musste die Frage nicht aussprechen, sie antwortete, noch bevor ich etwas über die Lippen bringen konnte. „Ich weiß, was du dich fragst. Meine bedingungslose Liebe ließ mich bei ihm bleiben. Ich konnte mir kein Leben ohne ihn vorstellen. Genauso wenig wie Greta es konnte."

„Die Greta, die als Einzige in den Wald eintreten konnte …" Mit jedem Satz wurde ich verwirrter.

„Nicht die Einzige. Ich konnte es auch. Greta und ich waren diejenigen, die Ryan McWheel zu ihm führten. Greta und ich waren Schwestern." Ihre Stimme wurde mit jedem Wort dünner und leiser. Es traf mich wie ein Schlag. Diese Frau war die Schwester von Greta aus dem Märchen. Diese beiden Schwestern verliebten sich beide in die unsterblichen Herrscher eines Waldes voller magischer Kreaturen.

Als ich weitersprechen wollte, kratzten meine Stimmbänder wie Schmirgelpapier aneinander: „Sie haben ihn geliebt, sagen Sie? Aber dann sind Sie Lilys Grandma …"

„Es stimmt. Doch du musst es für dich behalten. Ich weiß, dass ihr anfangt, euch zu mögen." Als sie das sagte, merkte ich selbst, dass ich rot wurde. „Sie wird es noch früh genug erfahren und im Moment hat sie andere Aufgaben. Ihr Grandpa hat ihr die Aufgabe gegeben, dich zu finden. Euch läuft die Zeit davon!" Mit einem Mal wurde ihre Stimme traurig und ich musste daran denken, wieso Lily hier war: Ihr Grandpa stirbt. Die Herrscher sind verlinkt – Was bedeutete, dass *mein* Grandpa auch stirbt …

Ich verließ Mrs. Woodlands Büro und wollte am liebsten alles kaputt schlagen, was mir in die Quere kam. Ich konnte ihr es noch nicht sagen. Sie suchte nach dem anderen Herrscher, und wusste nicht, dass ich es bin. Erst musste ich Cormac davon abhalten, unüberlegte Scheiße zu bauen, sobald er es erfährt. Ich wollte es Lily nicht erzählen, ich wollte sie so gut es geht aus diesem verkorksten Mist heraushalten. Was, wenn es uns gelingen würde, Cormac anstelle von Lily zum zweiten Herrscher zu machen? Das könnte die Lösung sein, bei der sie nicht zu Schaden kommen und Cormac wieder normal werden würde. Aber ich konnte es keinem von beiden erzählen, bis ich mir nicht sicher war, dass es klappt. Cormac dachte bis heute, *er* sei der rechtmäßige Nachfolger, zusammen mit mir. Und Lily wusste von all dem gar nichts. Ich hatte nicht viel Zeit, aber ich musste es versuchen.

Blind lief ich durch die Flure, in der Hoffnung aufzuwachen. Aufzuwachen aus diesem schrecklichen, nie endenden Traum.

KAPITEL 15

Nelson

Wie schafft man es am besten ein ganz normales Leben weiterzuleben, wenn alles um einen herum zusammenbricht und sich komplett neu aufbaut? Eigentlich sollte ich Experte in Sachen Neuanfang sein, aber das hier war anders. Anders als jeder Neuanfang, den ich jemals begonnen hatte. Der erste Grund, wieso ich es wusste, war, dass ich das nicht wollte. Ich wollte damals von Zuhause weg, ich wollte meine Mum nicht mehr sehen. In mir schrie förmlich alles nach einem Neuanfang. Aber jetzt? Ich bin hier zufrieden. Ich bin gerne alleine in der Bibliothek, ich hatte kein Problem damit, dass mein Bruder mein einziger Freund war. Doch dieser Neuanfang nahm mir endgültig alles, was mir die letzten Jahre noch übrig geblieben war. Wenn ich geglaubt habe, dass Cormac trotz der letzten Monate immer noch für mich da sein würde, dann weiß ich spätestens jetzt, dass das nicht der Fall sein wird.

Er wird mich hassen, genauso stark, wie ich mich selbst hasste.

Doch ich konnte es nicht ändern, eines der wenigen Dinge, die bei jedem meiner Neuanfänge gleich waren. Ich wollte es nicht und doch war es unvermeidlich.

Ich hatte angefangen zu glauben, ich sei allein. Dieses Mal ging *ich* Cormac aus dem Weg. Ich wollte nicht mit ihm reden, denn ich wusste, dass ich es ihm irgendwann sagen musste. Wenn ich ihn nicht sah, dann konnte ich es immer weiter hinauszögern. Ich weiß, dass es albern und verdammt dumm ist, aber ich konnte es ihm nicht sagen, nicht jetzt. Trotzdem steht man vor einem Problem, wenn man genau der Person aus dem Weg gehen will, die zufällig mit einem verwandt ist und mit der man sich sein Zimmer teilt. Das Alleinsein war ich gewohnt, ich hatte eigentlich nicht mal ein Problem damit, meinem Bruder aus dem Weg zu gehen. Neben all den mysteriösen Problemen, die mich in letzter Zeit verfolgten, würde man mir wohl kaum glauben, dass meine eigentliche Herausforderung eine ganz andere war: Sie war überall und nur, wenn ich sie ansah, fingen meine Handflächen an zu schwitzen. Irgendetwas zog mich immer wieder in ihre Nähe. Und mit einer unvorstellbaren Sicherheit wusste ich, dass ich mich nicht wegen des Märchens so fühlte. Es war ein Gefühl von Unsicherheit, es war die Angst vor etwas, was ich noch nie zuvor empfunden hatte.

Und doch fand ich mich immer wieder an den Orten wieder, an denen sie auch war.

Den ganzen September über verbrachte ich meine Zeit damit, an ihre Zimmertür zu klopfen. Egal, wie oft ich diesen Vorgang wiederholte, das Gefühl von Nervosität wurde nicht weniger. Es tauchte immer wieder auf, wenn sie im Türrahmen lehnte. Die Zeit verstrich viel schneller, wenn sie dabei war. Und immer, wenn ich sie ansah, fragte ich mich, wie die Tage ohne sie mir endlos lang vorkamen. Wir teilten die Zeit und ich musste mir selbst eingestehen, dass es endlich etwas in meinem Leben gab, woran ich festhalten wollte.

Mit der Zeit vergaß ich sogar, wer sie war und wer ich war und in welcher Welt wir eigentlich gefangen waren. Doch ich konnte ihr nichts sagen, es war einfacher, wenn sie nichts von mir wusste. Sie suchte nach dem zweiten Herrscher, doch bei mir war sie, weil ich nicht der war, für den sie mich hielt. Sie entschied sich freiwillig dafür bei mir zu sein, ohne zu wissen, was unsere eigentliche Beziehung zueinander war. Genau wie ich hatte sie niemanden mehr, außer mich. Konnten wir nicht einfach zwei normale Teenager auf einem Internat in Schottland sein, die mit der Zeit merkten, wie wichtig sie füreinander sind?

Es war der 29. September.

Ein ganz normaler Tag – so normal, wie Tage in meinem Leben eben sein können: Ich ging zur Schule, zusammen mit Lily. Cormac ließ sich zum Glück nirgendwo blicken. Ich war froh, dass Cormac jemand war, dem man nicht allzu oft in der Schule über den Weg lief. Ich wollte nicht wissen, was passieren würde, wenn Lily ihn sah. Sie glaubte immer noch, ich sei ein Einzelkind mit Scheiß-Eltern und so. Das Problem war halt nur, dass die Hälfte davon gelogen war. Und wenn sie Cormac in den Schulfluren sehen würde, dann würde es ihr nicht schwerfallen, die Ähnlichkeiten zwischen ihm und mir zu sehen.

Als ich heute Morgen aufstand war er nirgends zu finden, wahrscheinlich war er schon wieder auf der Lichtung und überlegte, wie er durch das Portal kam. *Gar nicht,* dachte sich eine schadenfrohe Stimme in meinem Kopf, bis ich begriff, dass ich kein Problem damit hätte, wenn unsere Rollen vertauscht wären ...

Ich nahm mir meine Tasche, verstaute das Märchenbuch darin – Ob Cormac es wohl schon komplett gelesen hatte? – und wollte gerade die Türklinke runterdrücken, als es von draußen klopfte. Ich dachte für einen kurzen Moment es sei Cormac, aber der würde nicht klopfen. Also ging ich zur Tür und als ich ihr Gesicht im Türrahmen sah, musste ich unwillkürlich lächeln. Scheiße, was machte sie nur mit mir?

„Na, gut geschlafen?", fragte Lily mit diesem selbstsicheren Lächeln, bei dem man ihre Grübchen kaum übersehen konnte.

„Äh, ja klar", stotterte ich schon wieder. Es nervte mich echt unnormal, aber ich konnte es nicht abstellen. „Was machst du hier, ich sollte doch dich abholen, oder nicht?"

Eigentlich holte ich sie immer ab, wir frühstückten zusammen und liefen dann den Kieselweg hoch zum Schulgebäude. Es war ein einstudierter Ablauf, den wir jetzt schon einige Wochen so einhielten und ich wünschte, dass er sich nie ändern würde.

Sie holte mich mit ihrer hohen und lebhaften Stimme wieder in die Realität zurück: „Ja, keine Ahnung. Ich war schon länger wach und da dachte ich, heute komme ich mal bei dir vorbei!" Früher hatten mich Mädchen mit diesen immer gut gelaunten, hohen Stimmen genervt, es gab nichts Ätzenderes als diese Sorte von Mädchen. Aber mit ihr hat sich das geändert. Ich würde wahrscheinlich nie den Mut haben, ihr das zu sagen, aber ihre Stimme war einfach perfekt ...

Wir liefen durch die Flure und unterhielten uns. Na ja, eigentlich unterhielt Lily sich mit mir, denn in den meisten unserer Gespräche, redete sie ununterbrochen und ich hörte einfach nur zu. Ich nickte ab und zu mal, aber wirklich reden konnte ich nicht, wenn sie in meiner Nähe war. Ich war schon ein verdammter Schisser.

Ich weiß nicht mal, ob sie überhaupt bemerkte, dass ich fast nie auf ihre Fragen einging. Sie redet einfach immer vor sich hin ohne Pause und der ständige Sound ihrer Stimme in meinen Ohren, gab mir ein Gefühl von Sicherheit. Ein Gefühl das ich früher nicht hatte. Aber früher hatte ich nunmal auch nicht sie in meinem Leben.

„Nelson? Hallo, ich rede mit dir?!" Sie schnipste verzweifelt vor meinem Gesicht herum. Shit, genau das meine ich: Wir laufen durch die Flure und sie redet mit mir, ohne dass ich es mitbekam.

„Sorry! Was hast du gesagt? Ich war gerade irgendwie in Gedanken", sagte ich mit einem Achselzucken.

„Ich habe dich gefragt, was wir nach der Schule machen", wiederholte sie geduldig.

Ich überlegte kurz und antwortete dann: „Ich habe heute bis zur 9. Stunde, das heißt bis 16:00 Uhr, aber danach können wir machen, was du willst."

„Bis zur 9. Stunde?" Ihr Blick verriet mir, dass sie enttäuscht war, aber ich konnte nicht schwänzen, nicht heute. In zwei Wochen fing die Klausur-Phase an und ...

Und ich bin ein verdammter Streber, der sich mal langsam lockermachen sollte.

„Wenn du möchtest, kann ich das auch ausfallen lassen, das ist nur Physik. Nicht so wichtig." Sie klatschte quietschend in die Hände und ich musste bei diesem Anblick lachen. Sie sah so süß aus.

Als wir im Schulgebäude ankamen, sah ich hinten an der Fensterbank eine Gruppe Mädchen sitzen: Es waren Nancy, Page und Cathy. Diese drei waren wirklich unzertrennlich und jedes Mal, wenn ich sie sah, musste ich lachen. Heute saß jedoch noch ein viertes Mädchen bei ihnen. Es war Jolina, Lilys Mitbewohnerin.

Ich kannte sie vom Sehen, und ohne auch nur fünf Worte mit ihr ausgetauscht zu haben, wusste ich, dass sie genauso schlimm war wie die anderen drei. Auch Lily stöhnte, als sie die Mädels sah, und ich merkte an ihrer Körperhaltung, dass sie sich sichtlich unwohl fühlte, als Jolina mit den anderen im Schlepptau zu uns herüberkam.

„Na, ihr beiden Turteltauben! Wie geht's euch so im Paradies?" Jolinas Stimme passte genau zu der Beschreibung, die ich an Mädchen so hasste: hoch, schrill und unglaublich nervig.

„Ach, halt die Klappe, Jolina, wir sind nur Freunde!", sagte Lily gelangweilt. Sie trat von einem Fuß auf den anderen und vergrößerte schließlich den Abstand zwischen uns beiden. Niemand hätte es auch nur gemerkt, aber ich spürte, wie sie sich von mir entfernte.

Wir sind nur Freunde. Ich brauchte einen Moment, bis ich begriff, was sie da gerade gesagt hatte. Es versetzte mir einen Stich, obwohl ich es gar nicht wollte. Wir waren doch nur Freunde, oder nicht? Was sollten wir sonst sein? Ich kam mir lächerlich vor und wollte so schnell es ging hier weg. Am liebsten allein.

Es klingelte. „Ich gehe schon mal vor!", presste ich durch die Zähne. Ich musste mir Mühe geben, mir nicht anmerken zu lassen, wie mich dieser Satz getroffen hatte. Verdammt!

Ich ließ Lily dort stehen, mit einem Haufen kleiner Zicken, die sie alle nicht leiden konnte. Einen Moment lang tat es mir leid, aber dann stand ich schon im Klassenzimmer, wo ich beinahe mit Cormac zusammengestoßen wäre …

„Alter, Mann! Pass doch auf!" Er regte sich auf, als hätte ich ihn umbringen wollen. Doch er merkte, dass ich es war und beruhigte sich etwas. „Nelson, was ist bei dir los, Alter?!"

Ich konnte es nicht leiden, wenn er immer „Alter" sagte, aber jetzt gerade war mir das egal. Der Fakt, dass er *hier* war, machte mich nervös. Ich konnte sehen, wie Lily im Flur immer noch von Jolina aufgehalten wurde und einen Moment war ich sogar dankbar dafür.

„Cormac, was zum Teufel machst du hier?" Meine Hände fingen an zu schwitzen und ich probierte mich vor ihn zu stellen.

„Ähm, zur Schule gehen? Ist das jetzt auf einmal falsch?" Er sah mich verdutzt an. Er konnte ja nicht wissen, dass Lily denkt, es gäbe ihn gar nicht.

„Seit wann gehst du regelmäßig zur Schule, und dann auch noch 8:00 Uhr morgens?" Ich musste mir langsam etwas einfallen lassen, denn ich kannte Lily: Lange würde sie es bei Jolina und den Mädchen nicht mehr aushalten. Sie wird sich losreißen und hierherkommen. Wenn sie Cormac sah, wird sie wissen, dass ich sie angelogen hatte.

„Ich hatte heute einfach Bock, ich weiß selbst nicht, wieso. Aber scheiß drauf, jetzt bin ich hier." Er lächelte schief und machte anscheinend keine Anstalten, das Klassenzimmer zu verlassen.

Ich fing an, von einem auf den anderen Fuß zu treten. Bevor mir etwas Richtiges einfiel, packte ich ihn am Handgelenk und zog ihn um die Ecke aus dem Klassenraum heraus. „Ich muss mit dir reden", murmelte ich, immer noch in Gedanken, was ich ihm sagen sollte.

Als wir in einem der Seitengänge standen, sah er mich finster an. Ich wusste, dass es etwas damit zu tun hatte, dass ich ihm aus dem Weg ging.

„Was ist los bei dir? Wieso gehst du mir aus dem Weg?", fragte er mit einer vorwurfsvollen Stimme. Na bitte, da haben wir es! Ich war schuld.

„Ich hatte in letzter Zeit einfach extrem viel zu tun und du warst immer nur weg. Keine Ahnung, was du die ganze Zeit außerhalb des Internates machst." Ich wollte auch, dass es wie ein Vorwurf klingt. Trotzdem scheiterte ich, denn ich musste keine Fehler an Cormac suchen, wenn ich genau wusste, dass ich dieses Mal schuld war.

Er schnaubte verächtlich. „Das weißt du ganz genau. Ich bin derjenige, der sich dafür einsetzt, dass unsere Familie nicht von uns enttäuscht ist. Ich suche den Eingang zu diesem Wald, den wir beide eigentlich schon längst regieren sollten."

In dem Moment merkte ich wieder einmal, wie besessen er von diesem ganzen Mist war, und dass er immer noch dachte, wir beide seien die neuen Herrscher. Ich musterte ihn mit einem durchdringenden Blick, bis ich mich dazu entschied, ihm alles zu sagen. Ich konnte mich nicht mehr vor der Wahrheit verstecken, ich würde ihn nicht schützen, seine Ungewissheit brachte ihn nur unnötig in Gefahr.

„Hör zu, Cormac!", fing ich vorsichtig an. „Ich habe das Buch gelesen. Noch nicht komplett, aber den größten Teil."

Er atmete auf, Erleichterung in seinem Ausdruck. „Siehst du, Nelson, ich wusste, du tust es. Ich wusste, du bist dieser Aufgabe gewachsen. Wir beide, Nelson. Du musst es nur lesen und alles verändert sich." Diese Überzeugung in seiner Stimme, wenn er über dieses Buch redete, ließ mich immer wieder erschaudern. Er verstand das alles hier komplett falsch und ich scheiterte gerade ohne jeden Zweifel an dem Versuch, ihm die Wahrheit zu sagen.

„Cormac, jetzt hör mir endlich zu!" Meine Stimme wurde lauter und mein Blick durchbohrte ihn. „Jeder der beiden früheren Herrscher hatte die Aufgabe einen Nachfolger aus seiner Blutlinie auszuwählen. Aber die beiden Herrscher stammten nicht beide von der gleichen Blutlinie ab, was bedeutet, dass die beiden Nachfolger auch nicht von der gleichen Blutlinie abstammen können …"

„Du lügst, du hast keine Ahnung, wovon du da sprichst!" Zorn schwang in seiner Stimme auf, seine Augen wurden noch dunkler, als sie ohnehin schon waren. Innerhalb von Sekunden wurde er zu der Version meines Bruders, die ich so hasste. Diese Version gab es nur, weil das Märchen diesen verdammten Einfluss auf ihn hatte. „Nur, weil du dieses Buch einmal gelesen hast, heißt es noch lange nicht, dass du dich auskennst. Du hast keine Ahnung!" Seine Augen funkelten so schwarz, dass ich zwischendurch glaubte, sie schimmerten lila. Seine Unterlippe bebte, ihn so zu sehen, machte mir Sorgen. Was ging hier vor sich, was passierte mit meinem Bruder?

„Cormac, ich war dort. Ich habe die beiden Bäume auf der Lichtung gesehen, das Portal in den Wald. Nur das erstgeborene Enkelkind der Blutlinie hat das Recht auf die Herrschaft über die Geschöpfe." Ich verzweifelte hier gerade. Hatte ich wirklich gedacht, dass Cormac es ohne Weiteres aufnehmen würde, und es damit okay wäre?

Ich wich ein Stück von ihm zurück, als er ausholte und mit aller Kraft gegen die Spinde trat, immer wieder.

„Wer?", fragte er, als er für einen kurzen Moment innehielt. Ich antwortete nicht. „Verdammt, Nelson! *Wer?*" Ich wollte es ihm nicht sagen, wer an seiner Stelle der Erbe über die Kreaturen war. Ich konnte es nicht. Aber ich musste, denn ich hatte Angst vor dem, was passieren würde, wenn er es nicht erfuhr.

„Olivia Charlotte McWheel …" Ich hauchte ihren Namen, der sich so fremd anhörte in diesem Flur. „Sie ist die Enkeltochter von Ryan McWheel, dem zweiten Herrscher, und somit eine direkte Nachfahrin seiner Blutlinie. Sie ist der zweite Herrscher."

„Was, verdammte Scheiße, gibt dir das Recht, so etwas zu sagen?", schrie er durch die Flure und es dauerte nicht lange, bis die Spinde nacheinander umstürzten und auf den Boden krachten. Die Kraft, die aus dem Körper meines Bruders drang, war angsteinflößend, und die Luft wirkte wie eine energiegeladene Quelle. Er atmete schwer, seine Brust hob und senkte sich unregelmäßig.

„Cormac, es tut mir leid, ich wollte auch nicht, dass es so kommt! Denkst du, ich will das alles?" Ich wollte ihn besänftigen, aber auch dabei scheiterte ich kläglich.

„Aber weißt du, Nelson, das genau ist das Problem. Du willst nie etwas wirklich, und trotzdem bekommst du es. Du bist der unkomplizierte, höfliche Streber, der alles in den Arsch geschoben kriegt. Was denkst du, wie es sich anfühlt, immer von seinem Zwillingsbruder in den Schatten gestellt zu werden? Du hast keine Ahnung, weil du dieses Gefühl nicht kennst!" Er schrie mir diese Worte ins Gesicht, kam auf mich zu und drückte mich gegen die Wand. Ich konnte nichts mehr dagegen machen. Ich unterwarf mich diesem bösartigen Menschen, der vorgab, mein Bruder zu sein. Wie konnte er so vernarrt in diese Sache sein, dass er anfing, seinem eigenen Bruder zu drohen?

Er kam immer näher und schließlich flüsterte er mir ins Ohr: „Du kriegst das wieder hin, niemand außer uns beiden wird Herrscher über diesen Wald!"

Ich musste mich von seinem Griff befreien, ehe ich etwas sagen konnte. Was dachte er denn? Dass ich Lily dort mit hineinziehen will? Ganz bestimmt nicht. Wenn es einen Weg geben würde, sie aus dieser ganzen Scheiße rauszuhalten, dann würde ich das gerne machen. Ich war plötzlich erschöpft und wollte nichts mehr erwidern.

„Cormac, ich verspreche dir, wir ziehen das zusammen durch. Ich brauche nur Zeit." Das war das Letzte, was ich sagen konnte, denn hinter uns hörten wir Schritte. Cormacs Wutausbruch war nicht zu überhören gewesen. Wir hielten inne, doch es war zu spät. Mrs. Woodland persönlich stand am Ende des Ganges. Ihr durchbohrender Blick traf uns beide wie ein Schlag und wir wussten, ohne dass sie etwas sagen musste, dass wir mitkommen mussten.

* * *

Wir schwiegen auf dem Weg ins Direktorat. Es war ein langer Weg, länger als ich jemals vermutet hätte. Seit sechs Jahren gehe ich jeden Tag den Weg vom Internat in die Schule und zurück und ich habe nie gedacht, dass es sich jemals so lang anfühlen kann, diesen schmalen Kieselweg herunterzulaufen.

Wir folgten Mrs. Woodland und ich konnte Cormac keines Blickes würdigen. Er war ein Monster, geblendet durch eine übernatürliche Macht, die Besitz von ihm ergriff, wie ich es nie für möglich gehalten hätte.

Die Angst, die sich in den letzten Wochen in mir angesammelt hatte, verbreitete sich nun in meinem ganzen Körper. Angst, dass sie in eine Geschichte hineingezogen werden könnte, die womöglich gefährlicher war als alles, was man sich vorstellen kann. Angst, dass er wirklich alles machen würde, um sein Ziel zu erreichen. Angst, dass ich am Ende derjenige sein werde, der daran gescheitert ist, dem Märchen ein Happy End zu bereiten.

Als wir in Mrs. Woodlands Büro ankamen, bemerkte ich, wie oft ich in letzter Zeit hier war oder hier sein musste. Immer, wenn ich hierherkommen musste, hatte es etwas mit meinem unmöglichen Schicksal zu tun. Dieser Ort war kein Ort, an den ich mich gerne erinnerte. Trotzdem setzte ich mich, was blieb mir anderes übrig?

„Ich habe nicht vor, mit euch über eure Auseinandersetzung zu reden. Das ist normal, ich kann euch nicht für euer menschliches Verhalten bestrafen!", fing sie an, als wir alle drei in diesem erbärmlichen Raum saßen. Ihre Stimme war ruhig wie immer und behutsam. Und trotzdem verstand ich sie nicht. Cormac hatte gerade ungefähr 15 Minuten zuvor einen kompletten Ausraster gehabt und hat die Spinde umgeworfen und wir sollen dafür keine Strafe bekommen? Warum waren wir denn dann hier?

„Über menschliches Verhalten kann man hier schon lange nicht mehr reden, da können Sie sich sicher sein", hörte ich Cormac sagen. Das sagte derjenige, der sich nicht mehr im Griff hatte, weil seine Gier unermessliche Größen annahm. Es hörte sich an, als sei er meilenweit von mir entfernt und mit jedem Wort, das aus seinem Mund kam, distanzierte er sich mehr. Seine Stimme war kalt und verbittert und ich bekam eine Gänsehaut, als ich ihn reden hörte.

„Nelson, er hat mir alles erzählt und ich weiß jetzt, was hier abgeht. Er hat sich für *sie* entschieden und damit gegen mich!" Er sprach ruhig weiter. Zu ruhig.

„Cormac, er hat sich überhaupt nicht entschieden. Nelson kann nichts dafür, dass er es ist und nicht du."

Auch Mrs. Woodland versuchte vergeblich, Cormac zu erklären, was ich ihm erklären wollte, doch es half nichts. Cormac versank mit jeder Minute, die er in diesem Büro verbrachte, weiter in einem schwarzen Loch, aus dem ihn niemand herausziehen konnte. Alles, was sie mir vor ein paar Tagen in diesem Büro über die Herrschaft, über die Liebe und über sich erzählt hatte, wiederholte sie für Cormac genauso ruhig, wie sie es bei mir getan hatte. Manchmal bewunderte ich diese Frau für ihre Geduld.

Es dauerte eine Weile, doch mit jedem Wort, das sie Cormac über sich erzählte, wurde er ruhiger und nach einer gefühlten Ewigkeit saß er auf dem Stuhl neben mir und ich konnte seit so langer Zeit ein Stück von meinem Bruder wiedererkennen. Wenn auch nur ein winzig kleines.

Als wir dieses Mal das Büro verließen, war ich derjenige, der es gar nicht erwarten konnte, hier wegzukommen. Es war alles gesagt und Cormac wusste nun genauestens über das Märchen und die Herrschaft Bescheid. Nun musste er es akzeptieren, er hatte keine andere Wahl.

Gerade als ich durch einen der Korridore lief und mit jedem Schritt schneller wurde, um von ihm wegzukommen, packte er mich am Arm. „Was weiß Olivia darüber? Weiß sie, welche Rolle sie in dieser Geschichte spielt?", fragte er mich mit müden und roten Augen. „Nein. Sie weiß nichts, weil ich ihr nichts erzählt habe. Ich will sie da nicht mit hineinziehen", antwortete ich und ich meinte es vollkommen so, wie ich es gesagt hatte. Sie sollte nichts mit dieser Scheiße zu tun haben. Es sah so aus, als würde Cormac das verstehen. „Von mir erfährt sie nichts. Das ist eine weitere Möglichkeit für dich, zu retten, was du verbockt hast! Du erzählst ihr nichts, denn es ist und bleibt unser Ding!" Zwar war das boshafte Funkeln in seinen Augen verschwunden, aber ich hörte, wie die Überzeugung in seiner Stimme dominierte. „Ich lasse mir das hier nicht von einer alten Frau mit Gruselgeschichten kaputtmachen! Ich lasse mir das hier von niemandem kaputtmachen!"

Ich sah meinen Bruder an und wusste, dass es nur eine Möglichkeit gab, wenn ich ihn weiterhin meinen Bruder nennen wollte: Ich musste es schaffen, ihn zum zweiten Herrscher zu machen. Ich musste es schaffen, Lily von diesem Wald mit dem unmöglichen Geheimnis fernzuhalten. Ich musste es versuchen, für Cormac.

„Ich werde es versuchen, Cormac. Sie wird nichts von mir erfahren!", antwortete ich ehrlich.

„Das will ich für dich hoffen!", sagte er nur kaum hörbar, dann drehte er sich um und ließ mich wieder einmal alleine zurück.

KAPITEL 16

Nelson

Wie viele Male musste ich es noch versuchen, Cormac klarzumachen, dass es anders sein wird, als er sich erhofft hatte. Ich hatte es ein weiteres Mal versucht und sogar Mrs. Woodland hatte vergeblich probiert, mir dabei zu helfen. Ich weiß nicht, wann er es endlich einsehen will, oder ob er es überhaupt irgendwann einsehen würde, aber vielleicht hatte er recht. Vielleicht gab es wirklich eine Möglichkeit, ihm seinen Wunsch zu erfüllen und Lily aus dem Spiel zu lassen. Ich wollte meinen Bruder wiederhaben, allein die letzten Wochen ohne ihn schienen mir, als wäre ich nicht ich. Er fehlte mir, auch wenn ich es nicht zugeben wollte, konnte ich nicht länger so tun, als sei er mir egal. Wenn er nur dann wiederkommen würde, wenn ich ihn zum Herrscher machte, dann werde ich alles, wirklich alles versuchen, um genau das zu schaffen. Obwohl ich keine Ahnung hatte, wie …

Nach meinem ewig langen Gespräch im Direktorat hatte ich vier Schulstunden verpasst. Wenn ich jetzt wieder in den Unterricht reinplatzen würde, dann würde Lily sich fragen, wo ich gewesen bin und das wollte ich nicht. Stattdessen lief ich in mein Zimmer zurück und beschloss, sie nach der 6. Stunde irgendwo zu treffen. Ich würde mir noch etwas einfallen lassen, wieso ich einfach vor Unterrichtsbeginn abgehauen bin.

Als ich in meinem Zimmer ankam, stand die Tür sperrangelweit offen und ich hatte sofort ein ziemlich ungutes Gefühl. Was, wenn Lily hier schon auf mich wartete? Was würde ich ihr dann erzählen? Ich zerbrach mir auf den letzten Metern durch den Flur den Kopf mit möglichen Ausreden, bis mir auffiel wie verkorkst das doch alles war. Ich hatte keinen Bock mehr auf diese ganze

Kacke! Als ich über die Türschwelle trat, war niemand da. Ich wusste nicht, ob ich erleichtert sein sollte, denn für einen ganz kurzen Moment hatte ich sogar die Hoffnung, dass sie auf meinem Bett saß. Ihr Gesicht wäre das Einzige gewesen, welches mich jetzt vielleicht noch zum Lächeln hätte bringen können. Dem kurzen Hoffnungsschimmer folgte ein Stich der Enttäuschung, doch auch der verflog, als ich auf meinen Schreibtisch blickte:

Dort lag eine Notiz, in einer schlecht lesbaren Schrift. Eine der krakeligsten Handschriften, die ich jemals gesehen habe, aber ich kannte sie. Ich konnte jeden Buchstaben entziffern, es war ein Leichtes für mich. Vielleicht lag es daran, dass sie meiner optisch komplett ähnelte. So wie er mir.

Cormacs Rucksack lag nicht mehr unbenutzt in der Ecke, sein Kleiderschrank stand offen und ein paar Fetzen zerknitterter Stoff lagen davor auf dem Boden. Ich hatte die Notiz noch nicht einmal gelesen, da wusste ich schon, was hier los war. Nervös blickte ich mich in unserem großen Zimmer um, nichts. Ich schaute unter sein Bett: Sein Märchenbuch war weg, genau wie er, und das Einzige, was er zurückließ, war ein hässliches Papier mit ein paar Worten darauf. Ich wollte es nicht lesen, ich konnte nicht. Keine Ahnung, was ich machen würde, wenn ich dort lesen würde, dass er wirklich nicht mehr hier war.

Fahre zu Mum. Brauche Zeit. Bin im Moment anscheinend eher fehl am Platz. Du weißt, was du zu tun hast ... Cormac

Jetzt war es wirklich so weit. Er war weg. Ohne Abschied, nur ein Stück Papier. Meine Hände zitterten, bis ich das Papier in meiner Hand zusammenknüllte und kurz darauf wieder auseinanderfaltete, um mich zu vergewissern, dass das hier gerade wirklich passierte. Ich habe vergessen, in welcher Reihenfolge die Ereignisse danach abliefen. Ich war taub und blind vor Schmerz, vor Enttäuschung. Der einzige Mensch auf der ganzen beschissenen Welt, der mir noch wichtig war, hatte mich jetzt auch verlassen. Es war wohl auch nur eine Frage der Zeit. *Mum* ... Dass er sie immer noch so nennen konnte. Dass er mich für sie verlassen hatte … Ich murmelte ihren Namen und spürte nur, wie meine Faust auf Glas traf. Ich spürte keinen Schmerz und sah kein Blut. Ich schlug immer wieder auf die Fensterscheiben ein, bis nichts mehr von ihnen übrig war. Ich trat gegen einen Stuhl und meine Fäuste prallten gegen die harte Wand. Auch wenn ich diesmal das Blut an der Tapete sehen konnte, hörte ich nicht auf. Ich wischte mir durchs Gesicht und Blut vermischte sich mit Tränen und Schweiß. Ich raufte mir durch die Haare und sank zu Boden. Ich glaube ich schluchzte, konnte es aber nicht hören.

Ich weiß nicht mehr, wie lange ich auf meine Wände eingeprügelt habe, oder wie lange ich auf dem Boden gehockt haben muss, bis mich schließlich jemand aus meiner Trance riss. Kleine Hände umschlossen mein Gesicht und ich sah in ängstliche und geschockte Augen. Ich kannte diese Augen und war mit einem Mal hellwach.

„Lily, verdammt, was machst du hier?!" Benommen, aber doch hellwach realisierte ich, was passiert war. Ich wollte mich aufsetzen, doch als ich mich abstützte, fuhr ich vor Schmerz zusammen. „Scheiße, ah!"

Ich sah auf meine Hände und konnte tiefe Schnittwunden erkennen. Dann blickte ich auf die Fensterscheiben und erschrak. All den Schaden hatte ich angerichtet. Ich wusste nicht, wieso ich so war. Ich wollte nicht, dass sie mich so sah. Es war schon wieder passiert, früher war mir so was nie passiert. Es war immer Cormac gewesen, der sich nicht unter Kontrolle hatte, aber innerhalb weniger Monate entwickelte ich mich zu genau dem gleichen Monster, das ich in ihm sah.

„Hey. Shhhh!" Sie beruhigte mich allein mit ihrer Stimme und sah sich meine Schnittwunden an. Ich fühlte mich unwohl, obwohl ich wusste, dass ich das bei ihr nicht musste.

„Ah …!", zischte ich erneut. Ich zuckte zusammen, sie ließ mich los. „Nein, alles gut. Lass mich nicht los, bitte!", flehte ich sie an und sie blieb.

* * *

Sie hatte mich nicht einmal gefragt, wieso es zu meinem Ausraster kam. Sie hatte auch die Notiz von Cormac nicht gesehen, zum Glück. Sie wusste ja nicht mal, dass es ihn gab. Es war ein verfluchter Tag für mich gewesen, dachte ich, als wir beide abends auf den Hügeln zwischen den Kirschbäumen saßen. Ein Scheiß-Tag, aber ich konnte ja nicht wissen, dass er noch viel schlimmer werden sollte. Nicht für mich, für sie.

Sie lehnte an meiner Brust, wir redeten nicht. Es war mir recht, was sollte ich ihr auch sagen, nach dem, was heute passiert war? Ich konnte nicht mit ihr reden, als sei nichts passiert, denn dann würde ich sie anlügen. Sie hinterfragte mein Verhalten nicht und dafür war ich ihr unglaublich dankbar. Trotzdem machte es mich fertig, dass ich so viele Geheimnisse vor ihr bewahren musste, jeden Tag. Aber ich tat es, um sie zu beschützen. So lange sie nichts wusste, fing sie auch nicht an, all das hier zu hinterfragen.

Es hätte gar nicht schlimmer kommen können, doch es passierte: Ich weiß nicht wie spät es war, als ich Mrs. Woodlands ernsten Blick ein zweites Mal heute zu Gesicht bekam. Sie sah anders aus: Ihr Haar war offen und zerzaust und sie sah traurig aus. Bei meiner ruckartigen Bewegung wurde Lily wach und auch sie erkannte unsere Direktorin. Inzwischen weinte sie kaum merklich. Ich wusste nicht, was hier los war, und ich verstand nicht, wieso *sie* hier war. Lily und ich standen auf. Die schwarze Dunkelheit ergoss sich über uns und ich konnte Lilys Blick nicht erkennen. Doch als sie in meinen Armen zusammensank, schluchzend den Halt unter den Füßen verlor, wurde mir allmählich klar, was hier gerade passierte.

Anne Woodland hatte in dieser Nacht ihren Mann verloren und Olivia McWheel ihren Großvater. Ich brauchte einen Moment bis mir klar wurde, was das für meine Familie bedeutete. *Die Leben der Herrscher sind verbunden.* Es war so weit, beide unsterblichen Herrscher waren tot und das Unmögliche wurde möglich. Die Herrschaft wurde in den Blutlinien weitergereicht. Ich war an der Reihe. Und sie.

Lily. Immer noch klammerte sie sich um meinen Hals, klammerte sich verzweifelt an den einzigen Menschen, den sie im Moment noch hatte. Aber ich wusste, dass ich herausfinden musste, wie ich in den Wald hineinkam. In den Wald, der seit meiner Ankunft in Thornforest still und schwarz jenseits der Schule lag.

Ich ließ sie los und brachte sie zu Mrs. Woodland. Ich wollte sie nicht verlassen, aber ich musste. Es gab Dinge, die ich für mich und für sie herausfinden musste. Ich hatte schon viel zu lange gewartet, jetzt war es für mich an der Zeit herauszufinden, wie ich ein Teil von all dem werden konnte.

Ich lief den Hügel herunter, ohne zu wissen, wohin. Ihre Stimme hallte über das Anwesen, die Bäume schluckten den Schall und bald war ich zu weit entfernt, um ihre Worte zu hören. Ich hasste mich. Ich ließ sie zurück, obwohl jeder Teil meines Körpers bei ihr bleiben wollte. Ich brüllte irgendetwas in die Nacht, ohne dass es half, und ich fühlte mich grausam. Ich wusste nicht, wo ich anfangen sollte, nach Antworten zu suchen. Doch, eigentlich wusste ich es. Ich konnte es nicht mehr leugnen, ich musste bei den Menschen anfangen, die ich einst meine Familie nannte. Ich musste meinem Bruder folgen, denn eins war klar: Ich konnte diese Antworten nicht alleine finden. Meine Mutter hatte ihren Vater zwar für lange Zeit nicht gesehen, aber ich wusste, wenn ich bei jemandem Antworten finden würde, dann bei ihr.

- 3 -

KAPITEL 17

Cormac

Er *musste sich auf die Zehenspitzen stellen. Obwohl er schon auf dem Hocker stand, konnte er noch immer nicht richtig in den großen Spiegel schauen. Er war einfach zu klein. Sein Bruder konnte natürlich schon ohne Probleme über das Waschbecken hinwegschauen. Sein Bruder konnte sowieso alles viel besser …*

Er betrachtete sich im Glas und musste feststellen, dass er ja so anders war. Seine schwarzen Haare waren genauso dunkel wie die runden Knopfaugen und seine gebräunte Haut sah ganz anders aus als die von seinem Bruder.

Er war wirklich anders, das wusste er schon immer.

Traurig sprang er vom Hocker herunter und zog sich ein schwarzes T-Shirt über den runden Kopf. Schwarz war wirklich eine besondere Farbe, dachte er. Kein Junge in seinem Alter trug schwarze Kleidung, aber er schon.

Auch sein Bruder mochte kein Schwarz, es machte traurig, sagte er immer. Aber ihn machte es stark und sicher. Und Stärke war etwas, was er brauchte, um gegen seinen Zwilling, der das komplette Gegenteil von ihm war, anzukommen.

Egal, was er machte, sein Bruder war schneller, höflicher, pünktlicher. Einfach besser. Mit fünf Jahren sollte es einem eigentlich noch nicht auffallen, aber das tat es. Der kleine schwarze Junge war der Schatten seines Bruders.

Schließlich war er auch der Jüngere.

Niemand merkte es, aber er war traurig und unglücklich. Niemand außer sein Vater. Sein Vater war sein bester Freund und vielleicht sein einziger. Sie hatten ein Geheimnis. Ein Buch, welches sein Dad ihm vorlas, wenn er sich wieder einmal mit seinem Bruder gestritten hatte. Jedes Mal verschwand der blonde Junge im Garten und wartete auf der roten Schaukel, dass sein Bruder kam und sich entschuldigte.

Aber das tat er nicht, dafür war er zu stolz. Sobald sein Bruder verschwunden war, holte er sein Märchenbuch unter seinem Bett hervor. Er konnte schon lesen, das hatte er sich selbst beigebracht. Er liebte den Geruch des Papiers, und mit jedem Buch, das er las, gewann er einen Freund mehr dazu. Nur leider waren seine Freunde alle in beschrifteten Seiten gefangen. Wenn er doch nur in diesen Seiten leben könnte. Er würde gerne in diesem gigantischen Märchenbuch leben.

Er hatte nie viel Zeit, bis sein Bruder kam und sich entschuldigte. Er tat es jedes Mal, bekam ein großes Lob von ihrer Mutter und zur Belohnung ein Eis.

Aber der kleine schwarze Junge wollte kein Eis, er hatte ja sein Buch und das genügte ihm.

Er fand die ewige Streiterei nicht schlimm, sein Bruder schon, das wusste er. Sein Bruder brauchte ihn, auch das wusste er. Aber er konnte nicht immer nur danebenstehen und zusehen, wie sein Bruder all das bekam und erreichte, was er sich immer erträumte. Es war einfacher, wenn sie sich stritten, dann war der schwarze Schatten vom hellen Lichtfleck getrennt und der ewige Druck ließ für einen kurzen Augenblick nach.

An dem Tag, an dem sein Bruder wieder einmal schluchzend das Zimmer verließ, sich die Gummistiefel anzog und zur Schaukel stapfte, fing er an unter seinem Bett zu wühlen. Er suchte lange nach dem Buch – eine halbe Ewigkeit lag er unter seinem Bett, weinend, und mit jeder Sekunde, die verstrich, wurde sein kleines Herz schwerer. Schließlich gab er auf.

Als er ans Fenster trat, konnte er seinen Bruder auf der Schaukel sitzen sehen, einen Schokoriegel in der Hand. Irgendwo in der Ferne konnte er einen Donner hören. Er lauschte. Er liebte Gewitter, es war so magisch. Doch er wusste, dass es seinem Bruder viel Überwindung kostete, dort sitzen zu bleiben. Er fürchtete sich vor dem Sturm. Vielleicht sollte er heute doch runtergehen und sich entschuldigen.

Nein, er konnte einfach nicht. Seine Gedanken wurden von einem gigantischen Blitz gesprengt, der am Himmel erleuchtete. Plötzlich sah er einen blonden Schopf durch den Garten rennen. Sein Bruder kam zurück, er hatte zu viel Angst.

Er beobachtete ihn. Sein Bruder fiel zu Boden und lag auf dem nassen Weg. Er musste über etwas gestolpert sein. Und dann sah der kleine

Schatten am Fenster, worüber sein Bruder gestolpert war. Es war ein gro-
ßes Buch. Schwarz mit goldener Schrift. Es war sein Buch! Sein Buch
lag auf dem Weg neben seinem Bruder. Wut stieg in dem kleinen Jun-
gen auf. Sein Bruder hasste Bücher, vor allem Märchen.

Was sollte das?

Wieder einmal hatte sein perfekter Bruder ihm etwas weggenommen,
was ihm wichtig war. Aber er sagte nichts, denn man würde ihm sowie-
so nicht glauben.

Sein Buch war nach diesem Tag verschwunden, er konnte es nicht
finden, auch nicht zwischen den Sachen seines Bruders ...

Er wachte auf. Es war nur ein Traum, nicht real und voller Fantasie. Und doch kam er ihm vertraut vor, er kannte ihn. Er träumte gerne, aber war es normalerweise so anders als heute. Heute
erwachten Erinnerungen in ihm. Er kannte die Geschichte oder
dachte zumindest, sie zu kennen.

Das Buch und das Gewitter, das alles war echt, nur nicht heute. Es waren Bilder der Vergangenheit. Der Spiegel und das Gefühl, dass er nie gut genug war.

Der kleine Schatten, in dem er aufgewachsen war und noch
heute gefangen ist. Vielleicht hätte er damals doch wiedersprechen
müssen. Er hätte seinen Bruder herausfordern können. Vielleicht
war es heute noch nicht zu spät dafür. Er wurde zuversichtlich.

KAPITEL 18

Cormac

Wie sollte man seine Kindheit beschreiben, wenn man nie eine gehabt hat? Wie sollte man sein Zuhause lieben, wenn man nicht wusste, wo es war? Wann konnte man sich an seine Freunde wenden, wenn der einzige Freund auf einmal verschwand?

Es war verkorkst, das muss ich immer wieder zugeben. Die 17 Jahre, die ich bis jetzt gelebt hatte, waren, na ja, kompliziert. Das dachte ich zumindest, ich konnte nicht wissen, dass mit einem Mal alles noch so viel komplizierter werden würde.

Mein Leben hier in Thornforest war auszuhalten. Das Internat war riesig und alle Wege standen einem offen, wenn man genug Geld hatte, um das hier alles zu bezahlen. Wir hatten das Geld, keine Frage. Aber ich bin mir sicher, es gibt einen gewaltigen Unterschied zwischen den Leuten, die das Geld ausgeben, weil sie unbedingt hier sein wollen, und denen, die einfach hier sind, weil sie keine andere Wahl haben. Ich bin so jemand. Ich wollte damals nicht einfach von meinem Zuhause weglaufen, aber wenn ich dageblieben wäre, dann hätte uns unsere Mutter mit ihrem Alkohol womöglich vergiftet.

Wir hatten also nicht wirklich eine Wahl. Wir – Nelson und ich. Nelson war mein Bruder. Mein Zwillingsbruder, wobei ich glaube, dass die Menschen, die uns zusammen sehen, nicht einmal glauben würden, dass wir verwandt sind.

Er war blond mit blauen Augen, heller Haut und einem strahlenden Lächeln, wobei ich glaube, dass sein Lächeln meistens Fake ist. Ich gab mir nicht einmal die Mühe, ein Fake-Lächeln aufzusetzen, mir würde es sowieso niemand glauben. Wenn man dem Jungen mit den schwarzen Haaren und den dunklen Augen begegnete, dann war es schon normal, dass Leute ihre Köpfe senkten. So war es früher, unsere eigentlich perfekte Familie: Mummy, Daddy, der süße kleine Nelson und Cormac, der irgendwie nie ganz dazugehörte. Ich sah schon früher aus wie unsere Mum und trotzdem konnte ich mich immer besser an unseren Dad wenden. Als mein Dad noch da war, konnte ich es aushalten. Er konnte mir immer wieder zeigen, dass ich nicht alleine auf dieser großen Welt war. Doch dann verschwand er und ich war schließlich doch irgendwie allein. Ich verlor meinen besten Freund, genauso wie mein Bruder. Wir beide vermissten ihn. Doch das war nichts im Vergleich zu unserer Mum, sie zerstörte den Rest ihrer Familie, indem sie sich zerstörte. Nelson und ich flohen und landeten hier. Nelson konnte sein Leben weiterleben, irgendwie. Ich konnte das nicht.

Über die Jahre versuchte ich, jemand anderes zu sein. Jemand, der andere manipuliert, aus Angst, selbst manipuliert zu werden. Es war ein beschissenes Gefühl. Ich wurde immer unbeliebter und isolierte mich von jedem und allem. Die Leute redeten nicht mit mir, weil sie es wollten, nein. Sie taten es, weil sie Angst vor den Konsequenzen hatten. So redeten immer viele Menschen mit mir, obwohl sie es eigentlich gar nicht wollten. Um ehrlich zu sein, wollte ich auch nicht mit ihnen reden. Mit niemandem mehr.

Aber alles sollte sich ändern, als *sie* auf diese Schule kam. Ein unscheinbares Mädchen. Und doch brachte sie so viel mit sich. Eine neue Geschichte tat sich auf und wieder einmal zeigte sich, dass Nelson derjenige war, der alles bekam, wonach ich mich sehnte. Ich wollte anfangen, sie zu hassen, ich konnte die beiden nicht zusammen sehen. Allein der Gedanke an die beiden machte mich krank. Sie beide konnten eine ganz neue Geschichte miteinander teilen und ich war wieder einmal außen vor. Aber so sehr ich mich anstrengte, ich konnte sie nicht hassen. Es war ein schreckliches Gefühl. Das erste Mal nach so langer Zeit fühlte ich mich jemandem nah. Und trotzdem wusste sie am Anfang nicht einmal, dass es mich gab …

Ich heiße Cormac. Cormac Morrington. Obwohl ich glaube, dass mein Name das Letzte ist, womit ich mich identifizieren kann. Nelson und ich kamen vor ungefähr sieben oder acht Jahren nach Thornforest. Inzwischen hatte ich die Zeit vergessen. Jahrelang war es still hier gewesen und mit einem Mal kam dieses Mädchen und brachte dieses Märchenbuch mit. Genau das Märchenbuch, das früher mein Rückzugsort gewesen ist. Und plötzlich veränderte sich unser Leben, in Weisen, die man sich in seinen schlimmsten Albträumen nicht hätte erträumen können. Geheimnisse wurden gelüftet und Beziehungen wurden aufgedeckt, von Menschen, von denen man nicht einmal wusste, dass es sie wirklich gab.

Es sollte eine ganz neue Welt sein, neue Tore sollten geöffnet werden, nur war es *wieder* Nelson, der sie durchqueren sollte – wortwörtlich. Zusammen mit einem Mädchen, das sich in meinen Kopf und, obwohl ich es leugnete, auch in mein Herz geschlichen hatte. Dafür hasste ich sie. Beide.

* * *

Ich lag seit einer halben Ewigkeit wach und starrte an die Decke. Ich hatte keine Ahnung, wo Nelson war. Eigentlich interessierte es mich auch nicht. Er war derjenige, der mir in den letzten Wochen aus dem Weg ging. Fakt war, dass er nicht da war, und dass ich hier alleine lag. Ich hasste diese beschissenen Abende, an denen man nicht einschlafen kann. Man lag nur wach und musste damit klarkommen, dass das Gehirn einen an all den Scheiß erinnert, der in letzter Zeit so abgeht. Ziemlich blöd wird es erst dann, wenn man, so wie ich, in den letzten Monaten nur Scheiße erlebt hat und das gesamte Gehirn aus diesen verdammten Ereignissen besteht. Eigentlich war es gar nicht möglich an all die Sachen, die passiert sind, gleichzeitig zu denken. Aber die wichtigsten hatten inzwischen einen permanenten Platz in meinen Gedankengängen gefunden und ließen sich unmöglich verdrängen.

Nichts wäre so gekommen, wenn unsere Mum nicht wiederaufgetaucht wäre. Einfach so aus dem Nichts stand sie da mit ihrem Vater und beide sprachen zu uns. Zu den beiden Jungen, die ihr Zuhause verlassen hatten, um von ihnen *wegzukommen*. Die Ironie, die ich damals spürte, als ich unsere Mutter ansah, brachte mich noch immer zum Lachen. Aber weswegen sie beide da waren, gab mir wieder einen Grund, eine Beziehung zu meiner Familie aufzubauen.

Sie erzählten uns von einem Märchen – dem Märchen, das meine Kindheit geprägt hatte und davon, dass es der Wahrheit entsprach. Nelson und ich waren die neuen Herrscher. Endlich konnte ich in den Seiten des Buches leben, das meine Kindheit so viel erträglicher gemacht hatte. Ich durfte in eine Parallelwelt fliehen und mein Bruder konnte dabei sein. Ich war gewillt all meine Zweifel und all meine Wut, die ich wegen ihm verspürt hatte, abzulegen und ihm endgültig zu verzeihen. Ich war bereit, ein neues Kapitel aufzuschlagen, die Vergangenheit zu vergessen, alles, wenn ich die Möglichkeit haben würde, die Welt zu betreten. Doch wir beide wurden wieder einmal mit unseren Problemen alleingelassen. Wir mussten herausfinden, wie wir Zugang in diese Welt bekamen. Nelson war so anders als ich. Er wollte nichts mit dieser magischen Geschichte zu tun haben und so führte es wieder dazu, dass ich alleine probierte, Antworten auf Fragen zu finden, die uns beide betrafen.

Ich wusste, dass ich etwas unternehmen musste, allein. Denn auf Nelson war einfach kein Verlass mehr. Wenn es das überhaupt jemals gewesen war …

Es war 0:01 Uhr. Ein neuer Tag hatte begonnen, der 29. September, und die Zeit lief mir davon. Es war gefühlt Jahre her, dass unsere Mum und unser Grandpa uns von diesem mächtigen Geheimnis, das in diesem Wald hauste, erzählt hatten.

KAPITEL 19

Cormac

Leise verließ ich am nächsten Morgen das Zimmer, um noch einmal in den Wald zu gehen. Ich lief seit Wochen in den Wald, jenseits der Schule, der so viel dunkler dalag als der Rest von Thornforest. Ich hatte mich heute dazu entschieden, in die Schule zu gehen, denn ich wollte sie sehen. Ich wollte heute sogar mit ihr sprechen, wenn es möglich war. Das neue Mädchen, das so viel Zeit mit meinem Bruder verbrachte. Zu viel Zeit, denn so konnte er sich nicht auf unsere Aufgabe konzentrieren. Ich wollte wissen, was das Besondere an ihr war. Ich weiß nicht, wieso ich das auf einmal so unbedingt wollte. Eigentlich hatte ich mich dazu entschlossen, sie zu hassen, sie beide zu hassen, ihnen aus dem Weg zu gehen, weil ich nicht mit ansehen wollte, wie sie beide glücklich waren und ich nicht.

Ich weiß nicht, wann ich das letzte Mal in der Schule war, letzte Woche? Vielleicht auch vor einem Monat? Ich hab' die Zeit vergessen. Was ich im Gegensatz dazu ganz genau wusste, war, wie oft ich in letzter Zeit in den schwarzen Wald jenseits der Schule gelaufen bin: Jeden Tag stand ich auf einer Art Lichtung, um nach Hinweisen zu suchen, wie ich diesen Wald betreten könnte. Nelson meinte, es sei nichts Wahres an der Geschichte, er konnte einfach nicht daran glauben, aber ich will es nicht wahrhaben. Dieses Märchen war für mich so viel mehr als nur eine Geschichte. Ich musste ein Teil davon werden, ganz egal, wie hoch der Preis war, den ich dafür zahlen muss. *Wir* mussten ein Teil davon werden. Nelson verstand das nicht. Er glaubte, ich sei verrückt geworden, aber Nelson verstand auch den Sinn von Märchen nicht: Er wurde nicht von ihnen beeinflusst, manipuliert und magisch angezogen, weil er nicht daran glaubte.

Als ich heute morgen aufwachte war es noch ziemlich früh. 5:00 Uhr oder so. Und obwohl ich mir eingeredet hatte, heute nach längerer Zeit wieder in die Schule zu gehen, zog es mich wie jeden Morgen vorher in diesen mysteriösen Wald jenseits des Sees. Ich schlich aus dem Fenster, sodass ich mich bei niemandem rechtfertigen musste, falls mich jemand dabei erwischte, kurz nach Sonnenaufgang aus der Schule zu schleichen. Nelson schlief weiter, ich weiß ja nicht, wann er gestern Nacht wiedergekommen ist, aber es muss ziemlich spät gewesen sein. Ich zog mir die Kapuze von meinem schwarzen Hoodie tief ins Gesicht und rannte in den dunklen Wald.

Ich weiß nicht, was ich erwartet hatte, aber natürlich hatte ich auch heute nichts gefunden, was mich einen Schritt näher an dieses verdammte Märchen bringen könnte. Je öfter ich hier auftauchte, um nach irgendeinem Hinweis Ausschau zu halten, umso unsicherer wurde ich, ob das hier überhaupt der richtige Ort war, an dem ich suchen musste. Aber es musste der richtige Ort sein, auch Nelson ging hier hin, um Antworten zu finden. Ich hatte ihn schon so viele Male gesehen und bin ihm jedes Mal gefolgt. Ich weiß bis heute nicht, was ihn hierhergeführt hatte, aber es war kein Zufall, dass er hier anfing, nach Antworten zu suchen. Ich war enttäuscht: Wieso sagte er mir, er glaube nicht an den ganzen Scheiß, aber trotzdem suchte er *alleine* nach Antworten? Ich hatte wirklich gedacht, diese Sache würden wir zusammen durchziehen und nichts könnte dazwischenkommen.

Trotzdem verließ ich nach einiger Zeit ratlos und niedergeschlagen die Lichtung. Ich stapfte durch den Wald und hoffte, dass mich niemand sah, als ich den Kieselweg wieder herauflief. Mit der schwarzen Kapuze tief im Gesicht beeilte ich mich, um schnell wieder in mein Zimmer zu kommen. Als ich dort ankam, war Nelson schon weg. War ja klar! Jeden verdammten Morgen holte er Olivia – oder Lily oder wie auch immer – aus ihrem Zimmer ab, damit sie zusammen hoch zur Schule laufen konnten. Er schaute sie immer wie ein Vollidiot an, der seine Hormone nicht im Griff hatte, und sie musste unununterbrochen grinsen. Es ist ein selbstbewusstes Grinsen, nicht dass ich das nicht mochte, ich konnte einfach nicht mit ansehen, wie sie es meinem Bruder schenkte.

Ich nahm meine Tasche und lief zur Schule. Ich wusste nicht mal in welchen Raum ich musste, welches Fach oder welchen Lehrer ich hatte. Wie gesagt, keine Ahnung, wann ich das letzte Mal einen Fuß in diese Anstalt gesetzt hatte. Ich konnte Olivia und Nelson schon von Weitem erkennen. Ihn, weil er nun mal mein Bruder war, und sie, weil ihre blonden, langen Haare nicht zu übersehen waren. Ich weiß nicht, wieso, verdammt noch mal, aber ich lief gerade an ihnen vorbei, um unerkannt im nächsten Klassenraum zu verschwinden. Doch auch wenn ich es versucht hatte, Nelson folgte mir, weil er mich doch erkannt hatte, und schon standen wir zusammen im Türrahmen. Wo sie war, weiß ich nicht.

„Alter, Mann! Pass doch auf"! Er rannte förmlich in mich rein, ich konnte es nicht leiden, wenn er sich so wichtigtat.

Er trat nervös von einem Fuß auf den anderen und ich merkte, wie unwohl er sich fühlte, hier mit mir zu stehen.

„Cormac, was zum Teufel machst du hier?" Er stellte sich vor mir auf und ich musste mich zusammenreißen, nicht zu lachen.

„Ähm, zur Schule gehen? Ist das jetzt auf einmal falsch?" Ich tat ganz unschuldig und provozierte ihn damit, was mich noch mehr belustigte.

„Seit wann gehst du regelmäßig zur Schule, und dann auch noch um 8:00 Uhr morgens?" Nelson war sichtlich genervt, mich hier aufzufinden und langsam wurde mir bewusst, wieso. Er wollte nicht, dass Olivia mich sah und ich war nur hier, damit ich sie sehen konnte. Anscheinend wird das schwieriger als gedacht, wenn mein Bruder ab jetzt ihr beschissener Wachhund war.

„Ich hatte heute einfach Bock, ich weiß selbst nicht, wieso. Aber scheiß drauf, jetzt bin ich hier." Ich lächelte schief und machte keine Anstalten, das Klassenzimmer zu verlassen. Ich konnte nicht einfach so aufgeben.

Er blickte sich nervös um und ich konnte sehen, dass Olivia noch immer bei einer Gruppe Mädchen stand, die ich bis heute noch nie hier gesehen hatte. Plötzlich packte er mich fest am

Handgelenk und zog mich aus dem Klassenraum heraus. „Ich muss mit dir reden!", murmelte er, obwohl ich bezweifelte, ob er wirklich etwas zu sagen hatte.

Aber das hatte er und ich wünschte, ich hätte mich nie dazu entschlossen, heute in die Schule zu gehen. Ich wünschte, ich wäre ihm heute Morgen nicht begegnet, denn vielleicht wäre er dann nicht auf die Idee gekommen, mir das zu erzählen, wovor ich mich am meisten fürchtete.

So viel Zeit hatte ich in diese Aufgabe gesteckt. So viel Ehrgeiz und Energie hatte ich aufgetrieben, um meinen Traum zu verwirklichen. Als kleiner Junge hatte ich jede Nacht davon geträumt, auf diesem Thron zu sitzen. In meiner eigenen Welt zu leben, ohne irgendwen, der mich vor mir selbst schützen würde. Es war ein Schock, als wir erfuhren, dass wir wirklich ein Teil von diesem Geheimnis werden sollten. Doch es war ein noch größerer Schock, als ich erfuhr, dass nur er für dieses Geheimnis bestimmt war. Es war wieder einmal Nelson, der das bekam, was ich mir wünschte. Ich stand in einem der Seitengänge des Schulgebäudes, als er beschloss, mir die komplette Wahrheit zu erzählen. Dabei wollte ich sie nicht einmal hören. Jedes Wort, das er sagte, schien nicht real. Ich leugnete alles, was ich aus seinem Mund hörte. Und doch wusste ich unterbewusst, dass jedes Wort, was er sagte, nicht gelogen war. Seine Stimme klang fremd und ich musste mich auf jedes Wort konzentrieren, damit ich verstand, was er mir erzählte.

„Cormac, ich war dort. Ich habe die beiden Bäume auf der Lichtung gesehen, das Portal in den Wald. Nur das erstgeborene Enkelkind der Blutlinie hat das Recht auf die Herrschaft über die Geschöpfe.", sagte er ruhig und leise. Seine Stimme war zittrig, er verzweifelte daran, mir die Wahrheit zu sagen. Ich weiß nicht, was er mit diesem Gespräch erreichen wollte, aber die Genugtuung, dass ich es ohne Weiteres akzeptieren würde, konnte ich ihm nicht geben. Als die ersten Spinde zu Boden krachten, wusste ich, dass mein Verhalten Folgen haben würde. Aber das war mir egal. Ich wollte diese ganze Scheiße nicht mehr hören, ich wollte weg von hier.

Natürlich bin ich mit meinem Ausraster nicht unbemerkt davongekommen. Was mich jedoch noch mehr schockierte als alles, was ich gerade erfahren hatte, war, dass Mrs. Woodland genauso viel wusste wie Nelson. Als sie uns in ihr Büro bat, fiel mir auf, dass jeder in diesem verdammten Wald etwas mit diesem Märchen zu tun hatte. Jeder spielte hier eine Rolle, und der einzige Mensch, dem diese Geschichte wirklich etwas bedeutete, hatte nichts damit zu tun. Meinen Gedankengängen nach zu urteilen, versank ich gerade in Selbstmitleid, aber ich bemühte mich, dass alle dachten, ich würde vor Wut platzen. Eigentlich war ich eher traurig, enttäuscht und schockiert, aber ich wollte, dass sie dachten, ich sei sauer. Wut machte mich stärker als Trauer. Dass hatte ich das erste Mal gespürt, als mein Vater verschwand. Ich war monatelang traurig, bis ich mich dazu entschied, wütend auf ihn zu sein. Er hatte uns einfach verlassen und niemand weiß bis heute, ob er noch lebt. Tief im Inneren hoffte ich jeden Tag, dass ich etwas von ihm hörte, selbst nach so langer Zeit hatte ich die Hoffnung nicht aufgegeben.

Trotzdem glaube ich, hatte Mrs. Woodland mich durchschaut. Sie musterte mich mit traurigen Augen. Ich musste auf den Boden schauen, damit ich nicht irgendetwas Fieses sagte. Ich hasste sie. Sie wusste über alles Bescheid, und trotzdem hatte mir niemand die Wahrheit gesagt. Wieso hat mir niemand von diesem Mädchen und der zweiten Blutlinie erzählt? Wieso hatten sie nicht einfach von Anfang an gesagt, dass ich niemals in diesen Wald eintreten konnte? Wieso hatte unser Großvater damals von uns erwartet, dass Nelson und ich zusammenhalten müssten? Er hatte uns direkt ins Gesicht gelogen, denn er hatte gewusst, dass einer von uns beiden niemals ein Teil von der Legende werden würde. Ich hatte keinen Bock mehr auf diese Geheimnistuerei. Als wir fertig waren, stürmte ich aus ihrem Büro. Obwohl ich ganz genau wusste, dass sie die Wahrheit erzählt hatte, wollte ich es nicht wahrhaben. Es konnte nicht so kommen, irgendetwas musste man dagegen machen. Auch Nelson wusste das, er lief hinter mir her und hielt mich am Handgelenk fest. „Ich werde es versuchen, Cormac. Sie wird nichts von mir erfahren!", antwortete er ehrlich.

„Das will ich für dich hoffen!", sagte ich nur kaum hörbar. Ich drehte mich um und ließ ihn stehen. Das hatte er verdient.

Ich lief durch die hellen Flure des Internates, die Flure von meinem Zuhause. Solange hatte ich mich hier wohlgefühlt, niemand hier interessierte sich für jemanden wie mich, es war egal, wieso ich hier war. Die Leute redeten nicht besonders viel und interessierten sich größtenteils für sich selbst und für ihr Image. Die Menschen gingen hier nicht zur Schule, um neue Freunde kennenzulernen. Eigentlich war man hier, damit man allein sein konnte. Es war nach der Tragödie mit meiner Mum der perfekte Ort für Nelson und mich gewesen. Thornforest war ein unscheinbarer Ort mit ein paar Hundert Einwohnern und dieser gigantischen Schule. Niemals hätte ich gedacht, dass ich von hier weggehen würde, so lange ich hierbleiben konnte. Dass ich jetzt genau das vorhatte, ließ mich selbst daran zweifeln, ob es das Richtige war. Vor allem, dass ich vorhatte dorthin zurückzukehren, von wo ich damals geflohen bin. Der Ort, der meine Kindheit so unerträglich gemacht hatte. Aber ich wusste nicht, wo ich sonst hinsollte und eins war klar: Hier konnte ich nicht bleiben, nicht jetzt. Ich stürmte in mein Zimmer und ohne wirklich darüber nachzudenken, nahm ich meinen Rucksack, wühlte wahllos in meinem Schrank nach sauberen Klamotten und kritzelte etwas auf ein Stück Papier.

Fahre zu Mum. Brauche Zeit. Bin im Moment anscheinend eher fehl am Platz. Du weißt, was du zu tun hast … Cormac

Ich war ein Arschloch. Nelson konnte genauso wenig etwas gegen all das hier machen wie ich. Aber irgendjemandem musste ich die Schuld geben und ich konnte nicht bei mir anfangen. Nicht dieses Mal.

Ohne mich noch einmal umzusehen, kletterte ich wie heute Morgen aus dem Fenster und lief den Kieselweg hinunter in den Wald.

KAPITEL 20

Cormac

Keine Ahnung, wie oft ich nach dem Weg fragen musste. Ich kannte den Weg zu meinem früheren Zuhause nicht mehr. Was für ein Scheiß! Mal ehrlich, wenn ich mit Nelson unterwegs gewesen wäre, dann hätte er sich wahrscheinlich an jede Kreuzung und an jedes Straßenschild erinnern können. Aber allein war das eine ganz andere Sache. Inzwischen war es abends, die Sonne ging hinter den Bäumen unter und ich fragte mich, ob Nelson inzwischen meine Notiz gelesen hatte. Wie hatte er darauf reagiert? Hatte er überhaupt reagiert, oder war er zu sehr damit beschäftigt, wie es *ihr* ging? Ich wollte ihren Namen nicht aussprechen, geschweige denn daran denken. Ich musste nach vorne schauen, genau deswegen machte ich diese Reise nach Hause: Um sie zu vergessen, um meinen Bruder zu verlassen und um meine Mum zu verstehen. Was wusste sie noch alles über dieses Märchen? Warum hatte sie uns nicht früher davon erzählt? Hatte sie irgendwann noch mal von unserem Dad gehört? Die letzte Frage hatte zwar eigentlich nichts mit meinen aktuellen Problemen zu tun, aber ich musste in letzter Zeit immer wieder daran denken, dass er vielleicht schon längst wieder am Küchentisch saß und wie früher immer sein Müsli ordnete: Rosinen in die eine Ecke, Haferflocken in die andere und so weiter. Es war ein Tick, den Mum immer unmöglich gefunden hatte und wenn sie ihn ärgern wollte, dann nahm sie einen Löffel und mischte alles wieder durcheinander. Dad hatte sie dann immer zu sich auf den Schoß gezogen und Nelson und ich sind dazugekommen.

Ich erinnerte mich gerne an solche Zeiten, denn genau diese zeigten, dass nicht meine komplette Kindheit reine Zeitverschwendung war. Aber auch der Fakt, *dass* ich noch immer daran denken musste, zeigte mir, wie schwer es mir fiel, neu anzufangen. Neuanfänge: Etwas, was sich so einfach anhörte. Einfach alles stehen und liegen lassen. Ein Neustart, ohne Rückblicke auf die Vergangenheit. Nelson war ein Profi in Sachen Neuanfang. Er kam damit klar, vom ersten Tag an, den wir in Thornforest lebten. Er konnte nach vorne schauen, ohne an gestern zu denken und ich bewundere ihn dafür. Allein der Fakt, dass ich gerade auf einer Fähre saß, die mich *zurück* zu den Western Isles brachte, war Beweis genug, dass ich es mit den Neuanfängen nicht so draufhatte.

Ich klingelte. Die weiße Tür von unserem altmodischen Cottage sah aus wie immer. Das „Willkommen"-Schild hing noch immer daneben. Die drei Stufen zur Tür hinauf waren sauber und obwohl der Herbst nicht zu übersehen war, lag kein Blatt auf dem Hof. Ich klingelte ein zweites Mal. Ihr Auto stand in der Garage, sie musste also da sein. Ich hob meine linke Hand ein drittes Mal, um noch einmal auf die kalte, eiserne Klingel zu drücken, da öffnete sich die Tür mit einem energischen Schwung. Mir kam der altvertraute Geruch von zu Hause entgegen. Früher hatte ich nach einem langen Urlaub immer die Luft angehalten, bis ich mitten im großen Eingangsflur stand und dann habe ich den Duft von zu Hause so stark eingeatmet, dass einem dabei schwindelig wurde. Die ganzen Erinnerungen an das Leben vor Thornforest schwelgten in meinem Kopf, sodass ich mich nach kurzer Zeit zusammenreißen musste, wieder in die Realität zurückzukommen. Im Türrahmen stand eine Frau. Sie trug ein langärmliges Kleid und Sneakers. Sie sah jung und cool aus und ich wusste nicht, was ich sagen sollte. Ihre schwarzen Haare waren zu einem dicken Zopf zusammengebunden und einzelne Strähnen fielen ihr ins Gesicht. Sie war geschminkt und ihre großen dunklen Augen starrten mich an, als wären wir uns noch nie begegnet. Sie war zierlich und ihr hübsches Gesicht mit den zarten Konturen passten perfekt zu dem Rest ihres Körpers. In diesem Moment verstand ich, wieso ich früher heimlich in meine Mum verliebt gewesen bin. Im nächsten Moment war allein der Gedanke daran einfach nur peinlich. Ich konzentrierte mich wieder darauf, dass ich wirklich auf der Fußmatte unseres Zuhauses stand. Auch wenn ich es nicht glauben konnte, die Frau, die mir eben die Tür geöffnet hatte, war meine Mum. Das letzte Mal, als ich sie gesehen habe, war sie völlig neben der Spur gewesen und das war nicht mal ein halbes Jahr her. Jetzt sah sie gesund und sportlich aus. Mindestens genauso lange wie ich brauchte sie, um zu erkennen und zu realisieren, wer da auf ihrer Türschwelle stand. Als sie wieder aus ihrer Starre aufwachte, schlug sie sich die Hand vor den Mund und fing an zu schluchzen. „Oh mein Gott. Cormac! Was machst du denn hier?" Sie war erstaunt, aber ich glaube, sie freute sich. Ich musste grinsen. Es war dieses schiefe Grinsen, das wusste ich, obwohl ich es nicht sah. Jeder aus unserer Familie grinste so, wenn er mit etwas zufrieden war. Ich wusste, dass ich eigentlich nicht hierhergekommen war, um ein Familienfest zu feiern, aber für einen ganz kurzen Moment vergaß ich all den Scheiß, mit dem ich in den letzten Wochen zu kämpfen hatte. Ich trat über die Türschwelle und umarmte sie. Es war eine liebevolle, keinesfalls gezwungene Umarmung und sie tat gut. Besser als ich es jemals erwartet hätte. Jegliche Last der letzten Wochen fiel von meinen Schultern und für einen kurzen Moment, in dem ich sie in den Armen hielt, vergaß ich sogar das schlechte Gewissen, das ich Nelson zurückgelassen hatte, um hierherzukommen.

Also war es wirklich so gekommen. Nie hätte ich gedacht, dass ich freiwillig an diesen Ort zurückkehren würde. Und jetzt stand ich in unserem Flur, atmete den Duft von zu Hause so stark ein, bis mir schwindelig wurde und begutachtete die Babyfotos von Nelson und mir. Ich musste lachen. Ich lachte wie schon lange nicht mehr und es verdrängte alle Sorgen und Zweifel, die sich in den letzten Wochen in mir ausgebreitet hatten.

Mum nahm mir meinen Rucksack ab. Sie sah trotz ihres selbstbewussten Auftretens etwas unsicher aus und um ihr die Situation zu erleichtern, ging ich an ihr vorbei in die Küche. Es roch nach frisch gebackenem Kuchen, die Sonne schien durch die großen Fenster und durch sie hindurch konnte ich den großen

Garten sehen, der perfekt gepflegt war. Alles war so anders im Vergleich dazu, wie ich es vor so vielen Jahren verlassen hatte. Es freute mich, dass unsere Mum es geschafft hatte, ihr Leben wieder in den Griff zu bekommen. Trotzdem verließ mich das Gefühl von Enttäuschung nicht: Wann hatte sie angefangen, wieder so zu leben? Warum hatte sie uns nicht Bescheid gegeben, als es ihr besser ging? Und dann beantwortete sich meine Frage von selbst, denn die Antwort höchstpersönlich saß an unserem Küchentisch.

Ein groß gewachsener Mann mit dunklen Haaren und hellblauen Augen stützte seinen Kopf auf seinen Händen ab. Er sah jünger aus als Mum: Sportlich, muskulös und … jünger eben. Ich brauchte nicht lange, um zu verstehen, was für eine Rolle er in ihrem Leben spielte, aber ich erschrak trotzdem, als ich ihn da so habe sitzen sehen.

„Äh. Hi?!" Es sollte cool klingen, tat es aber nicht.

„Oh, Cormac, das ist Steffen. Er ist … Nun ja. Er …" Mum kam hinter mir in die Küche geeilt und probierte mir verzweifelt zu erklären, wer der Typ in unserem Esszimmer war.

„… ist ihr Freund", meldete der Typ sich jetzt zu Wort. Seine Stimme war tief und rau. Er räusperte sich einmal und stand auf, um auf mich zuzugehen. „Freut mich, dich kennenzulernen, Cormac. June hat schon so viel über euch erzählt. Ich bin Steffen Parker." Er krempelte sich den Ärmel seines Sweatshirts hoch und hielt mir seine Hand hin. Ich stutzte kurz, bevor ich seine Hand schüttelte. Sein kompletter Arm war tätowiert, kein Stück freie Haut war noch zu sehen. Von schwarz-weiß bis Farbe, Motive oder Schriftzüge, alles hatte seinen Platz. Am Ausschnitt seines Shirts konnte ich noch weitere Tinte erkennen und irgendwas sagte mir, dass es am Rest seines Körpers nicht anders war.

Als ich meine Stimme wiederfand, antwortete ich leise: „Ja, freut mich auch. Glaube ich."

Es dauerte eine halbe Ewigkeit, bis Steffen-ich-bin-cooler-als-ihr-alle-Parker sich endlich dazu entschied, nach Hause zu fahren. Ich atmete auf, als ich mitbekam, dass er noch nicht hier wohnte, denn ich wusste auch nach dem Abend, den ich mit ihm verbracht habe, nicht, was ich von ihm halten sollte. Sicher war, er machte meine Mum glücklich und hatte anscheinend eine Vorliebe zur Gartenarbeit und was sollte es mich auch interessieren, ich wohnte schließlich eh nicht mehr hier. Und trotzdem wollte ich keinen Gedanken daran verschwenden, wie meine Mum auf dem Weg zur Besserung von so einem Mistkerl verarscht wurde. Ich schwöre, wenn er sie verarschte, dann …

Schließlich, nach sechs Umarmungen und mindestens genauso vielen Abschiedsküssen, kam der Moment, auf den ich den ganzen Tag lang gewartet hatte, als er in seinen weißen Porsche 911 stieg und mit quietschenden Reifen vom Hof fuhr.

„Was war das denn?" Das war alles, was ich zu diesem Typ sagen konnte, ehe er davongefahren war.

„Ich weiß auch nicht, Cormac. Es hat sich so ergeben und nach all dem, was passiert ist, hat er mir unglaublich geholfen." Sie strahlte, als sie mir erzählte, dass sie ihn in einem Pub in der Stadt kennengelernt hat. Er habe ihr „sehr geholfen" (diese Worte benutzte sie in ungefähr jedem dritten Satz) und wegen ihm sei sie nun seit mehreren Wochen trocken, erzählte sie mit einer Euphorie in der Stimme, die ich noch nie von ihr gehört habe. Aber das könnte auch daran liegen, dass ich sie einfach schon so lange nicht mehr gehört hatte. Es war ja schön und gut, aber wieso konnte es nicht beim Helfen bleiben? Ich konnte einfach nicht mit dem Gedanken umgehen, dass dieser Steffen-meine-Tattoos-machen-mich-männlich-Schleimer die Ersatzrolle von meinem Vater werden sollte.

Helfen hin oder her, ich wollte ihre gute Laune nicht zerstören, antwortete daher kurz mit einem „Aha!" und wendete dann den Blick von ihr ab. Sie schien es auch nicht weiter zu interessieren, denn sie ging freudig zum nächsten Thema über: „Wo hast du denn Nelson gelassen, ich dachte ihr beiden könntet nicht ohneeinander?!"

Ja, da merkte man mal wieder, wie wenig sie an unserem Leben in den letzten Jahren teilgehabt hatte. Ich konnte sehr gut ohne Nelson, zumindest tat ich den Großteil der Zeit so. Ich brauchte niemanden und genau das war der Grund, wieso ich jetzt hier war, bei der Person, die mich am meisten verletzt hatte … *Super, Cormac, wie verzweifelt muss man sein, verdammt!*

Die Situation wurde mit jeder Minute ungemütlicher und unser Gespräch bestand eigentlich grundsätzlich daraus, dass sie Fragen stellte, die gar nicht in mein Leben passten, (ich war nämlich nie gut in Naturwissenschaften gewesen, das war Nelson) und ich viel zu kurze, abgehackte Antworten gab. Sie war wirklich wie ausgewechselt. Ein anderer Mensch, sie lachte und redete viel und ich fragte mich, ob es wirklich nur an Steffen-hat-mir-sehr-geholfen-Parker lag, dass sie ihr Leben wieder in den Griff bekam. So sehr ich mich für sie freute, musste ich ihr irgendwann gestehen, dass ich nicht zum Small Talk-Halten hergekommen war, sondern wirklich nach Antworten suchte. In einem Moment der Stille ergriff ich meine Chance und meine Miene wurde ernst.

„Mum, ich bin hierhergekommen, um dich etwas zu fragen", fing ich vorsichtig an. Ich verknotete meine Finger beim Sprechen, das tat ich immer, sobald ich nervös wurde. Wobei nervös wohl eine leichte Untertreibung war, wenn man wusste, worauf ich hinauswollte. Ich hatte keine Ahnung, wie meine Mutter, die seit Jahren nicht mehr wirklich mit mir gesprochen hatte, auf den Namen des Märchens reagieren würde. „Also, ich bin hier, weil … Na ja, es ist kompliziert, aber … Weißt du …" Ich brach ab, ich gab's auf. Es war so viel schwerer als gedacht. So viele verschiedene Satzanfänge hatte ich mir auf dem Weg hier hin überlegt und jetzt war mein Kopf so leer, dass es mir schwerfiel, mich daran zu erinnern, welcher Tag heute war. Ja, nervös war definitiv untertrieben. Ich hasste diese hoffnungslose, schwache Person, die ich gerade darstellte.

Als ich immer noch innehielt, weil ich wusste, dass ich es in einem zweiten Anlauf nicht besser formulieren könnte, hörte ich meine Mutter seufzen. Sie öffnete ihre Haare und fuhr sich mit ihren langen Fingern durch. Als sie den Blick auf mich richtete, hauchte sie: „Ich habe schon überlegt, wann der Erste von euch beiden hier auftauchen wird. Ich hatte geahnt, dass es nicht mehr lange dauern würde."

Ich musste zugeben, mit dieser Antwort hatte ich am wenigsten gerechnet. Sie starrte mich plötzlich mit so leeren Augen an, dass ich mir wünschte, ich hätte sie nie danach gefragt. „Damals, im Direktorat von Mrs. Woodland, war ich vielleicht keine große Hilfe, aber ich wusste genau, um was es ging. Ich hatte mich mein Leben lang mit diesem Märchen auseinandergesetzt, Cormac. Ich bezweifle, dass es überhaupt jemanden gibt, der es besser kennt als ich", hauchte sie leise in meine Richtung, ohne ihren starren Blick von mir abzuwenden. „Deswegen war mir auch von Anfang an bewusst, dass es unmöglich war, zwei neue Herrscher aus der gleichen Blutlinie zu schaffen. Die beiden Herrscher standen von dem Tag ihrer Geburt an fest, und doch glaubten wir, dass *ihr beide* infrage kommen könntet."

Sie wiederholte genau die Worte, die ich mir von Nelson und Direktorin Woodland schon anhören musste und ich war mir sicher, dass ich es nicht noch ein drittes Mal aushielt, ohne daran kaputt zu gehen. Es musste eine Lösung geben, deswegen war ich doch hier. Sie konnte mich doch jetzt nicht enttäuschen.

„Wieso habt ihr uns gesagt, dass wir die beiden Nachfolger sein werden, wenn ihr genau wusstet, dass es unmöglich war?" Ich redete langsam, damit ich nicht vor Wut und Enttäuschung anfing zu schreien. Meine Stimme zitterte. Mit jedem Wort, das ich aussprach, wurde sie tiefer und kälter.

Mum redete mindestens genauso langsam und deutlich, auch sie musste sich beherrschen, nicht die Fassung zu verlieren. „Cormac, wir hatten es immer für schwierig, aber nie für unmöglich gehalten! Ich bin noch heute der Meinung, dass derjenige, der durch den Schleier schauen kann, derjenige, der das Portal durchqueren kann, in der Lage ist, eine zweite Person mit sich hineinzubringen. Sobald das Tor in die andere Welt geöffnet ist, könnte rein theoretisch jeder Mensch an der Seite eines Nachfolgers den Wald betreten. Dann seid ihr beide beim Ritual dabei!"

Welcher Schleier, welches Portal? Wovon redete sie da? Wusste Nelson von diesem Schleier? Wenn ja, hätte er mir dann davon erzählt? Jetzt war es um mich geschehen, ich verlor den Halt unter den Füßen und schrie sie an: „Es ist Nelson! Wieder einmal ist es Nelson, der das bekommt, was ich mir gewünscht habe. Er hasst Märchen. Mum, er hasst sie!"

„Cormac, das weiß ich und deswegen dachten wir, zusammen hättet ihr die Möglichkeit, diese Aufgabe zu bewältigen. Ihr seid stärker zusammen, das ist unmöglich zu leugnen." Verzweifelt versuchte sie mich zu beruhigen, es nützte nichts. Ich wendete den Blick ab und schaute aus dem Fenster. Es war inzwischen dunkel geworden. Irgendwo in der Ferne hörte ich eine Eule schreien. Eine gefühlte Ewigkeit verging, in der wir beide nicht wussten, was wir sagen sollten. Ich war enttäuscht und wütend, weil sie mich angelogen hatte, um mir Hoffnung zu geben. Nur ist Hoffnung ein verflixtes Scheißgefühl: Gerade, wenn man anfängt Hoffnung aufzubauen, kommt die Realität und zerstört alles mit einem kleinen Funken Wahrheit. Mum war glaube ich einfach nur erschöpft. Wir zuckten beide zusammen, als die Türklingel uns wieder in die Realität versetzte. Meine Mum stand auf, um nachzusehen, wer so spät noch bei ihr klingelte. Hauptsache es war nicht Steffen Parker.

Nein, der war es nicht. Das konnte ich schon allein deswegen sagen, weil ich ungefähr fünf Minuten nichts mehr von Mum hörte, außer einem Schluchzen, wie schon einige Stunden zuvor. Ich wollte nachsehen, ob alles in Ordnung war, als ich eine Stimme hörte. Die vertrauteste Stimme, die ich kenne. „Hallo Mum ...", brachte mein Bruder atemlos heraus. Er war mindestens genauso geschockt wie ich, als ich Mum heute Nachmittag in der Tür stehen sah.

Auch ich musste mich einen Moment sammeln, weil ich nicht wusste, wieso Nelson mir gefolgt war. Ich dachte, ich würde ihm einen Gefallen tun, wenn ich ihn mit ihr alleine in Thornforest lassen würde. Und jetzt, ungefähr acht Stunden später, stand er mindestens genauso verloren wie ich zuvor auf der Türschwelle unserer Mum. Es war wirklich verdammt verkorkst. Wobei ich mir nach ein paar Minuten ziemlich sicher war, dass er genauso wenig wie ich hierhergekommen war, um mit unserer Mum Small Talk zu halten. Dies bestätigte sich, als er immer noch atemlos seinen Rucksack im Flur in die Ecke schleuderte, auf mich zukam und aufgebracht sagte: „Sie sind tot!"

Meine Mum, die immer noch die Türklinke in der Hand hatte und offenbar immer noch nicht glauben konnte, dass ihre beiden Söhne in ihrem Flur standen, stieß einen unterdrückten Schrei aus. Anscheinend hatte sie sofort verstanden, worum es ging und wen Nelson damit meinte. Nur ich stand wieder einmal nichts ahnend und komplett verwirrt zwischen den beiden, weil ich keine Ahnung von irgendetwas hatte. Das begriff auch Nelson, denn er machte einen Schritt auf mich zu und packte mich an den Schultern. „Cormac, sie sind beide tot, beide Herrscher aus *Thornforest's Legend*." Er redete auf mich ein und begann an meinen Schultern zu zerren. Sie beide waren tot? Jetzt schon? Ich meine, es war gerade mal vier Monate her, dass wir überhaupt von diesem ganzen Kram erfahren hatten und kurz danach starben beide *unsterblichen* Herrscher aus der Legende? Man musste kein Genie sein, um zu verstehen, dass das hier kein Zufall war.

„Oh …!", war alles, was ich herausbrachte. Ich musste mich darauf konzentrieren, nicht zu vergessen zu atmen. Mein Grandpa war gestorben, genauso wie der Grandpa von Olivia, und alles, was mir dazu einfiel, war „*Oh*"? Ich war wirklich unmöglich, egoistisch und vielleicht ein kleines bisschen schadenfroh. Weil das bedeutete, dass jetzt der Moment gekommen war, an dem die Aufgabe an die Nachfolger weitergegeben wurde.

KAPITEL 21

Cormac

*I*ch wusste, dass sie damit nicht ungestraft davonkommen würden", murmelte unsere Mum vor sich hin, während „ sie verzweifelt die Küche auf und ab lief. „Alle hatten sie gewarnt und trotzdem wollten sie nicht auf uns hören … Ich wusste es! Ich hatte ihn gewarnt!"

Es machte mich nervös, wie sie sich immer am Ende der Küche um 180 Grad drehte und wieder in die andere Richtung zurücklief. Doch noch viel nervöser machte mich die Ungewissheit, die mit jedem Schritt meiner Mutter in mir wuchs. Trotzdem konnte ich mir den kleinen Funken von Triumph nicht verkneifen, weil ich an Nelsons Blick erkennen konnte, dass er jetzt gerade genauso wenig raffte wie ich. Ha! Er wusste eben auch nicht *alles*.

Aber ich musste mich wieder sammeln, denn das war nun wirklich nicht der passende Zeitpunkt, in dem man stolz auf seine Schadenfreude sein sollte. Inzwischen hatte ich auf jeden Fall begriffen, dass die Verzweiflung unserer Mutter irgendetwas mit dem Tod der beiden Herrscher zu tun hatte, mal ganz abgesehen davon, dass einer von ihnen ihr Vater war! Aber wieso sind sie gestorben? Ich konnte mir das alles hier nicht erklären, genauso wenig wie Nelson und wenn wir jetzt nicht fragten, dann waren wir selbst schuld, denn dann würden wir auch keine Antworten bekommen.

„Mum!", riefen Nelson und ich gleichzeitig, nachdem er mir einen vielsagenden Blick zugeworfen hatte. Sie schreckte hoch und ich hatte einen kurzen Moment das Gefühl, dass das hier alles zu viel für sie war. *„Reiß dich zusammen!"*, wollte ich ihr per Gedankenübertragung sagen und weil sie sich räusperte und auf uns zukam, schien sie mich verstanden zu haben.

Nelson redete weiter ruhig und konzentriert auf sie ein. „Mum, Cormac und ich sind hierhergekommen, um Antworten zu finden und wir brauchen wirklich deine Hilfe!" Die Dringlichkeit in seiner Stimme war nicht zu überhören. Schweigend fing unsere Mutter wieder an, durch das Haus zu laufen. Doch wir hielten sie nicht auf, sie suchte nach etwas. Schließlich verschwand sie für einen kurzen Moment im Wohnzimmer. Ich ergriff diese Möglichkeit und zischte Nelson zu: „Was willst du hier?"

Unbeirrt zuckte er mit den Schultern und schaute auf seine Schuhe. „Du brauchst mich, du kannst das nicht alleine durchziehen." Er redete genauso leise wie ich, und trotzdem musste ich mich extrem anstrengen, ihn zu verstehen. Ich wollte etwas erwidern, schon wieder machte er mich wütend mit seinem überheblichen Selbstbewusstsein. Ich öffnete den Mund, jedoch hielt ich inne. *Ich brauchte ihn.* Es stimmte und ich konnte es nicht länger leugnen. Aber der Fakt, dass er nun hier stand, um *mir* zu helfen, bewies mir zumindest, dass er mir helfen wollte. Ich sagte nichts mehr, denn wenn ich jetzt unnötig Streit anzetteln würde, dann war uns beiden auch nicht geholfen. Für Nelson war alles gesagt und daher schwiegen wir die restliche Zeit, bis Mum schließlich zurück in die Küche gehetzt kam, mit ein paar Seiten vergilbtem Papier in den Händen.

„Ihr müsst genau zuhören, ich denke, dass sich hier drin die Hinweise befinden könnten, nach denen ihr die ganze Zeit gesucht habt. Womöglich sind das die Antworten, die eure Fragen klären." Sie hielt inne, als sie stumm die Seiten überflog. „Ich wollte mit dieser Sache abschließen, wisst ihr. Ich wollte ein Leben ohne dieses Märchen leben. Und trotzdem hatte ich all diese Seiten aufgehoben ..." Nelson und ich wechselten einen unsicheren Blick, als ob wir beide nicht wüssten, ob wir diesem Papier trauen sollten.

„Hier, das ist es!" Ohne noch einmal den Kopf anzuheben, fing sie an uns aus einem Märchenbuch vorzulesen. Schade eigentlich, dass es im Grunde um die zwölf Jahre zu spät war ...

... Er sollte ein zweiter Herrscher sein.

Es blieb keine Zeit zum Grübeln, weshalb es so gekommen war. Das Ritual wurde vollzogen und die beiden Herrscher mussten ihre Leben aneinanderbinden. Ein großer Preis, der gezahlt wurde, damit sie nie mehr alleine sein müssen. Die beiden Männer lebten zusammen, umgeben von unzähligen Geschöpfen und zwei Frauen: Greta hatte ihre Schwester mitgebracht, Anne, und beide besaßen die Gabe, den Wald zu betreten, wann immer sie mochten. Das Leben in diesem Wald hätte perfekter nicht sein können. Die Jahre zogen ins Land und niemand von den vieren hatte auch nur einmal daran gedacht, das alles hier hinter sich zu lassen. Zum einen wollten sie nicht den Ort verlassen, der für sie ihr Zuhause geworden war. Doch mit der Zeit schlich sich Angst in das Leben der vier: Sie waren verflucht worden, ein Leben allein zu leben. Isoliert von der Außenwelt, kein Kontakt zu Menschen, die nicht von diesem Geheimnis wussten. Und so sollte es auch bleiben. Den Herrschern war es verboten, auch nur ein Wort über ihr Geheimnis an jene zu verlieren, die nicht in diesen Wald eintreten konnten. Es war ihnen verboten, darüber zu sprechen, und wer sich nicht an diese Regel hielt, der würde die Konsequenzen am eigenen Leib zu spüren bekommen.

Und aus diesem Grund wagte es keiner der vier, ihren Wald und ihr Geheimnis zu verlassen, denn sie wussten, dass die Strafe tödlich sein würde ...

Obwohl es unmöglich das Ende des Kapitels sein konnte, hörte Mum plötzlich auf zu lesen und hielt inne. Für sie machte es anscheinend alles einen Sinn, denn sie starrte wie gebannt auf die beschriebenen Seiten. Ich war verwirrt. So viele Male hatte ich dieses Buch aufgeschlagen und so viele Male war ich an der letzten Seite angelangt mit dem Gedanken, dass das noch nicht das Ende sein kann. All die Jahre hatte ich recht, es war noch nicht das Ende, denn das Ende befand sich nie in meinem großen Buch. Das Ende befand sich die ganze Zeit über im Besitz meiner Mutter und ich habe es nicht einmal bemerkt.

„3 Monate und 23 Tage", flüsterte Nelson mehr zu sich, als zu irgendjemand anderem. Was wollte er jetzt? Das alles machte überhaupt keinen Sinn und er half wirklich nicht dabei, wenn er jetzt ...

„Ja!" Mum nickte ihm zu. „So lange ist es jetzt her, dass wir euch in der Schule erzählt haben, was auf euch zukommen wird. Ihr hattet nichts mit dem Thema zu tun und Direktorin Woodland wusste schon immer, dass es wahr war. Anne Woodland!"

„Das heißt, die beiden Herrscher sind gestorben, weil du und Grandpa uns von dem Geheimnis erzählt habt?" Verwirrt starrte ich auf die Seiten Papier in ihren Händen. Auch wenn ich nicht sofort darauf gekommen bin, es machte Sinn. „Die beiden Herrscher können nur sterben, wenn sie das Vertrauen der Geschöpfe missbrauchen ...", murmelte Nelson noch immer gedankenverloren vor sich hin.

„... *durch einen Schnitt aus Tieres Händen ...*", hauchte ich ihnen entgegen. Es klang viel düsterer, als ich es beabsichtigt habe, aber ich hatte es damit auf den Punkt gebracht. Einen kurzen Moment lang spürte ich wieder diese Schadenfreude, doch ich zwang mich, das Lächeln auf meinen Lippen zu unterdrücken. Es war wirklich nicht zum Lachen: Wir saßen mitten in der Nacht am Tisch, im Haus unserer Mutter, die wir seit Jahren nicht gesehen haben, und suchten Antworten auf Fragen, die wir eigentlich gar nicht stellen dürften, weil wir eigentlich gar nichts wissen sollten. Hatte ich schon erwähnt es sei verkorkst? Maßlose Untertreibung!

* * *

Natürlich hatten wir diese Nacht nicht geschlafen. Wie auch? Wir befanden uns seit Jahren zum ersten Mal wieder in unserem Zimmer. Alles stand noch genauso da, wie wir es verlassen hatten. Links stand mein kleines Bett, unter dem ich mein Buch versteckt habe, bis es eines Tages einfach spurlos verschwand. Am Fenster wehten immer noch die dunkelblauen Gardinen, hinter denen ich mich immer versteckt habe, wenn Mum betrunken die Treppe hoch getorkelt kam. Selbst die Vermisstenanzeige mit dem Bild von meinem Dad lag noch in der Schreibtischschublade.

Um es kurzzufassen, der Anblick dieses Zimmers weckte alles außer schöne Kindheitserinnerungen. Es tat weh, es alles da stehen zu sehen, als sei ich nie weg gewesen, als hätte ich mein Leben in den letzten Jahren so weitergelebt. Auch Nelson musste zweimal tief durchatmen, als er die Zimmertür aufmachte. Die großen Buchstaben, die an der Tür prangten, wirkten einladend und fröhlich. *Hier wohnt Nelson,* konnte ich von meiner Tür aus perfekt lesen. Nelson starrte wie versteinert auf seinen Namen und ich wusste, was er dachte: Nie hätte man gedacht, dass die Kinder, die hier wohnten, vor ihrem eigenen Zuhause geflohen sind. Nie hätte man es für möglich gehalten, dass mit diesem Anblick Erinnerungen zum Vorschein kamen, bei denen einem schlecht wurde.

Mit aller Kraft schlug ich die weiße Tür zu und ein Windstoß wirbelte durchs Haus. Der Knall war nicht zu überhören und Mum rief von unten irgendetwas die Treppe herauf, jedoch verstand ich nicht, was.

„Ja, entschuldige. Das war nur der Wind!", rief Nelson mit aller Kraft sich zusammenzureißen zurück. Als wir nichts mehr von unten hörten, wirbelte er herum und funkelte mich an: „Verdammt, Cormac! Kannst du dich nicht einmal zusammenreißen?" Er war am Verzweifeln, das sah man genau. „Als ob das nicht schon alles schwierig genug wäre …", murmelte er eher zu sich selbst als zu mir. Ich hatte langsam keinen Bock mehr, mich von ihm rumkommandieren zu lassen, und wenn ich noch länger nichts sagen würde, dann platzte mir wirklich der Kragen.

„Oh, entschuldige bitte, dass wir nicht alle so erwachsen und reif sind wie der höfliche und perfekte Nelson!", sagte ich mit sarkastischem Unterton. „Nelson, ich habe keinen Bock mehr, mir von dir sagen lassen zu müssen, wie ich mich zu verhalten habe. Wenn ich die Tür knallen will, dann knalle ich verdammt noch mal die Tür!" Ich wollte eigentlich nicht schreien, aber jetzt war es zu spät …

„Oh bitte, Cormac! Du führst dich auf wie ein Vierjähriger und ich habe echt andere Sorgen, als mich hier mit dir zu streiten, weil du Türen knallst!" Er kam einen Schritt auf mich zu, was mich früher eingeschüchtert hätte, aber als wir heute in diesem Haus standen, war alles so anders. Der kleine Schatten konnte nicht mehr einfach so von diesem blendenden Licht verdrängt werden. Ich blieb standhaft und schaute ihm direkt in die Augen. Mit zusammengebissenen Zähnen zischte ich: „Was hast du denn für Sorgen, du Arschloch? Hast du Angst, dass du Weihnachten nicht wieder bei deiner kleinen, perfekten Freundin im Internat bist? Hast du etwa Angst, ich könnte ihr und dir einen Strich durch deine perfekt geplante Rechnung machen?"

„Was meinst du?" Er sah erschöpft aus, als er sich durch sein blondes Haar fuhr, und ließ von mir ab. Er wusste genau, was ich meinte.

„Du und sie! Als ob ich nicht gemerkt habe, dass du es geplant hast, mit *ihr* das Ritual zu vollziehen. Du willst mich gar nicht dabeihaben!" Meine Stimme klang vorwurfsvoll.

„Bist du eigentlich komplett bescheuert? Wieso, denkst du, bin ich jetzt hier, wenn ich dir eigentlich gar nicht helfen wollte? Sag mir einen beschissenen Grund!" Jetzt war es auch bei Nelson so weit, dass er anfing zu schreien.

„Keine Ahnung, vielleicht weil du Heimweh nach Mummy hattest?" Gleichgültig zuckte ich mit den Schultern. An seinem Blick konnte ich sehen, dass ich ihn damit getroffen hatte. Er kam erneut auf mich zu, so nah, dass er nur noch flüstern musste. Seine Stimme klang messerscharf, als er sich zu mir rüber beugte und zischte: „Oh, Cormac, du bist so erbärmlich! Wieso kannst du nicht *einmal* glauben, dass man dir wirklich helfen will. Bist du so verblendet, dass du nie das Gute in den Menschen sehen kannst? Hast du dich mal gefragt, ob du das Problem sein könntest und nicht immer alle anderen? Das ist so armselig!" Er lachte leise, als er endlich fertig war und das gab mir den Rest: Ich schubste ihn unsanft von mir weg, sodass er mit aller Wucht gegen das Treppengeländer prallte. Er sank zu Boden, aber ich war noch nicht fertig. Ich holte aus, mein Ziel war sein rechtes Auge, jedoch kam ich nicht so weit, dass ich ihn traf.

Ich wurde von ihm weggerissen, starke Arme schlossen sich um mich und so sehr ich mich bemühte, ich konnte mich nicht befreien.

„Ganz ruhig, Jungs, benehmt euch gefälligst im Haus eurer Mutter!", sagte eine raue Stimme dicht an meinem linken Ohr. Sie klang bedrohlich. Das hatte mir wirklich noch gefehlt!

„Danke, Steffen, ich weiß auch nicht, wieso es immer wieder passiert." Das war die Stimme meiner Mutter. Hatte sie sie noch alle? *Immer wieder?* Woher weiß sie denn bitte, wann wir uns das letzte Mal geprügelt haben?

Als Steffen endlich seinen Griff lockerte, riss ich mich los und wirbelte herum. Ich machte einen Schritt auf Mum zu und schrie ihr ins Gesicht: „Immer wieder also? Woher willst du denn bitte wissen, wann ich Nelson das letzte Mal eine reingehauen habe? Woher willst du wissen, wie wir miteinander umgehen, wenn du unsere halbe Kindheit damit verbracht hast, dir das Hirn wegzusaufen?"

Ich wusste wie hart diese Worte waren und eigentlich tat es mir leid, als ich sie aussprach. Mum fing an zu weinen und Nelson stand auf, um sich vor mich zu stellen. Ich hasste ihn. Und sie auch. Und dieses komische Steffen-ich-bin-ihr-Lebensretter-Arschloch sowieso. Aber Nelson hatte recht. Ich hatte für eine Nacht schon viel zu viel Scheiße gebaut und deswegen drehte ich mich um und verschwand, immer noch etwas beschämt wegen meiner krassen Wortwahl, in „meinem" Zimmer.

Ich hätte wissen müssen, dass es eine beschissene Idee war, hierherzukommen. All die traumatischen Erinnerungen und der Schmerz, den ich hier fühlte, all das konnte nicht nach sieben Jahren einfach so verschwunden sein. Ich musste lachen. Wie erbärmlich von mir, so etwas auch nur zu glauben …

KAPITEL 22

Cormac

Mum meinte es wirklich ernst, was die Versöhnung der „Familie" Morrington anging. In den nächsten Tagen mussten wir uns immer wieder zusammensetzen und all das aufholen, was sie in den letzten sieben Jahren verpasst hatte. Wenn ich gewusst hätte, dass mich so was hier erwartet, dann wäre ich wirklich lieber im Internat geblieben, ohne Antworten auf meine Fragen. Aber jetzt war es nun mal zu spät und ich musste da durch. Ungefähr eine Woche war vergangen, dass ihre beiden Söhne auf ihrer Fußmatte auftauchten und sie dachte, glaube ich immer noch, dass es daran lag, weil wir sie so schrecklich vermisst haben.

Wobei ich ihr eigentlich ziemlich klargemacht habe, dass dies nicht der Fall war. Trotzdem saßen wir jetzt jeden Morgen und jeden Abend hier, redeten über unser Leben und über das, was uns beschäftigt. Ich fühlte mich wie in einer verdammten Selbsthilfegruppe. Aber Nelson meinte, wir sollten dem Ganzen hier eine Chance geben, weil unsere Mum wirklich auf dem Weg der Besserung war. Also ließ ich mich darauf ein. Nicht weil Nelson so lieb gefragt hatte, sondern weil ich hier in absehbarer Zukunft sowieso erst mal nicht wegkam. Vielleicht aber doch, weil ich noch immer ein schlechtes Gewissen hatte wegen den Worten, die ich Mum in der ersten Nacht an den Kopf geworfen hatte.

Was diese ganze Sache jedoch noch schlimmer machte, als sie ohnehin schon war, war Steffen Parker. Ich konnte ihn von Anfang an nicht ausstehen, weil ich nicht mit dem Gedanken klarkam, dass er unseren Vater ersetzte, und im Laufe der Woche entwickelte ich eine extreme Abneigung ihm gegenüber. Nelson sagte, ich solle ihm eine Chance geben, weil er Mum glücklich machte, aber ich konnte nicht. Seine charmant-arrogante Art war wirklich ätzend und ich wusste, dass Nelson das auch so sah. Er war nur zu höflich, es nicht zu zeigen. Er war so höflich, dass er hier jedem und allem eine Chance geben wollte.

Also saßen wir jetzt jeden Abend am Tisch, aßen zusammen und gaben vor, eine perfekte, normale Familie zu sein. Heuchler!

An dem Tisch saß nämlich keine perfekte Familie, sondern eine Frau, die so tat, als ob es ihr gut ginge; ein Mann, der sich für was Besseres hielt, und mein Bruder, der zu feige dazu war, zu sagen, dass wir alle Heuchler waren.

An einem Sonntagabend saßen wir wieder alle zusammen und ich musste mein Essen herunterwürgen, weil ich auf dieses Spiel so langsam keinen Bock mehr hatte. Nelson erzählte vom Internat und alle hörten gespannt zu. „Ja, es ist wirklich extrem cool da! Zwischen den Kirschbäumen hängen Hängematten und im Sommer kann man ewig lange drauß…"

„Mum, sag mal, wo hast du eigentlich die ganzen Familienfotos mit Dad hingetan?" Ich unterbrach ihn und wusste, noch bevor ich den Satz ausgesprochen hatte, dass ich damit ins Schwarze getroffen habe. Es war totenstill im Raum und dieses Mal konnte ich mir mein bösartiges Lächeln nicht verkneifen. Ich war wirklich erbärmlich und unmöglich, aber irgendetwas musste man doch machen. Ich versuchte, mich vor mir selbst zu rechtfertigen, als ich aus dem Augenwinkel sah, wie Nelson vor Scham seinen Kopf in den Händen vergrub.

Somit hatte ich das gemütliche Zusammensein gecrashed und meine Arbeit war getan. „Also!", sagte ich gedehnt, während ich meinen Stuhl zurückschob. „Ich werde mich jetzt verabschieden, aber ich wünsche euch noch einen schönen Abend!" Ohne ein weiteres Wort verschwand ich in meinem Zimmer. Dieses Haus war ein Albtraum, und wenn ich hier noch länger bleiben musste, dann würde ich verrückt werden, wenn ich es nicht schon war.

„Was sollte das denn jetzt wieder?" Aufgebracht war Nelson mir gefolgt und jetzt stand er mit verschränkten Armen vor meinem Bett.

„Hm?" Ich blickte desinteressiert auf, was ihn provozierte, das wusste ich. Aber diese Genugtuung wollte er mir nicht geben: „Hast du sie noch alle, das am Tisch anzusprechen?"

Ich konnte sehen, wie verzweifelt er war. Ich stand auf, um mit ihm auf Augenhöhe zu sein. Dann atmete ich tief durch und sagte: „Irgendeiner musste diese peinliche Veranstaltung sprengen!"

„Ja, aber Cormac, doch nicht so, wenn *er* danebensitzt!"

„*Er* interessiert mich einen Scheißdreck. Sag bloß, du magst den?!" Ich hatte keine Lust mich wieder zu prügeln, deswegen redete ich mindestens genauso ruhig wie Nelson.

„Nein! Der Typ geht gar nicht!" Nelson blickte vom Boden auf und musste schmunzeln. Endlich! Aber meine Freude hielt nur kurz an, denn er wurde sofort wieder ernst. „Aber Alter, musstest du wirklich Dad da mit einbringen? Sei doch froh, dass Mum ihn endlich vergessen hat!"

Und dieses Mal war es Nelson, der wusste, dass er was Falsches gesagt hatte. Ich starrte ihn entsetzt an. „Du hast ihn also schon vergessen? Wie kannst du nur ...?!" Ich flüsterte und musste mich beherrschen, ruhig zu bleiben. Er konnte doch nicht allen Ernstes seinen eigenen Vater vergessen haben!

„Nein, natürlich nicht! Ich meine nur ... Findest du nicht, es ist ... Na ja, also mit der Zeit ist es einfacher, zu glauben er ..." Sein Gestammel half ihm jetzt auch nicht weiter. Ich wusste schon, was er sagen wollte.

„Du glaubst also, er ist tot?", fragte ich trocken, ohne auch nur eine Miene zu verziehen.

„Cormac, das ist acht Jahre her ..."

„Zehn!", unterbrach ich ihn. „Es ist zehn Jahre her!"

„Ja, siehst du! Zehn Jahre und wir haben nichts von ihm gehört. Mit der Zeit ist es einfacher zu denken, dass er tot ist ..." Ich hoffe, er merkte selber, dass er gerade Bullshit redete.

„Also hast du nie den kleinen Hoffnungsschimmer gehabt, dass er noch lebt? Dass er einfach abgehauen ist, weil er keinen Bock mehr auf Mum hatte? Ich meine, das kann doch sein. So etwas passiert ständig." Ich sprach diese Worte aus, ohne sie wirklich zu glauben, aber wenn ich mir eingestehen würde, dass er wirklich gestorben ist ...

Nelson bemerkte, wie verzweifelt ich an der Hoffnung festhielt, wie verzweifelt ich nach Gründen suchte.

„Glaubst du nicht, dann hätte er sich gemeldet?", fragte Nelson mich jetzt genauso trocken. Darauf wollte und konnte ich nicht antworten. Fakt war, ich konnte nicht zugucken, wie meine Mutter einen Mann liebte, der nicht unser Vater war.

* * *

Auch wenn die Zeit in diesem Haus unerträglich gewesen war, kamen Nelson und ich unseren Antworten immer näher. Das vergilbte Stück Papier, das Mum uns in der ersten Nacht vorgelesen hatte, haben wir aus ihrer untersten Schreibtischschublade herausgenommen und wir mussten feststellen, dass dort noch andere Seiten lagen, die etwas mit dem Geheimnis zu tun haben könnten.

Wir nahmen alle Seiten mit und als wir nach etwas mehr als zwei Wochen zu dem Entschluss kamen, dass dieser Ort nicht länger unser Zuhause sein konnte, verließen wir die Western Isles wieder. Ich konnte hier einfach nicht bleiben, weil zu viele Erinnerungen etwas mit meinem Dad zu tun hatten. Ich wollte nicht auf der Straße laufen, auf der er mir das Fahrradfahren beigebracht hatte, und ich wollte auch nicht in den Supermarkt gehen, in dem wir einmal eine Wassermelone fallen gelassen haben. Wieso Nelson unbedingt wieder nach Thornforest wollte, war ebenso wenig ein Geheimnis: Er wollte zurück zu ihr und ich konnte es ihm in dem Moment nicht einmal verübeln. Sobald wir wieder dort waren, wollte ich mit ihr reden. Ich musste ihr sagen, dass sie keinen Platz in diesem Märchen hatte. Ob Nelson das nun wollte oder nicht. Wann habe ich jemals das gemacht, was er von mir wollte?

Trotzdem hatte ich irgendwie das Gefühl, dass ihn diese kleine Reise nach Hause daran erinnert hat, wer seine Familie war. Ich nämlich.

Und so gut ich auch war, es zu leugnen: Nelson hatte mir gefehlt. Die Zeit, die er mit ihr verbrachte, war Zeit, in der er mich vergessen hatte. Obwohl ich das wohl niemals zugeben würde. Vielleicht schafften wir es ja doch, dieses Geheimnis zu lüften und den Wald zusammen zu regieren! Ich weiß, dass die kleinsten Hoffnungsschimmer oft den größten Schaden anrichteten, aber dieses Mal konnte ich nicht anders, als genau das zu hoffen.

Wir redeten nicht fiel auf dem Rückweg nach Thornforest. Zurück nach Hause. Aber ich glaube, wir dachten an die gleichen Sachen. Für mich war die Sache eigentlich klar: Nelson musste mit mir das erste Mal durch den Schleier treten und sobald ich in dem verdammten Wald drin war, konnte ich der zweite Herrscher werden. Dann waren alle glücklich und Nelson konnte seine kleine Freundin da heraushalten. Für mich schien das alles ganz leicht und gar nicht gefährlich, aber Nelson wäre nicht Nelson, wenn er mir einfach mal vertrauen würde.

„Ich glaube nicht, dass das so einfach geht! Das wäre *zu* leicht ...", murmelte er nachdenklich vor sich hin, als wir auf der Fähre standen und das Festland am Horizont erkennen konnten. Ich stöhnte auf, wenn er nicht für alles einen Beweis hatte, dann glaubte er auch nicht daran.

„Es tut mir leid, aber ich habe bis jetzt noch keine Bedienungsanleitung gefunden, was eventuell daran liegen könnte, dass es gar keine gibt und daraus würde ich wiederum schließen, dass wir es einfach mal versuchen sollten", schmunzelte ich. Eigentlich sollte dieser kleine Witz etwas die Stimmung zwischen uns auflockern, aber Nelson lachte nicht. Ich bezweifelte, dass er überhaupt zugehört hat.

Als wir den letzten Kilometer durch den Wald liefen, war es schon dunkel. Ich mochte es nachts durch den Wald zu laufen, damit hatte ich schließlich Erfahrung. Nelson hingegen lief unruhig neben mir her und mit jedem Meter, den wir zurücklegten, wurde er schneller. Ich konnte nur schwer mithalten vor allem, weil ich schon total müde und erschöpft war. Ich sehnte mich einfach nur nach meinem Bett. Mein Bett im Internat, in dem ich nicht jede Nacht Albträume bekam wegen schlimmen Erinnerungen aus der Vergangenheit. Ich war mir sicher, dass Nelson deswegen so schnell lief und beschwerte mich auch nicht, bis er plötzlich mitten auf dem unbeleuchteten Waldweg stehen blieb und innehielt. Stocksteif stand er da und jetzt fluchte ich doch: „Verdammt, Nelson, ich will heute noch ankommen!"

Aber er reagierte nicht und für einen kurzen Moment bekam ich eine Gänsehaut, weil er auch nach zwei Minuten noch wie versteinert dastand und sich nicht bewegte. Zumindest glaubte ich, dass es ungefähr zwei Minuten gewesen sein müssen, obwohl sie sich eher wie zwanzig Minuten anfühlten. Zwei Minuten können wirklich verdammt lang sein und als er plötzlich zusammenzuckte, sah er so verwirrt aus, als ob er nicht wusste, wie lange er dagestanden hatte.

„Man, Alter! Das ist nicht lustig, okay?!" Ich versuchte nervös zu lachen, aber es kam nur ein Krächzen heraus. In diesem Moment merkte ich, dass es gar kein Spaß sein sollte. Hätte ich mir auch eigentlich denken können. Wann machte Nelson schon mal einen Witz? Doch bevor ich darüber nachdenken konnte, verschwand Nelson einfach querfeldein im Wald und rief: „Geh ruhig vor, warte nicht auf mich!"

Was sollte das denn jetzt? Als ob ich nicht wüsste, wohin er lief …

Eigentlich wollte ich ihm hinterherlaufen, aber heute Nacht war ich einfach zu müde und die vernünftige Stimme in meinem Kopf überzeugte mich, einfach den normalen Weg hoch zum Internet zu laufen, mich in mein Bett zu legen und einmal diesen ganzen Kram zu vergessen.

Aber als ich schließlich wieder in meinem Bett lag, war es vorbei mit der Müdigkeit. Ich machte mir Gedanken über alles, was wir in den letzten Wochen erfahren hatten. Schon zum zweiten Mal heute. Ich hatte gehofft, dass meine Mum mehr Antworten für uns haben würde, als wir im Endeffekt bekommen haben. Für einen kurzen Moment war ich enttäuscht, weil wir eigentlich so schlau waren wie vorher, aber meine Gedankengänge wurden von schweren Schritten unterbrochen. Ich bezweifelte, dass irgendjemand heute Nacht durch die Gänge schlich bis auf meinen Bruder, und ich machte mich bereit, dass er ins Zimmer stürmte. Aber die Tür blieb geschlossen und die schweren Schritte entfernten sich auf dem Flur. Ich wusste, wo er hinging, denn er hatte sie jetzt zweieinhalb Wochen nicht gesehen und so weit ich weiß, hatte er sie in der Nacht verlassen, als auch sie ihren Grandpa verloren hatte.

Für einen kurzen Moment tat sie mir leid, aber dann fiel mir wieder ein, dass sie der Grund für meine ganzen Probleme war und ich konzentrierte mich wieder darauf, sie zu hassen. Denn das hatte ich von Anfang an vorgehabt. Aber obwohl ich mich so stark darauf fokussierte, klappte es nicht und für einen kurzen Moment war ich mir nicht sicher, ob es an *ihr* lag oder einfach an der Müdigkeit, die mich überkam und mich in die Welt der Träume zog.

KAPITEL 23

Cormac

„Du hast *was* gemacht?" Entsetzt starrte mein Bruder mich an. Er war außer sich vor Wut, was ich wirklich nicht nachvollziehen konnte.

„Ich bin in die Schule gegangen und habe deinen Platz im Geschichtskurs eingenommen!", antwortete ich mit meiner ruhigsten Stimme, weil ich wusste, dass ihn das noch mehr provozieren würde. Ich verstand wirklich nicht, warum er jetzt so einen Aufstand deswegen machen musste. Seit mehreren Tagen ging er nicht mehr in die Schule, was glaube ich daran lag, dass sein Wiedersehens-Gespräch mit Lily nicht so gut lief. Ich bezweifelte, dass die beiden überhaupt miteinander geredet haben. Das würde auch erklären, wieso er sich den ganzen Tag in unserem Zimmer versteckte, als traue er sich nicht, ihr gegenüberzutreten. Er meint zwar, er habe neue Informationen bezüglich des Märchens, aber weil er mir nichts davon erzählen will, glaube ich, war es nur eine Ausrede.

Es war auch eigentlich egal, warum er nicht mehr hinging. Denn das eigentliche Problem war, dass ich für ihn hingegangen bin und Lily meine Anwesenheit eher weniger gut aufgenommen hat. Ich habe nicht einmal die Möglichkeit gehabt, mich vorzustellen, denn als Miss Roberts meinen Namen vorgelesen hatte, war sie schon verschwunden. Ich weiß zwar immer noch nicht, wieso, aber anscheinend fand Nelson ihre Reaktion, als ich ihm davon erzählt habe, nicht so lustig. Besser gesagt er brüllte mich jetzt schon seit ungefähr zehn Minuten an und ich wusste immer noch nicht ganz, wieso.

„Alter, was ist eigentlich dein Problem?", fragte ich ihn irgendwann, weil ich endlich wissen wollte, warum Lily heute Morgen so geschockt war, als sie mich gesehen hat. Nelson starrte mich immer noch entsetzt und ratlos an, fuhr sich mit beiden Händen durch die Haare und entschied sich schließlich mir, die Wahrheit zu sagen. „Ich habe sie angelogen, das ist mein Problem! Sie wusste nicht, dass es dich gibt." Er hielt kurz inne, bevor er weiteredete. „Ich habe ihr erzählt, dass ich ein Einzelkind bin. Ich dachte, es wäre einfacher sie von dieser ganzen Scheiße fernzuhalten, wenn sie dich nie kennenlernt!"

Jetzt war ich es, der entsetzt guckte: „Und wie, wenn ich fragen darf, hast du dir das vorgestellt? Ich meine, sie wohnt hier und ich auch und ihr beiden seid so gut wie zusammen. Könnte schwierig werden, Kumpel."

„Wir sind nicht zusammen und auch nicht so gut wie ... ich habe Scheiße gebaut!", erwiderte er leise und ich musste mich irgendwie zusammenreißen, nicht loszulachen. Ich drehte mich um, damit ich mir seinen jämmerlichen Gesichtsausdruck nicht länger angucken musste und murmelte: „Du schaffst das schon, Bruderherz. Wenn du das nächste Mal mitten in der Nacht in ihr Zimmer gehst, um ihr alles zu erklären, dann glaubt sie dir bestimmt!" Ich klopfte ihm auf die Schulter und die Ironie in meiner Stimme gab ihm den letzten Rest. Ohne ein weiteres Wort verließ ich das Zimmer.

Als ich durch die Flure lief, fiel mir auf, dass ich das Zimmer verlassen habe, ohne zu wissen, wo ich überhaupt hingehen wollte. Ohne ein wirkliches Ziel zu haben, irrte ich durch die Gänge und überlegte, wieso Nelson nicht wollte, dass Lily mich kennenlernte. Sie war immerhin die Person, die unserer Aufgabe im Weg stand und ich würde ihr einfach sagen, dass sie dort nichts zu suchen hat. Sie hatte noch nicht mal herausgefunden, wo sie hingehen muss, um in den Wald zu gelangen. Ich bezweifelte, ob sie überhaupt wusste, dass sie der Nachfolger ihrer Blutlinie ist.

Wie selbstverständlich trugen mich meine Beine durch die Gemäuer des Internats und als ich schließlich im dritten Stock vor dem Büro der Direktorin stand, musste ich kurz überlegen, ob ich wirklich die ganzen Treppenstufen hochgelaufen bin. Aber viel Zeit hatte ich zum Überlegen nicht, denn ich musste mich schnellstmöglich hinter der nächsten Ecke verstecken, als die Tür zum Direktorat mit Schwung aufging und ausgerechnet Lily heraustrat. Sie sah wütend und verwirrt aus und ich konnte erkennen, dass ihre Augen rot und glasig waren. Anscheinend hatte sie das wirklich getroffen, denn wenn sie nichts über mich wusste, hieß das, dass Nelson ihr über sich nicht die Wahrheit erzählt hatte. Sie eilte die Stufen herunter und bevor ich mir es zweimal überlegen konnte, war ich schon dabei, ihr zu folgen. Wieso war sie überhaupt im Direktorat gewesen? Sicherlich, weil sie heute Morgen aus dem Unterricht abgehauen ist … Selber schuld!

Ich hatte keine Ahnung, wo sie hinwollte, bis mein Blick auf die große Uhr in der Eingangshalle fiel und mir bewusst wurde, dass wir eigentlich noch Schule hatten. Um ehrlich zu sein habe ich es nicht so mit den Zeiten, wann die Schule beginnt und wann sie aufhört. Dafür war ich einfach viel zu selten hier. Aber wegen der leeren Flure und der unerträglichen Stille auf dem ganzen Gelände schloss ich daraus, dass sich alle Schüler noch in der Schule befanden.

Trotzdem, lange konnte es nicht mehr dauern, bis es klingelte. Was machte sie dann hier? Sie war sicher so eine, die auf keinen Fall den Unterricht verpassen wollte und ging jetzt noch für fünf Minuten in den Unterricht, damit es nicht so aussieht, als hätte sie gefehlt. Ich musste lachen und schüttelte den Kopf. Sie passte wirklich perfekt zu meinem Bruder. Sie drehte sich um und ich musste mich hinter einem der Spinde verstecken, damit sie mich nicht sah. Anscheinend hatte ich mich zu laut über sie lustig gemacht, denn sie blickte sich unsicher um, aber sie konnte mich nicht sehen. In dem Moment klingelte die Schulglocke und sie wurde von etwas anderem abgelenkt. Es war ein Mädchen, das ich noch nie hier wahrgenommen habe. Sie hatte drei Mädchen im Schlepptau, die ihr folgten wie Schoßhunde und sie sahen alle lächerlich aus. Ich konnte nicht hören, was sie Lily zu sagen hatten, aber ihrem Ausdruck zufolge, hatte sie nicht länger Bock, ihnen zuzuhören. Ich könnte jetzt zu ihr hingehen und ihr alles erklären, wer ich bin, und ich könnte sie sogar über das Geheimnis aufklären. Dann könnte ich ihr einschärfen, dass sie sich verdammt noch mal verpissen soll und hätte somit das Problem ganz alleine gelöst. Obwohl ich vermute, dass Nelson dann einen Grund mehr haben würde, mich zu hassen.

Apropos Nelson: Er stand in einem der Seitengänge und durch die diversen Glastüren konnte ich sehen, dass er Lily genauso beobachtete, wie ich es tat. Irgendwie war das komisch und auf einmal fühlte ich mich total bescheuert. Wieso lief ich ihr eigentlich überhaupt hinterher? Er bemerkte mich nicht und als die vier Mädchen endlich weg waren, ging er zielstrebig auf Lily zu, packte sie am Handgelenk und zog sie in einen der Seitengänge.

Und weg waren sie.

Etwas verloren stand ich jetzt hinter diesem Spind und musste feststellen, dass die Leute schon blöd gafften. Sollten sie doch. Ich raufte mir die Haare und stand einen Moment etwas orientierungslos im Gang. Was verdammt noch mal tat ich hier? Ich war ihr gefolgt, um ihr alles zu erzählen. Ich wollte, dass sie sich da raushielt, aber wenn sie erst mal über alles Bescheid wusste, dann war sie erst recht ein Teil von all dem. Nelson hatte recht, sie durfte nichts erfahren! Keine Ahnung, was in mich gefahren war. Wieso wollte ich so unbedingt mit ihr reden?

* * *

Hass. Ein Wort, das so viel mehr aussagt, als es eigentlich sollte. Als ich klein war, hatte mein Dad immer gesagt, man darf Menschen nicht hassen. Nicht mögen ist okay, aber es gibt einen meilenweiten Unterschied zwischen *nicht mögen* und *hassen*. Aber wieso? Bis heute habe ich nicht verstanden, warum es so viel schlimmer ist, jemanden zu hassen, als ihn einfach nicht zu mögen. Ich meine, es ist auch nur ein albernes Wort, das etwas ausdrückt wie alles andere, und doch ist es so viel heftiger, wenn man es sagt.

Aber vielleicht war es mir heute aufgefallen, als ich gesehen habe, wie sich die Hand meines Bruders um ihr Handgelenk legte. Heute, als die beiden in den Nebengängen der Schule verschwunden waren, um was weiß ich zu machen, und ich mir wieder einmal gesagt habe, dass ich sie hasste.

Ich hatte wirklich allen Grund ihr zu sagen, dass ich sie hasse. Sie kreuzte hier auf, stellte alles auf den Kopf und brachte alles durcheinander. Ich meine, sie hatte mir den Platz in meinem Märchen weggenommen, sie hatte mir meinen Bruder weggenommen und sie hatte es verdammt noch mal geschafft, dass ich total verwirrt bin – wegen ihr.

Denn so sehr ich mich bemühte, sie deswegen zu hassen, ich schaffte es einfach nicht. Jedes Mal, wenn ich sie sah, vergaß ich, was ich mir eingeredet hatte. Jedes Mal, wenn ich sie mit meinem Bruder zusammen sah, wollte ich sie beide hassen, aber es klappte einfach nicht. Jedes verdammte Mal, wenn ich sie beide sah, hasste ich mich selbst für das Gefühl von Eifersucht und Einsamkeit, das mich überkam. Sie konnten beide nichts dafür, weil ich allein daran schuld war.

Im Endeffekt war es auch egal, denn sie gehörte zu meinem Bruder und egal, wie stark sie sich stritten oder wie sehr er sie verletzte, sie fanden immer wieder zueinander zurück. Auch dieses Mal. Ich musste gar nicht fragen, als er strahlend und zufrieden mit sich selbst zurück in unser Zimmer schlenderte. Ich wusste alles, was ich wissen musste. Das sah man an seinem Blick und die Einzelheiten ersparte ich mir, indem ich mich auf mein Bett legte und so tat, als ob ich schlief.

Mir wurde klar, dass ich sie nie hassen konnte. Aber sie war jetzt offiziell mit meinem Bruder zusammen und ich musste mir keine Art von Hoffnung mehr machen. Ich musste nun damit leben und deswegen entschloss ich mich, sie einfach zu ignorieren. Beide.

Obwohl ich glaube, dass ich mir schnellstmöglich eine Lösung für unser Problem überlegen musste, bevor Nelson es sich doch anders überlegte und er sie doch nicht mehr aus dieser dunklen Magie heraushalten wollte. Denn wenn das geschah, dann war es ein für alle Mal vorbei mit der Brüderlichkeit. Ich fürchtete, er würde sich früher oder später entscheiden müssen und ich hoffte, dass er weiß, dass Blut dicker ist als Wasser.

Keine Ahnung, wie oft mich diese Gedankengänge in den letzten Wochen heimgesucht hatten, aber es lag auf der Hand, dass Nelson entweder mit ihr oder mit mir durch das Portal treten wird. Und im Moment hatte ich echt all meine Hoffnung verloren, denn wenn ich Glück hatte, sah ich Nelson beim Frühstück und beim Zähneputzen. 99% seiner Zeit verbrachte er mit ihr. Überall, wo sie war, war auch er. Sie hatten sich an jenem Tag im Schulflur geküsst. War eigentlich klar. Irgendjemand hatte es natürlich mitbekommen und gefilmt, aber ich muss zugeben, dass ich das Video lieber nicht bekommen hätte. Es war ein Beweisstück mehr, um zu zeigen, dass Lily bei ihm jetzt an erster Stelle stand und anscheinend konnte auch ich nichts dagegen machen. Wobei ich mich inzwischen fragte, ob ich überhaupt einmal bei ihm an erster Stelle stand, aber das wäre jetzt ein anderes Problem.

Letzte Nacht hatte mein Unterbewusstsein einen Traum gesponnen, der mich mitten in der Nacht hochschrecken ließ, und als ich schließlich aufrecht, nass geschwitzt und total nervös in meinem Bett saß, wurde mir klar, dass ich mit ihm reden musste. Ich weiß, er dachte, ich sei krank, weil ich mich so in diese Sache hineinsteigere und an nichts anderes mehr denken konnte. Aber er war ja auch nicht in dieser beschissenen Situation, in der man von dem jeweils anderen abhängig ist. Denn auch wenn ich es immer wieder leugnen wollte, ohne Nelson kam ich nicht in diesen Wald und dann konnte ich das hier eigentlich auch komplett vergessen.

Nachdem ich meine Schlafanzughose gewechselt hatte, stieg ich wieder ins Bett und zog mir die Decke bis kurz unters Kinn. Vielleicht hätte ich mir doch ein T-Shirt überziehen sollen, denn es war echt verdammt kalt.

Kein Wunder, denn inzwischen war es November in Thornforest. Die Bäume hatten alle ihre Blätter verloren und eisiger Regen prasselte Tag und Nacht auf die Dächer der Schule. Es war 2:00 Uhr nachts, der 3. November. In weniger als sechs Monaten hatte sich mein komplett verkorkstes Leben ein weiteres Mal auf den Kopf gestellt, in wirklich jeder Hinsicht, und ich glaube, dass sich mit jedem Tag, den wir warteten, die Situation im verwunschenen Wald verschlimmerte. Die Zeit lief uns wirklich davon und wir tappten auf der Stelle. Niemand konnte uns mit Antworten versorgen und sie, die zweite Nachfolgerin, wusste noch nicht mal von ihrer Bestimmung. Eigentlich konnte das hier nur schiefgehen und wir waren bestens darauf vorbereitet, in den Abgrund zu stürzen.

Ich war inzwischen fest davon überzeugt, dass wir es ihr erzählen mussten. Wir hätten sie schon längst aufklären können und zu dritt an einer Lösung herumknobeln können. Aber ich sagte es ihr nicht, weil ich Angst hatte, dass Nelson und sie dann ohne mich besser dran waren und Nelson sagte es ihr nicht, um sie zu schützen. Wovor? Das wussten wir beide nicht. Aber egal, allein die Geste zeigte, was er für ein Gentleman war, und dafür hasste ich ihn noch mehr. Egal, denn auch das war ein anderes Problem, ein Problem zwischen ihm und mir. Hier ging es um ein Problem, das wir zusammen bewältigen mussten, und wenn ich ihm jetzt Vorwürfe machen würde, dann würde ich es später garantiert bereuen.

Ich hatte immer noch so viele Fragen und jede Nacht, in der ich wach lag, wurden es mehr. Lag die Leiche von unserem Grandpa, den wir nie wirklich gekannt hatten, immer noch dort in diesem Wald? Hatten es die Kreaturen geschafft, die letzten Wochen ohne Herrscher zu überleben? Kamen wir jemals wieder raus aus diesem Märchen, wenn wir einmal drin waren, und war es das wert, es zu riskieren? All das und noch mehr war inzwischen ein fester Bestandteil meiner Einschlafroutine geworden und doch waren all diese Fragen so unwichtig, wenn wir nicht langsam die wichtigste aller Fragen beantworten konnten: Wie kamen wir in diesen Wald?

Letztendlich war ich mir ziemlich sicher, dass wir einen extrem wichtigen Bestandteil vergessen, denn Nelson und ich waren vielleicht nicht die Allerschlausten, was dieses Problem angeht, aber irgendwann sollten auch wir es schaffen, es zu lösen. Und weil ich wirklich langsam keine neuen Ideen mehr hatte, dachte ich, dass es irgendetwas mit Lily oder Olivia oder wie auch immer, zu tun hatte. Wir mussten ihr alles erzählen, jede kleine Einzelheit und wenn Nelson damit nicht einverstanden war, dann würde ich es tun, auch ohne sein Einverständnis. Denn eins war klar: So wie es jetzt aussah, kam ich nicht in diesen Wald. Niemand, auch nicht Nelson und Lily. Ich würde mit Nelson reden. Keine Ahnung, wie oft ich nachts wach gelegen habe und immer wieder genau das hier gedacht habe, ihn aber trotzdem nicht darauf angesprochen hatte. Ich hatte inzwischen ein neues schwarzes Shirt an und legte mich wieder auf den Rücken, den Blick starr auf die schwarze Decke gerichtet. Irgendwo in der Ferne schrie eine Eule. *Morgen wirst du zu ihm gehen und mit ihm reden! Über sie!,* dachte ich noch, bis meine Gedanken schwammig wurden, weil ich es doch noch schaffte einzuschlafen.

KAPITEL 24

Cormac

Wenn ich gedacht habe, dass ich es schaffen würde, mit Nelson vor der Schule zu sprechen, dann hatte ich mich getäuscht. Ich hatte natürlich nicht das Geringste mitbekommen, als er heute Morgen irgendwann das Zimmer verlassen hat, um in die Schule zu gehen. Die Motivation, die ich neuerdings empfunden hatte, auch in die Schule zu gehen, hielt genauso lange an, wie die Idee, meinen Bruder und seine kleine Freundin zu hassen. Spätestens heute wäre ich über eine Stunde zu spät zum Unterricht gekommen, denn als ich das erste Mal auf den Wecker schaute, war es bereits 9:00 Uhr. Super …

Jetzt konnte ich weitere acht Stunden warten, bis er wieder aus der Schule zurückkam und in der Zeit, würde ich mir weiterhin den Kopf zerbrechen, was ich ihm letztendlich sagen sollte. Oder ich könnte in die Bibliothek gehen und einen von diesen Nerds bestechen, mein Geschichtsreferat zu machen. Jetzt, wo ich schon mal wach war, könnte ich ja auch was Nützliches machen, oder andere dazu bestechen, etwas Nützliches für mich zu machen. Ja, das traf es vielleicht besser. Und die Idee war gar nicht mal so schlecht, denn das Referat musste schließlich nächste Woche fertig sein.

Die Bibliothek roch nach alten Büchern und nach Schweiß. Ich musste kurz die Luft anhalten, denn so selten wie ich hier war, war der Gestank nicht auszuhalten. Ich lief geradewegs durch die Bücheregale auf einen Tisch in der hintersten Ecke des riesigen Raumes zu und konnte schon von Weitem sehen, dass dort die Personen saßen, die ich für mein Geschichtsreferat brauchte: Paul, Thomas und Adrian. Solche Idioten. Wenn ich so heißen würde, dann würde ich wahrscheinlich auch Streber werden, denn mit den Namen steht dir das quasi auf der Stirn geschrieben. Adrian saß mit dem Rücken zu mir und auf seinem Rücken klebte ein kleines Schild auf dem stand: „*Kick me!* "

Armer Kerl. Der konnte einem fast leidtun.

Schmunzelnd ging ich weiterhin zielstrebig auf die drei Arschlöcher zu und lehnte mich von hinten über Adrians Schulter. Allein dabei zuckte er so heftig zusammen, dass er bestimmt von seinem Stuhl gefallen wäre, wenn ich ihn nicht aufgefangen hätte.

Als er sich wieder einigermaßen eingekriegt und seine Brille ungefähr zehnmal gerichtet hatte, schaute ich ihn belustigt an.

„Hi, Adrian! Ich dachte mir, du könntest mir einen Gefallen tun …" Das war eigentlich auch schon alles, was ich sagen musste. Adrian, Paul und Thomas nickten alle drei heftig, als ich ihnen meine Unterlagen aus dem Unterricht auf den Tisch knallte und meine Arbeit war erledigt. Mein Mundwinkel bewegte sich belustigt nach oben, als ich im Weggehen sah, wie die drei sich sofort eifrig auf die Aufgabe stürzten, als hinge ihr Leben davon ab.

Kann ja sein, dass ich ein Arschloch war, aber ich war schließlich in einer Notsituation: Dieses Referat musste mindestens eine drei werden, oder ich schaffte das Schuljahr nicht und Geschichte lag mir wirklich nicht …

Mit einem selbstsicheren Lächeln verließ ich den Tisch und als ich wieder an der Tür ankam und aufatmend die Klinke runterdrückte, fiel mein Blick auf jemand äußerst vertrauten. Wie ferngesteuert ging ich auf meinen Bruder zu, der noch weiter hinten in der Bibliothek saß, als die größten Loser der ganzen Schule.

Als ich mich ihm näherte, sah ich auch, wieso er sich in der hintersten Ecke verkrochen hatte, wo ihn niemand sehen konnte: Lily saß rittlings auf seinem Schoß und sie küssten sich, als seien sie die Einzigen in diesem verdammten Raum. Automatisch guckte ich weg, näherte mich ihnen aber trotzdem. Auch als ich ungefähr zwei Meter von ihnen entfernt stand, schien es sie nicht zu stören, dass man sie beobachtete – oder sie bemerkten es einfach gar nicht. Erst als ich mich räusperte und meinen Bruder anstarrte, mit einer Augenbraue hochgezogen, löste er sich von ihr und richtete seine Aufmerksamkeit, wenn auch ungern, auf mich. na also, geht doch!

„Was willst du, Cormac? Verzieh dich!" Er war genervt, das sah ich sofort und ich starrte die beiden triumphierend an, da ich ihren *perfekten* Moment zerstört hatte.

„Cormac, das ist Olivia, meine Freundin, du kannst jetzt aufhören, sie so komisch anzustarren. Lily, das ist Cormac, mein Bruder!" Nelson stöhnte, als sei es ihm peinlich, mich seiner Freundin vorzustellen. Jetzt starrte ich nur noch sie an und war wirklich einen Augenblick sprachlos. Nicht, dass ich mir das habe anmerken lassen, aber ich musste wirklich überlegen, was ich jetzt sagte.

„Hi, wir haben uns schon einmal in Geschichte gesehen", sagte sie irgendwie gelangweilt. Ich war froh, dass sie zuerst etwas gesagt hatte, denn mir fehlten noch immer die Worte, irgendwie peinlich. Aber irgendwie auch verständlich. Ihre großen, blauen Augen schauten sich ebenfalls gelangweilt im Raum um, sodass sie alles anguckte bis auf mich. Ihre Haare lagen perfekt auf ihrer Schulter und die coolen Klamotten unterschieden sich so sehr von dem, was die Mädchen hier eigentlich trugen. Als ich mich dabei erwischte, wie ich von ihrem Äußeren hypnotisiert wurde, guckte ich automatisch woandershin. Ich wurde rot. Das konnte ich sagen, ohne mich im Spiegel sehen zu müssen. Auch Nelson bemerkte es und war darüber alles andere als amüsiert. Verwirrt und etwas verstört versuchte er, mich darauf aufmerksam zu machen, dass ich immer noch nicht geantwortet habe und so langsam sollte ich wirklich etwas sagen, sonst wird es komisch. Schließlich entschied ich mich dazu, einfach nur genauso desinteressiert zu antworten, wie Lily es zuvor auch getan hatte. „Hm, kann sein!", sagte ich stur und drehte mich um, denn ich konnte diese Romanze nicht länger ertragen. Im Weggehen murmelte ich noch: „Nelson, ich muss mit dir reden, ist wichtig!"

„Ja, du kannst mich mal!", hörte ich Nelson noch durch die Bücherregale flüstern und ich verdrehte theatralisch die Augen, obwohl es niemand sehen konnte. Endlich war ich draußen und konnte wieder normal atmen.

Vielleicht hätte ich es einfach jetzt gerade freiheraus ansprechen sollen. So nach dem Motto: „Hey, Lily. Du, ich bin mir nicht sicher, ob du es schon wusstest, aber du bist die zweite Herrscherin, die in einem Wald mit magischen Kreaturen ein Ritual vollziehen muss." Das wäre möglicherweise etwas extrem gewesen und wahrscheinlich wäre mir mein Bruder daraufhin an den Hals gesprungen. Aber wie wollte er ihr es denn sonst sagen? Denn wenn meine Theorie wirklich stimmen sollte, dann war sie der Schlüssel, um in diesen verdammten Wald zu kommen. Im wahrsten Sinne des Wortes. Aber vielleicht war es auch gar nicht so schlimm gewesen, dass ich es doch nicht angesprochen habe.

Je länger ich über meine Theorie nachdachte, umso bescheuerter fand ich die Idee, ihr zu erzählen, was für eine Rolle sie hier spielte. Nelson musste alles erfahren, über meinen Gedanken, dass sie der Schlüssel dafür war, überhaupt in den Wald zu kommen, und dass wir sie wirklich nur zum Reinkommen brauchten. Wenn ich erst mal drin war, konnten wir das Ritual vollziehen und dann war eigentlich alles perfekt. Er hatte sie vor dem Bösen in diesem Wald gerettet und ich hatte endlich meinen Platz in einer Welt gefunden, den ich mir schon immer erträumt hatte.

Aber trotzdem war es einfacher, wenn sie nichts erfährt. Nicht von dem Märchen oder dem Wald und schon gar nicht von meiner Theorie. Vielleicht schafften wir es am Ende, sie zu benutzen, und sie müsste nicht einmal von der Sache erfahren. Dann wäre sie bestimmt noch sicherer, als wenn sie von diesem Geheimnis erfahren würde. Ich weiß nicht, wieso ich mich auf einmal um ihre Sicherheit sorgte, aber vielleicht hatte Nelson recht. Vielleicht könnten wir sie aus dieser Sache komplett raushalten.

Sie machte mich wirklich verrückt und das schockierte mich jedes Mal aufs Neue. Es war, als kontrolliere sie meine Gedanken. Sie manipulierte meine Entscheidungen, ohne es zu wissen. Noch heute Morgen war ich fest davon überzeugt, sie einzuweihen. Ich hätte vor nichts zurückgeschreckt, bis ich sie in der Bibliothek gesehen habe, und jetzt, ungefähr eine Stunde später, bin ich verwirrt und komplett manipuliert.

Ich ging durch die Flure, bis ich zu der gläsernen Tür kam, an der ich mich entscheiden musste, ob ich doch noch in die Schule gehen oder ob ich einfach zurück ins Internat laufen sollte. Ich hatte wirklich keinen Bock auf Schule und obwohl ich so gerne gerade auf meinem Bett liegen wollte, um einfach nichts zu tun, bog ich links vor der großen Tür ab und lief in den Biologie-Trakt. Der einzige Grund, warum ich mich jetzt gerade dafür entschieden hatte, war weil Nelson und ich gleich beide im gleichen Kurs saßen. Vielleicht hatte ich nach dem Unterricht Zeit, um noch mal mit ihm zu reden.

Als ich den Klassenraum betrat, sogar fünf Minuten vor Unterrichtsbeginn, war ich der Erste, der sich hinten in die hinterste Ecke setzte. Mr. Kingsley, der Biologielehrer, schaute etwas erstaunt und vielleicht auch ein bisschen verwirrt zu mir herüber. Unangenehm. Es dauerte eine gefühlte Ewigkeit, bis der Unterricht überhaupt losging, und als endlich nacheinander die restlichen Schüler hereinkamen, musste ich es ertragen, dass jeder Einzelne mir mindestens einen weiteren abwertenden Blick zuwarf. Ich hasste die ganzen Menschen, deren eigenes Leben so unerträglich langweilig sein musste, dass sie ihre Zeit mit dem Leben anderer verschwendeten. Aber ich war es gewohnt, so angeguckt zu werden. Wie ich dasaß, mit meiner schwarzen, zerrissenen Jeans und meinen Boots. Die Kapuze meines schwarzen Hoodies tief ins Gesicht gezogen, um so unscheinbar wie möglich dazusitzen. Blöd nur, dass es genau das Gegenteil bewirkte. Wenn Menschen vor einer Sache oder vor jemandem Angst haben, dann beobachten sie es automatisch intensiver, um sich im Zweifelsfall besser verteidigen zu können. Ich weiß nicht, ob ich jetzt gerade bedrohlich oder angsteinflößend aussah, aber es war kein Geheimnis, dass ich kein guter Mensch war. Ich bestach Leute, meine Geschichtshausaufgaben zu machen, ich prügelte mich mit meinem eigenen Bruder und ich gab mir keine Mühe, mich zu bessern. Mir war es egal, was sie von mir dachten. Mir war es egal, wie sie mich ansahen. Aber als er, mein eigener Bruder, der als Letzter die Klasse betrat, an mir vorbeiging, ohne mich auch nur eines einzigen Blickes zu würdigen, da fiel mir auf – vielleicht zum ersten Mal überhaupt – dass ich es verkackt hatte. Ich musste mit ihm reden, über alles. Über meine Theorie, über sie, über uns. Wir konnten nicht einfach so weitermachen und uns gegenseitig ignorieren. Es war richtig, dass ich hier war. Richtig, dass ich gleich mit ihm über alles reden würde.

Der Unterricht war elendig langweilig und die Minuten, die verstrichen, fühlten sich an wie Stunden. Aber ich ließ es über mich ergehen. Eigentlich war ich nur körperlich anwesend, zwischendurch ertappte ich Mr. Kingsley dabei, wie er mich anschaute, als wollte er mich fragen, wie ich mir das mit der Versetzung vorgestellt habe. Ja, das wäre dann noch ein Problem, denn ich glaube, selbst wenn mein Referat gut werden würde, hätte ich eher geringe Chancen auf die Versetzung in die nächste Klasse. Jetzt waren wir alle in der 12. Klasse und ich werde sie zu 90 Prozent nicht schaffen. Ganz im Gegenteil zu Nelson, der an dieser Schule zeigte, dass man keine Freunde brauchte, wenn man gute Noten hat. Schöne Ironie, wenn man bedenkt, dass es auch die Sorte von Menschen gibt, die weder Freunde noch gute Noten hatten. Arschloch!

Wenn ich gewusst hätte, dass ich so tiefgründig werde, wenn ich zum Bio-Unterricht gehe, dann hätte ich es gelassen. Deswegen war ich heilfroh, als nach hundert Jahren irgendwann die Schulglocke klingelte und ich aufsprang, um diesen ätzend stinkenden Raum zu verlassen.

„Mr. Morrington, ich beende den Unterricht und sonst niemand!", brüllte Mr. Kingsley mir entgegen und wieder einmal drehten sich alle um. Na toll! Vier Minuten später leerte sich der Klassenraum dann endlich und ich verstand wieder einmal mehr, wieso ich diesen ganzen Schul-Scheiß erst gar nicht mitmachte. Reine Zeitverschwendung. Nelson wäre wieder, ohne auch nur ein Wort mit mir zu wechseln, an mir vorbeigegangen, aber ich lief hinter ihm her und folgte ihm bis zu den Nebengängen, wo er sein Buch in seinem Spind verstaute. Ich packte seinen Arm.

„Alter, was willst du, Cormac?!" Er fauchte mich an wie ein angriffslustiges Raubtier und wir hatten Glück, dass die Flure gerade so voll waren, dass uns niemand bemerkte. „Lass mich los!" Er riss sich von mir los, als hätte ich ihm gerade dermaßen wehgetan, und ich stöhnte auf: „Komm runter, Nelson! Ich will nur mit dir reden." Er guckte mich nicht einmal an, während er seine Bücher sorgfältig in seinem Spind verstaute, und sagte: „Ich habe keine Zeit." Er nervte mich tierisch, weil ich genau wusste, dass Lily jeden Donnerstag um diese Zeit eine von diesen ultra-langweiligen AGs belegte und er keine andere Beschäftigung hatte.

„Dann nimm dir jetzt halt mal Zeit!" Und mit Nachdruck fügte ich hinzu: „Es ist wirklich wichtig!"

Schließlich hatte ich es endlich geschafft, ihn hinter mir her tiefer in den Nebengang zu schleifen. Hier konnte ich ungestört mit ihm reden, denn hier kam sowieso niemand hin. Ich hatte mir wirklich gut überlegt, was ich ihm sagen wollte und ich fuhr mir ein letztes Mal durch die Haare, um für alles bereit zu sein.

„Ich habe dich gewarnt! Genau das sollte nicht passieren", fing ich an. Ich redete langsam und bestimmt. Er wusste genau, was ich damit meinte.

„Ach komm, sei doch leise! Dich geht das überhaupt nichts an." Er schien fast etwas belustigt und ich konnte genau den arroganten Unterton heraushören, dafür war er bekannt.

„Nelson, du bist so bescheuert. Wieso ausgerechnet sie? Ich dachte, wir ziehen das zusammen durch. Genau das hast du mir damals versprochen!", sagte ich etwas verzweifelt. Ich hatte es genau einen Satz geschafft, meine Stimme bestimmt klingen zu lassen, und jetzt war es schon wieder vorbei. *Super, Cormac!*

Eigentlich wollte ich noch etwas sagen, aber Nelson unterbrach mich. „Cormac, du bist so primitiv. Du bist kein Nachfolger! Wie hast du dir das vorgestellt, Alter?! Selbst Mum wusste nicht, wie du reinkommen kannst!" Da hatten wir's. Er hatte es von Anfang an anders geplant. Ich merkte es am Klang seiner Stimme. Er wollte mich nicht mehr dabeihaben. Aber so schnell wollte ich nicht aufgeben. Ich atmete tief ein und antwortete: „Ich habe doch auch keine Ahnung. Aber ich werde meine Bestimmung garantiert nicht an eine reiche Tussi aus der Stadt abgeben. Sie hat noch nicht mal herausgefunden, wo sie zu finden sind!" Vielleicht war es wirklich etwas hart gewesen, was ich da gerade gesagt hatte, aber die Enttäuschung und die Verzweiflung manipulierten meine Wortwahl. Alles, was ich extra auswendig gelernt habe, war nicht mehr in meinem Gedächtnis.

„Denkst du, ich habe mir ausgesucht, dass sie auch ein Herrscher ist? Niemand kann etwas dafür, dass wir beide es sind. Ich konnte es ihr nicht sagen, weil ich sie beschützen wollte. Ich kann es ihr nicht sagen ...!" Seine Stimme war nun auch nicht mehr arrogant. Laut und zornig hallte sie durch den Gang.

„Es geht mir nicht darum. Ich will nicht, dass sie es vervollständigt, sie soll verschwinden! Du und ich, Nelson, wir beide sind die rechtmäßigen Herrscher der Kreaturen im McDobbin-Forest und nicht sie! Wenn sie nicht von selbst verschwindet, dann werde ich dafür sorgen. Ich habe langsam keinen Bock mehr. Du hast gesagt, dass du dir etwas einfallen lässt. Du bist schuld, wenn ihr etwas passiert! Sie hat nicht das Recht ein Herrscher zu sein. Er hatte damals nicht das Recht einfach der zweite Herrscher zu werden ... Verdammt!" Mit jedem Wort, das aus meinem Mund kam, wurde ich leiser. Die letzten Worte flüsterte ich nur noch.

„Bitte, Cormac. Tu ihr nichts, ich weiß, wie wichtig das hier für dich ist, aber Liam hat damals nur seinen erstgeborenen Enkelsohn bestimmt. Und das bin ich. Ryan hat sie gewählt. Aber ich probiere, Lily davon abzuhalten. Sie wird nichts erfahren und wir finden einen Weg, wie wir zusammen über den Wald herrschen können!" Jetzt war seine Stimme nicht mal mehr zornig. Erschöpft und verzweifelt sank er an der kalten Wand herunter.

„Aber bitte tu ihr nichts, das hat sie nicht verdient." Er musste sie wohl wirklich lieben, so wichtig wie sie ihm war, und auch das machte mich wütend ... eifersüchtig.

So unbeeindruckt wie es nur ging sagte ich: „Ich habe das auch nicht verdient. Es ist deine Schuld, also auch deine Verantwortung. So langsam solltest du herausfinden, wie wir durch das Tor kommen. Du und ich. Und nicht sie." Ich redete leise und ich hätte schwören können, gerade etwas in den Gängen gehört zu haben. „Wir haben schon viel zu viel Zeit verloren und irgendetwas haben wir die ganze Zeit über nicht beachtet, sonst wären wir schon längst drin!" Es stimmte, wir mussten in diesen Wald hineinkommen, egal, wie. Plötzlich hörte ich es wieder, ein dumpfes Geräusch. Ich hielt inne, aber da war es schon vorbei.

„Hast du das gehört?", fragte ich vorsichtig.

„Was?" Er drehte sich um, aber er hatte nichts gehört. Ich ging auf die eine Glastür zu und sah um die Ecke in den gegenüberliegenden Seitengang. Nichts. Vielleicht hatte ich mich auch verhört. Schnellen Schrittes kam ich zurück und hockte mich vor Nelson hin.

„Hör mir zu!", sagte ich eindringlich. „Du hast das Portal schon gesehen. Gibt es dort etwas Auffälliges? Wie sieht es aus?" Er setzte sich auf und ich konnte sehen, dass seine Augen glasig waren. Flüsternd beschrieb er die Lichtung, so wie seine Augen sie gesehen hatten: „Es sind zwei Bäume, größer als alle anderen. Die Baumkronen sind ineinander verschlungen. Ich konnte durch einen durchsichtig schimmernden Schleier schauen, aber den Wald nicht betreten." Mein Unterbewusstsein malte mir diesen Ort bis ins kleinste Detail und ich wusste genau, wie es aussah, ohne es je gesehen zu haben. Diese altbekannte Wärme erfüllte mich wie damals, als ich dieses Märchen gelesen habe, bis ich die Passagen auswendig vortragen konnte. „Okay, ist das alles? Oder war da noch mehr?" Wenn man mir zugehört hätte, dann hätte sich diese Befragung bestimmt ziemlich gruselig und irreal angehört, aber es war die nackte Wahrheit und das machte es noch so viel gruseliger.

„Nein!" Er zögerte einen Moment. „Doch, da war noch etwas. Unten am Stamm. Ungefähr auf Brusthöhe, wenn man genau davorsteht ... Etwas war dort eingeritzt, mit einem Schnitzmesser, denke ich. Es war, also ... Es waren ihre Namen."

„Welche Namen?", fragte ich. Ich hatte es irgendwie im Gefühl, dass wir der Sache gerade ein ganzes Stück näher kamen.

„Liam-Cormac Will McDobbin. Ryan McWheel ...", hauchte er, sein Blick starr auf mich gerichtet, als sei er in einer Art Trance. „Ich habe mit dem Zeigefinger über die Schrift gestrichen. Da hat es grün aufgeleuchtet."

Dann fuhr er sich einmal hektisch mit der Hand durch die Haare, rieb sich die Augen und wendete den Blick ab. „Aber es kann auch sein, dass ich mir das einbilde und ich langsam an dieser beschissenen Aufgabe verzweifele", schlussfolgerte er in seinem altbekannten sachlichen Ton und erhob sich. Ich blieb sitzen, auch als er schon längst hinter der Glastür verschwunden war. Es brachte uns *wirklich* ein ganzes Stück näher an dieses Geheimnis heran. Ich überlegte, wo wir jetzt wären, wenn er darüber schon früher mit mir gesprochen hätte. Ich dachte lange darüber nach, was ich gerade erfahren hatte. Vielleicht schafften wir es ja doch noch irgendwie.

KAPITEL 25

Cormac

Ich hatte wirklich gedacht, dieses Stück hatte mir gefehlt, um alles herauszufinden. Herauszufinden, wie ich in diesen Wald komme. Herauszufinden, wie ich ihren Platz einnehmen konnte. Ich hatte wirklich gedacht, dass Nelson mich mit den nötigen Antworten versorgen würde. Und es stimmte ja auch, denn er hatte mir alles erzählt, was er wusste. Ich hatte wirklich Hoffnung gehabt, dass ich mit diesen Informationen endlich ein Stück weiter an mein Ziel kommen würde. Ich hatte mich die ganzen letzten Monate damit beschäftigt, dieses Rätsel zu lösen. Und auch jetzt, als es so richtig spannend wurde, tat ich nichts anderes mehr. Abgeschottet von allem saß ich in meinem Zimmer, vor mir die wichtigsten Informationen, die ich Nelson in den Nebengängen der Schule entlocken konnte. Ich schrieb alles auf, was etwas mit dem Märchen zu tun haben könnte und malte die Lichtung auf, die Nelson mir so genau beschrieben hatte. Man könnte meinen, ich sei schon hundert Mal dort gewesen. Jedes Detail malte ich auf und ich könnte schwören, wenn ich jemals so viel für die Schule gelernt hätte, dann wäre ich jetzt schon mit meinem Studium in Oxford durch.

Doch am Ende half mir auch mein kreatives Unterbewusstsein nicht weiter, denn den Schlüssel, um das Portal zu durchschreiten, hatte ich immer noch nicht gefunden. Es war wirklich zum Verrücktwerden. Aber was noch viel schlimmer war, war die Enttäuschung, dass ich jeden Abend alleine auf dem Fußboden unseres Zimmers hockte und Nelson nicht einmal die Anstalten machte, sich für irgendetwas zu interessieren. Er sei *beschäftigt*. Es war doch zum Kotzen: Ich riss mir seit Wochen den Arsch auf, um *uns* in diesen Wald zu bringen, und er verbrachte seine Zeit mit ihr. Die beiden klebten zusammen wie Kaugummi und es war wirklich nicht mehr auszuhalten. Täglich klopfte sie mehrmals an unserer Zimmertür und jedes Mal musste ich all meine Informationen wieder unter meinem Bett verstecken. Täglich musste ich mir irgendwelche abwertenden Blicke von ihr gefallen lassen und ich versuchte so gut es ging sie zu ignorieren, was wirklich schwierig war. Jedes Mal, wenn sie beide zusammen reinkamen, konnte ich an dem Blick meines Bruders erkennen, ob sie gleich wieder gingen oder ob sie blieben und ich deswegen nicht länger erwünscht war. Ich könnte jetzt sagen, mit der Zeit gewöhnt man sich daran, aber da wäre genauso viel Wahres dran wie damals, als ich sagte, das mit meiner Mutter mache mir nichts aus …

„Keine Ahnung, wieso du dich in diese Sache so reinsteigerst, Alter! Ich verstehe es wirklich nicht!" Nelson kam – dieses Mal alleine – in unser Zimmer mit tausenden von Bastelsachen unterm Arm und breitete sich neben mir auf dem Fußboden aus. Ohne auch nur hochzugucken, antwortete ich gleichgültig: „Vielleicht, weil ich diese Sache ernst nehme und weil irgendjemand anfangen muss, dieses ganze Rätsel zu lösen!" Daraufhin sagte er nichts und für einen kurzen Moment dachte ich, ich hätte ihn überzeugt, dass er mich unterstützte. Aber als er mich dann nicht weiter beachtete und anfing, irgendetwas auf ein Blatt Papier zu kritzeln, verflog dieser Hoffnungsschimmer wieder.

„Was machst du da eigentlich?", fragte ich weiterhin mit diesem gleichgültigen Ton, als würde es mich eigentlich gar nicht interessieren. Auch er blickte nicht von seinem Gekritzel auf und murmelte: „Adventskalender für Lily."

Auch wenn ich es wollte, ich konnte es nicht unterdrücken. Ich prustete los und kriegte mich erst nach einiger Zeit wieder richtig ein. Dabei verschluckte ich mich und brachte eher einen kläglichen Laut von mir, als ich mich über ihn lustig machen wollte. „Süß!", keuchte ich und er schüttelte nur den Kopf, wahrscheinlich wegen meiner Unfähigkeit.

Wie kann man nur so romantisch sein? Und wieso stehen Mädchen auf so etwas? Es war mir wirklich ein Rätsel, weil ich keinen einzigen Grund fand, weshalb man einen Adventskalender brauchte. Schon gar nicht mit süßen Nachrichten drin, die sowieso nicht stimmten – nichts für ungut!

Und dann erschrak ich plötzlich: Adventskalender?! Das hieß, es war schon fast Dezember und schon über zwei ganze Monate her, dass die beiden Herrscher gestorben sind und sich niemand um die Kreaturen gekümmert hatte. Ich warf erst einen weiteren durchdringenden Blick auf meine Zeichnungen und danach auf Nelson, der mit dem Rücken zu mir saß. Gut so, denn wenn Blicke töten könnten, dann wäre er jetzt tot. *Danke für die Unterstützung.*

Schon am 2. Dezember wurde es extrem kalt. So kalt, dass sich langsam Eiskristalle auf dem modrigen See bildeten und er plötzlich gar nicht mehr so modrig aussah, wie ihn alle in Erinnerung hatten. Als es dann in der Nacht auf den 3. Dezember so heftig anfing zu schneien, dass keine Autos mehr hoch zum Internat kamen, wurde es richtig kitschig. Ich konnte diesem Winterzauber noch nie etwas abgewinnen, aber alle anderen Internatsschüler waren hin und weg. Ich wurde schon morgens geweckt, weil irgendwelche Fünftklässler ihre Schneebälle an meine Fensterscheibe warfen und das nervte mich schon wieder so sehr, dass ich wieder einmal verstand, wieso ich diese weiße Scheiße so sehr hasste.

Alles war in eine Decke aus Schnee gehüllt, es war mucksmäuschenstill und die Zeit schien stehengeblieben zu sein. Nur, dass sie das nicht war.

Die Welt sah so verändert aus und doch war es immer noch dieselbe, in der wir lebten. Die Probleme wurden auch durch den Schnee nicht weniger. Generell mit Weihnachten ist das so eine Sache, die ich noch nie so richtig verstanden habe: Wir geben vor, in dieser Zeit ein besserer Mensch zu sein, uns zu lieben und wir versuchen krampfhaft, mit jedem Frieden zu schließen. Diese erzwungene Freundlichkeit wird mithilfe von albernem Schmuck an piksenden Bäumen verstärkt und die Menschen glauben, dass diese Zeit im Jahr die beste sei. Und am Ende sind dann doch alle mega genervt, weil sie so lange einen Menschen darstellen mussten, der sie eigentlich überhaupt nicht sind und sie merken, dass der Schmuck viel zu bunt ist und die Bäume einem wehtun, sobald man sie auch nur anfasst. Trotzdem sind alle total fasziniert von der weißen Decke, die einen umhüllt und manipuliert, ohne dass wir es auch nur ansatzweise bemerken.

Dieses Jahr ist es nichts anderes. Ich lief schlecht gelaunt über den Flur und als ich an unserer Zimmertür ankam und die Klinke runterdrückte, konnte ich auf Nelsons Bett zwei Paar Schlittschuhe liegen sehen. So langsam übertrieb er es wirklich. Ich imitierte einen Würgereiz und ließ mich auf mein Bett fallen. Wie konnte er überhaupt gewusst haben, dass der Hausmeister ausgerechnet heute die Eisfläche auf dem See geprüft hatte und ab heute das Schlittschuhlaufen offiziell erlaubt war, bis es wieder taute? Wahrscheinlich hatte er einfach Glück gehabt und tut morgen so, als hätte er das alles genau so geplant. Ich kannte ihn: Er glaubte nicht an Zufälle oder an Magie oder so was in der Art. Aber das war mir eigentlich auch so was von egal, denn ich würde diese Eisfläche sowieso nicht benutzen. Generell würde ich nur in diese weiße Horrorlandschaft gehen, wenn es sich absolut nicht verhindern lässt.

In dem Moment kam Nelson in unser Zimmer gestürmt, die Haare komplett zerzaust, wie immer. Es muss in der Familie liegen, da bin ich mir sicher. Seine Haare waren, genau wie bei mir, nicht zu bändigen. Egal, wie viel Haar-Gel wir benutzen, sie wollten einfach nicht glatt auf dem Kopf liegen. Und trotzdem sah es bei uns beiden so verschieden aus. Seine blonden zerzausten Haare erinnerten schon immer an diesen kleinen verspielten Jungen, der eigentlich aus diesen Astrid-Lindgren-Romanen in Bullerbü stammt. Ich dagegen war immer der kleine, blasse Schatten, der viel zu selten lächelte, nicht Danke sagen konnte und frech grinste, wenn andere Kinder weinten. Diese komplett gleiche, chaotische und verstrubbelte Frisur schien so anders zu wirken, wenn man den Menschen dazu kannte, und ich fragte mich, ob ich damals einfach mehr hätte lächeln müssen, um nicht falsch verstanden zu werden.

Um den Effekt seiner Haare noch mehr zu verstärken, fuhr er sich beim Eintreten mit seiner linken Hand noch mal da durch.

Dann griff er ziemlich hektisch nach seiner Bettdecke und versteckte darunter die Schlittschuhe.

„Ich bin unterwegs, könnte später werden!", sagte er, während er in seinem Kleiderschrank nach seiner Winterjacke und einer Mütze suchte. Seit wann informierte er mich, was er vorhatte?! „Jaja, ich bleib hier sitzen und werde auf ein ungelöstes Rätsel starren." Sarkastisch lachte ich, nachdem ich das gesagt hatte, weil er genau wissen sollte, dass ich sauer war. Trotzdem tat er so, als habe er es überhaupt nicht gehört, worauf ich mich gerade bezogen hatte, und fuhr unbeirrt fort: „Ja dann, man sieht sich!" Ohne es wissen zu wollen, fragte ich mich, was die beiden die ganze Zeit machten. Irgendwann hatte man doch auch keinen Bock mehr aufeinander, oder nicht?

Ich musste eigepennt sein, denn als es wieder klopfte, waren 40 Minuten vergangen. Total verwirrt schreckte ich hoch. Wer auch immer gerade geklopft hatte, wartete anscheinend nicht auf eine Antwort, denn ungefähr fünf Sekunden später sprang die Tür auf. Ich war gerade verzweifelt dabei, mir mein Shirt wieder anzuziehen und konnte deswegen nicht sehen, wer hier in mein Zimmer gestürmt war. Nelson konnte es unmöglich gewesen sein, wann klopfte er schon mal an?!

„Hallo, spinnst du? Ich hätte nackt sein können!", schrie ich, während ich immer noch verzweifelt die Öffnung für den Kopf meines Shirts suchte.

„Bist du aber nicht. Da hab wohl eher ich Glück gehabt", sagte eine Mädchenstimme, die ich kannte, und urplötzlich erstarrte ich, mein Kopf immer noch in meinem Shirt. Ich riss mich zusammen und zog das Shirt noch einmal komplett aus. Soll sie doch denken, was sie wollte! Jetzt sah ich sie und konnte erkennen, wie hübsch sie dastand. Ihre langen, blonden Haare fielen offen über ihre Schultern und sie hatte eine graue, eigentlich viel zu große Mütze auf. Ihre pinke Winterjacke war an einigen Stellen mit Schnee bedeckt und ich könnte schwören, bei jedem anderen Mädchen hätte das Pink albern ausgesehen. Bei ihr nicht. Sie hatte Schuhe an, die man eigentlich nicht mehr Schuhe nennen konnte, denn diese gigantischen Stiefel sahen aus, als sei sie unterwegs zum Mond. Ich musste kurz lachen, denn das sah wirklich etwas ulkig aus.

„Was?", fragte sie verdutzt. Ich deutete mit einem Finger auf ihre Mega-Boots und sagte: „Coole Schuhe!" Sie merkte, dass ich das ironisch meinte und verdrehte die Augen. Einen kurzen Moment sagte keiner von uns beiden irgendetwas und als die Stille schließlich peinlich wurde, wurde auch ihr klar, dass jetzt irgendjemand etwas sagen musste. „Muss das sein?", fragte sie schließlich und blickte auf meinen immer noch nackten Oberkörper. Shit! Das hatte ich komplett vergessen. Ohne auf ihre Frage einzugehen, zog ich mir mein Shirt über den Kopf und diesmal klappte es auch mit der Öffnung. Ich grinste sie an, mit diesem frechen Grinsen, das ich so viel besser konnte als Nelson.

„Besser?", fragte ich. Sie verschränkte die Arme vor der Brust und hielt meinem provozierenden Blick stand. Ihre Augen waren wirklich extrem blau und ihre Wimpern so lang, dass sie die Augenlieder permanent berührten. Mit jeder Sekunde, die ich sie anstarrte, wurde ich selbstbewusster. Ich ging einen Schritt auf sie zu und sie wich nicht nach hinten aus. Die Entschlossenheit in ihrem Blick forderte mich heraus. Ich beugte mich nach vorn – sie war so viel kleiner als ich – und flüsterte: „Was willst du hier, Olivia? Du wolltest doch nicht etwa zu mir?" Das freche Grinsen auf ihrem Gesicht verschwand augenblicklich, als meine Worte ihren Weg zu ihr fanden. Ich war wirklich unglaublich stolz auf mich. Obwohl ich jedes Mal ein Gefühl von Unsicherheit verspürte, wenn ich sie auch nur ansah, blieb ich ihr heute in jeder Hinsicht überlegen. Triumphierend grinste ich vor mich hin und mit jeder Sekunde, die verstrich, konnte ich sehen, wie sie unsicherer wurde. Dieses Gefühl gefiel mir. Jetzt wich sie meinem Blick aus und hauchte trocken: „Ich wollte … Also ich hatte eigentlich – Ähm … Ist Nelson hier?" Und damit brachte sie uns wieder zurück in die Realität. In der Realität war sie nämlich die Freundin meines Bruders und ich war der gruselige, schwarze Typ, der immer alleine durch die Flure lief. Es stand mir nicht zu, so mit ihr zu reden, sie so in Verlegenheit zu bringen und doch war dieses Gefühl, dass ich ihr überlegen war, einfach unglaublich. Ich seufzte und wendete mich von ihr ab. „Nelson ist nicht hier. Er meinte, er ist unterwegs und kommt erst spät wieder", sagte ich und ein wenig Enttäuschung schwang in den Worten mit, aber ich hoffte, sie merkte es nicht. „Oh! Weißt du, wann er wiederkommt?", fragte sie. Die Enttäuschung in *ihrer* Stimme war dagegen nicht zu überhören. „Nope! Ich weiß nicht mal, wo er hinwollte", entgegnete ich gleichgültig. Dabei wusste ich genau, wo er hinwollte. Er war vorhin gegangen, um sich mit dem Mädchen zu treffen, das jetzt hier gerade in meinem Zimmer stand. Anscheinend lag dort ein Missverständnis vor, weil sie verschiedene Treffpunkte ausgemacht hatten. Aber das musste sie ja nicht wissen. Ich weiß, ich war unmöglich, aber Nelson hatte es nicht anders verdient. Soll Lily mal ruhig denken, er habe sie versetzt. Von mir würde sie nichts erfahren. Ich drehte mich wieder zu ihr um und fragte unschuldig: „Wieso fragst du?"

„Keine Ahnung, ich dachte eigentlich, wir wären verabredet gewesen." Sie zuckte mit den Schultern. „Du kannst ruhig hierbleiben, vielleicht fällt ihm das ja wieder ein", fuhr ich unbeirrt fort.

Dieser Nachmittag war gar nicht so schlimm wie die anderen. Es war das erste Mal, dass ich mich mit ihr unterhielt, ohne dass mein Bruder, der Kontrollfreak, danebenstand. Wir redeten über diese ganzen Sachen, die man fragte, obwohl man sich eigentlich gar nicht für die Antwort interessierte. All diese langweiligen Themen stellten sich sogar als spannend heraus und bei einigen Fragen wollte ich die Antwort sogar wirklich wissen. Ich weiß nicht, wie lange es her war, aber heute dachte ich seit so langer Zeit für ein paar Minuten mal nicht an dieses verdammte Märchen. Wegen ihr.

Und dann kam Nelson. Er war außer sich vor Wut und ich wusste, dass ich schuld war: „Das könnte dir so passen, du Arschloch!", schrie er, bevor er überhaupt im Zimmer angekommen war. „Du wusstest ganz genau, dass ich mit Lily verabredet war und hast ihr nicht gesagt, dass ich auf sie warte!" Er schrie mich an, warf mir Beleidigungen an den Kopf und es dauerte eine

Ewigkeit, bis er überhaupt bemerkte, dass Lily neben uns saß. Auch Lily würdigte mich von dem Moment an keines Blickes mehr und als Nelson fertig war, nahm er Lily an die Hand und zog sie aus dem Zimmer.

„Penner!", hauchte sie mir beim Weggehen entgegen und ich hatte Glück, dass sie nicht noch hinterher gespuckt hatte. Ich konnte mir ein Lächeln nicht verkneifen, denn das war genau das, was ich damit bezwecken wollte. Glaube ich, denn später, als ich wieder alleine in meinem Bett lag, fragte ich mich, ob das wirklich nötig gewesen war.

KAPITEL 26

Cormac

Wieso ich das hier machte, wusste ich nicht. Ich war nicht von Natur aus ein Arschloch, aber ich war eins, das stand fest. Spätestens nach meiner ersten richtigen Begegnung mit ihr. Ich würde zu gerne wissen, was sie dachte, als wir uns das erste Mal richtig unterhielten bei mir im Zimmer. Vielleicht hatte sie in dem Moment sogar daran gedacht, dass ich nett sein könnte. Aber das war ich nicht, das zeigte ich ja schließlich einige Minuten später.

Ich hatte schon vor ihr andere Menschen schlecht behandelt. Es war nichts Neues, dass ich ihnen in den Rücken fiel oder sie verletzte. Und nie taten sie mir leid. Nicht Arthur, der Streber aus meinem Geschichtskurs. Nicht die blöden Tussen, die zu viert aufs Mädchenklo gingen und erst zwanzig Minuten später wieder rauskamen. Nicht mal mein eigener Bruder tat mir leid. Mein verdammter Bruder, der alles bekam, was ich nie hatte. Ich bereute keine Schlägerei und entschuldigte mich für kein einziges blaues Auge. Doch jetzt wurde ich von einem schlechten Gewissen heimgesucht, das ich vorher noch nie gespürt hatte. Es war ein schreckliches Gefühl. Ständig daran erinnert zu werden, dass man Mist gebaut oder die falschen Sachen gesagt hat.

Ich hatte die falschen Sachen gesagt, ich hatte sie verarscht, um mehr Zeit mit ihr allein zu haben. Ich hatte meinen Bruder wie ein Arschloch aussehen lassen und sie glaubte mir sofort. Sie hatte wirklich gedacht, er habe sie versetzt. Sie war so einfach zu manipulieren. Ich hatte ihm gedroht, sie aus dem Weg zu schaffen, wenn er es nicht tat. Und ich hatte gerade damit angefangen. Es war einfacher als gedacht und doch ließ mich der Gedanke nicht los, dass ich ihr das nicht antun konnte. Sie hatte ja offensichtlich niemanden mehr außer meinem Bruder. Aber ich hatte auch niemanden außer ihn und sie war diejenige, die ihn mir weggenommen hat. Ich tat nur das, was ich schon so lange angekündigt hatte und doch fühlte es sich plötzlich so falsch und grausam an.

Ich führte diesen inneren Konflikt, diese inneren Stimmen, die sich stritten, was ich als Nächstes machen sollte. Ich wusste gar nichts mehr. Eigentlich wäre es so einfach gewesen: Sie und meinen Bruder trennen, sie verschwindet von der Bildfläche und ich habe meinen Bruder wieder. Und dann schaute ich das erste Mal in diese hellblauen Augen, dieses herausfordernde, freche Grinsen und ich war derjenige, der beeinflusst und manipuliert wurde.

Meine Aufgabe stellte sich als schwerer heraus, als sie ursprünglich sein sollte und deswegen beschloss ich, wie immer, andere Aufgaben vorzuziehen. Aber da gab es nur eine andere und die war wirklich in keiner Weise einfacher. Denn ich wusste ja nicht, ob ich sie brauchte, um in diesen Wald zu kommen und wenn ja, dann konnte ich sie auch schlecht aus Thornforest entfernen. Vielleicht brauchte ich sie wirklich noch.

Das musste ich herausfinden, aber ich tappte im Dunkeln.

Jede Nacht wurde ich von diesen verdammt komplizierten und eigentlich verrückten Gedankengängen heimgesucht. Wie lange konnte ein Mensch ohne Schlaf durchhalten, bis er zusammenbrach? Ich war auf jeden Fall kurz davor. So fühlte es sich an.

Es hörte nicht auf zu schneien und mit jedem Tag wurde es kälter in Thornforest. Der Hausmeister hatte keine andere Aufgabe mehr, als die Wege freizuschaufeln und die Bedienung in der Cafeteria kochte literweise Kakao. Ab und zu lief ich über die freigeschaufelten Wege und holte mir einen dampfenden Becher, aber eigentlich war das auch alles nur Ablenkung. Ich schwamm mit dem Strom und versuchte, mich auf mich zu konzentrieren – es klappte nicht! Am 4. Dezember überraschte Nelson Lily mit dieser superkitschigen Eislauf-Idee. Es war echt nicht auszuhalten und doch saß ich auf unserem Balkon und blickte über die verschneiten Hügel hinweg auf den glitzernden See. Ich konnte ja nichts dagegen machen, denn ich saß bestimmt nicht freiwillig da und schaute ihnen beim Knutschen zu, aber ich musste sie nur ansehen und schon konnte ich den Blick nicht mehr von ihr abwenden. Es war verrückt, als hätte ich die komplette Kontrolle verloren, als hätte *sie* die komplette Kontrolle.

Im Sommer konnte man jedes Wort hören, was die Leute unten am See sagten. Manchmal mal war es lustig von hier oben Gespräche zu belauschen, die eigentlich gar nicht für meine Ohren bestimmt waren und manchmal war es einfach nur … komisch. Heute war ich froh, dass der meterhohe Schnee die Schalle dämpfte und ich es nicht ertragen musste, ihnen zuzuhören. Ich wollte gar nicht wissen, was mein perfekter Bruder ihr ins Ohr flüsterte, woraufhin sie kicherte und sie Hand in Hand ihre Runden drehten.

Immer dann, wenn ich es nicht mehr fertigbrachte, die beiden anzustarren, wendete ich meinen Blick ab und beobachtete ein Mädchen, das so gut Eislaufen konnte, dass einem schwindelig wurde. Es war Lilys Freundin. Joana? Jolina …?

Jolina war das komplette Gegenteil von Lily. Sie stand am Anfang des Schuljahres immer mit ein paar anderen Mädchen im Flur und kicherte total bescheuert, wenn die Jungs an ihnen vorbeigingen. Jetzt war sie irgendwie anders. Sie hing nicht mehr in den Fluren herum und unterhielt sich über Nagellack und Rüschen, sie war *wie* Lily. Das gefiel mir. Plötzlich hatte ich eine Idee, eine grausame und gefühllose Idee, aber sie war genial: Ich musste herausfinden, wie tief Lily in diesem Märchen drinsteckte. Nelson sagte, sie weiß von nichts, aber stimmte das? Wir konnten nichts riskieren und hinterher war sie schon viel weiter, als wir …

Es musste eine Möglichkeit geben, an sie heranzukommen, ohne dass mein Bruder wieder ausrastete und sich einmischte.

Sie war die Möglichkeit, die beste Freundin Jolina.

Auch wenn sie plötzlich keine Rüschen mehr trug und aufgehört hatte, über Nagellack zu reden, sie war immer noch ein typisches Mädchen. Und das machte sie zu leichter Beute. Niemand war leichter zu manipulieren als Mädchen, die sich nach Aufmerksamkeit sehnten. Durch sie konnte ich eventuell mehr über Lily herausfinden …

Ich war ein Monster, brutal und ohne Herz. Ich tat Sachen, die mich in die Hölle schickten und, das war wohl das Schlimmste, ich hatte kein Gewissen. Ich spürte keine Schuld oder Reue. Bei niemandem – außer bei Lily. Und wegen ihr musste ich diese unverzeihlichen Dinge tun. Nur wegen ihr.

Ich beobachtete dieses Mädchen eine ganze Weile. Normalerweise hätte ich sie nicht mal fünf Sekunden lang angeguckt, aber das hier war etwas anderes. Ich musste es tun, um mehr über das Mädchen herauszufinden, das ich liebte. Das Mädchen, das ich liebte und hasste. Es war so schwer und eigentlich so einfach. Heute Abend würde ich mit Jolina sprechen. Wenn ich Lily mit Worten manipulieren konnte, dann war dieses Mädchen ein Kinderspiel. Mein Blick war auf ihr Gesicht gerichtet, sie hatte riesige Augen und so lange Wimpern, dass ich mir sicher war, sie seien Fake. Sie war hübsch, aber nicht mein Typ. Heute Abend würde ich mit ihr reden, und diese großen Augen zum Funkeln bringen, sodass sie denken wird, ich meine es ernst.

Ich schaute zurück in die Mitte des Sees, wo mein Bruder immer noch mit seiner Freundin rumknutschte, als seien sie komplett alleine. Es schien sie nicht zu stören, dass da noch ungefähr zwanzig andere Leute auf der Eisfläche waren und zuguckten. Ich schloss für einen Moment die Augen, legte den Kopf in den Nacken und träumte. Wovon wusste ich selbst nicht, aber der Gedanke, einfach mal zu träumen, war schon schön genug.

Als ich die Augen wieder öffnete, standen weder Nelson noch Lily noch Jolina auf der Eisfläche. Sie hatten ihre Schuhe wieder angezogen und ihre Schlittschuhe baumelten über ihren Schultern. Sie kamen zurück ins Internat, dachte ich. Wo sonst sollten sie bei dem Wetter hingehen?! Ins Dorf kam man seit Tagen nicht mehr zu Fuß und sonst gab es hier keinen Ort, wo man hingehen konnte. Doch ich irrte mich und das schockierte mich so sehr, dass ich einen Moment wie angewurzelt dasaß. Lily und Jolina gingen einige Meter vor Nelson und waren ziemlich stark in ihr Gespräch vertieft. Ich glaube, sonst hätten sie es auch mitbekommen, dass Nelson hinter dem nächstbesten Baum verschwand und in den Wald hineinlief, ohne sich noch einmal umzudrehen oder ihnen Bescheid zu sagen. Als ich aus meiner Schockstarre wiedererwachte, packte ich mir meine Boots und meine Jacke, setzte die Kapuze meines Hoodies auf und zog mich beim Rausrennen fertig an.

* * *

Ich verließ den eigentlichen Weg an der Stelle, an der auch Nelson hinter den Bäumen verschwunden war. Hier, abseits des freigeschaufelten Weges, war der Schnee kniehoch und das erschwerte die Situation um einiges. Nelson hatte einen großen Vorsprung, aber trotzdem konnte ich seine dunkelblaue Winterjacke in dem weißen Wald nicht übersehen. Er rannte, als würde er vor etwas weglaufen, aber das tat er nicht. Ich wusste, wohin er lief und das war auch der Grund, wieso ich ihm so dringend folgen musste.

Schon nach wenigen Metern war meine Jeans klitschnass und ich fror bis auf die Knochen. Ich rannte durch den Wald, der das ganze Jahr über dunkel jenseits des Sees lag. Doch jetzt war er hell und weiß, alles sah so friedlich und märchenhaft aus. Doch wieder einmal manipulierte der Schnee meinen Verstand. *Das* hier war weder friedlich noch märchenhaft. Auch wenn es jetzt so still schien, hinter der scheinbar nie endenden Wand aus massiven Bäumen lauerte eine Gefahr, die seit Monaten auf sich allein gestellt war und niemand hatte auch nur die leiseste Ahnung, dass solche Wesen überhaupt existierten. Ich rannte hinter meinem Bruder her und traute mich gar nicht stehen zu bleiben und Luft zu holen. Meine Atmung war flach und ich schnaufte mit jeder Bewegung, die ich machte. Nelsons Fußstapfen waren kaum zu erkennen, man hätte meinen können, er wäre geflogen. Doch eigentlich war es nur der Schnee, der so schnell zu Boden glitt, dass er in Sekundenschnelle alle Spuren wieder verwischte. Es war so still, so friedlich.

Nelson war schnell, schneller als ich erwartet hatte. Er hatte seine Kapuze auf und ich konnte sehen, wie er mit beiden Armen um sich schlug, damit ihn die Äste nicht im Gesicht trafen. Vielleicht hätte ich das auch machen sollen, doch ich war zu sehr darauf fokussiert, ihm zu folgen, damit ich herausfand, weshalb er so verbissen auf die Lichtung zulief. Auch wenn er schnell war, ich war schneller und es dauerte nicht lange, bis ich ihn beinahe eingeholt hatte. Es befanden sich nur noch einige Meter Abstand zwischen uns. Trotzdem bemerkte er nicht einmal, dass er verfolgt wurde. Es war, als wurde er ferngesteuert, kontrolliert von einer höheren Macht. Als hätte er die Kontrolle über sich an jemand anderes abgegeben. Ich ließ ihn nicht aus den Augen, keine einzige Sekunde. Bis ich einen der herausragenden Äste eines Baumes übersah und er mir mit Gewalt einmal durchs Gesicht peitschte. Ich spürte einen stechenden Schmerz, so, als würde man mit aller Wucht geschlagen werden. Für einen kurzen Moment verlor ich die Orientierung, ich taumelte und wurde gebremst wegen des Schmerzes. Ich wollte mich an einem Baum festhalten und stehen bleiben – Nein, eigentlich wollte ich nicht stehen bleiben. Ich musste hinter Nelson bleiben, denn ich musste herausfinden, wieso er auf einmal alles stehen und liegen ließ, für eine Sache, die er aus tiefstem Herzen hasste. Das war nicht mehr der Nelson, den ich kannte. Es war nicht das erste Mal, dass er sich so komisch verhielt. Damals, in der Nacht als wir von unserer Mum wieder hierherkamen, da lief er auch schon mitten in der Nacht in diesen Wald. Es musste etwas geben, wovor er entweder Angst hat oder etwas, was er in dem Moment nicht kontrollieren kann …

Ich hätte nicht gedacht, dass meine Verletzung durch den Ast so schlimm gewesen war. Meine Gedanken an Nelson und sein mysteriöses Verhalten wurden unterbrochen, weil ich taumelnd gegen den Baum prallte, an dem ich mich verzweifelt festhalten wollte. Doch ich griff daneben. Verschwommen nahm ich den Wald wahr, wie friedlich und still er dalag. Und dann verlor ich endgültig den Halt. Meine Beine klappten unter meinem Körper weg und meine Arme versuchten hilflos irgendetwas zu finden, was mir ein kleines bisschen Halt gab, aber vergeblich.

Plötzlich war es wirklich still, keine Geräusche, keine Bewegungen, keine Gedanken, nichts. Nichts als schwarze Stille.

Als ich wieder aufwachte, wusste ich nichts mehr. Wieso war ich hier? Es dauerte einige Minuten, bis ich verstand, dass ich auf dem schneebedeckten Waldboden lag und mich nicht bewegen konnte. Ich spürte weder meine Füße noch meine Hände und ich schmeckte Blut. Der Ast. Nelson. Der Wald.

Wie Fetzen kamen die Erinnerungen wieder und schließlich wusste ich wieder, wieso ich hier war. Es war dunkel, ich musste über eine Stunde hier im Schnee gelegen haben. Das erklärte vielleicht, wieso ich meine Füße nicht richtig spürte. Ich fasste mir mit meiner linken Hand an die Stirn und zuckte augenblicklich zusammen. Links neben mir im Schnee waren vier rote Tropfen abgebildet und jetzt spürte ich den stechenden Schmerz wieder.

Ich hatte wirklich keine verdammte Ahnung, wie ich heute Abend zurück ins Internat gekommen bin und dann auch noch so leise, dass mich niemand gesehen hatte. Na ja, das stimmte nicht ganz, denn als ich durch die Flure taumelte, mit meiner Wunde am Kopf und blauen Lippen, war ich so erschöpft und angeschlagen, dass es mir auch nichts mehr ausmachte, dass am Ende des Flures ein Mädchen stand und mich entsetzt anstarrte. Ich konnte aus der Entfernung nicht erkennen, wer es war, aber als sie auf mich zugelaufen kam, glaubte ich zu erkennen, dass es Jolina war. Ausgerechnet. Schockiert schlug sie sich die Hände vor den Mund und unterdrückte einen Schrei. Ich war zu weggetreten, um mir darüber den Kopf zu zerbrechen, aber ich muss wirklich schlimm ausgesehen haben. Deswegen beschwerte ich mich auch nicht, als sie meine Hand in ihre legte und mich in mein Zimmer brachte. Ihre Hand war so klein und so warm. Als wir in meinem Zimmer angekommen waren, setzte ich mich schweigend auf mein Bett. Nelson war nicht da, wie immer. Ich spürte, wie mir die Tränen kamen. Ich war so eine Pussy.

„Was ist passiert?", flüsterte auf einmal eine fremde Stimme neben mir. Ich hatte nicht mitbekommen, dass sie sich neben mich aufs Bett gesetzt hatte. Zuvor hatte ich sie noch nie reden gehört und jetzt gerade tat es gut, eine Stimme zu hören. Wenn auch eine fremde. Ich antwortete nicht. Was sollte ich auch sagen?!

„Cormac, du musst diese kalten Sachen ausziehen!" Ich weiß nicht, wieso sie flüsterte, aber es war jetzt gerade genau passend. Weil ich immer noch nicht redete, wusste sie nicht mehr, wie sie mir helfen konnte und deswegen ging sie zur Tür. Ich kannte dieses Mädchen nicht und ich hatte ungefähr vor vier Stunden darüber nachgedacht, wie ich sie zu meinen Gunsten benutzen würde. Und jetzt war sie hier, als hätte mich irgendjemand erhört. Sie hatte die Türklinke schon in der Hand, als ich krächzte: „Geh nicht!" Es war ein erbärmlicher Sound in meiner Stimme. Noch erbärmlicher war allerdings, dass ich sie bat zu bleiben. Ich hatte so grausame Pläne und ich hasste mich selber dafür, aber ich hatte keine andere Wahl. Sie sah mich an, mit diesen viel zu großen Augen und hielt inne. Ich wollte aufstehen, aber da kam sie auf mich zu. „Shhh!" Sie legte einen Finger auf ihre Lippen und ließ mich wissen, dass ich sitzen bleiben sollte. Als sie im Bad verschwand, zog ich mir meine nasse, schwere Winterjacke aus und warf sie auf den Boden. Ich versuchte den Knoten aus meinen Boots zu lösen, doch meine Finger waren zu zittrig, zu kalt, zu steif. „Fuck!"

„Warte, lass mich das machen." Sie lief zu mir und zog mir die Schuhe aus.

„Wieso?", hauchte ich. „Wieso machst du das, du kennst mich gar nicht."

„Du brauchtest Hilfe und dein Bruder sitzt auf der Türschwelle meines Zimmers, weil Lily ihn nicht reinlässt." Anscheinend kriselte es im Paradies und ich wollte lachen. Ich hätte nicht gedacht, dass es einmal so weit kommen würde, aber ich war zu erschöpft, um jetzt schadenfroh und dreckig zu lachen. Sie schaute mir tief in die Augen und nahm einen Lappen, um meine Wunde an der Stirn zu reinigen. Als der warme, feuchte Stoff meine Haut berührte, spürte ich wieder diesen ekelhaften Schmerz und zischte. Mit ihrer freien Hand berührte sie meine Wange. „Shhh, alles gut."

Alles gut? Nichts war gut. Wenn sie auch nur ansatzweise wüsste, wie scheiße alles war, dann wäre sie jetzt sicherlich nicht hier. Wenn sie wüsste, wie scheiße ich war. Als ich ihre Hand auf meiner Wange spürte, hielt ich inne. Meine rechte Hand wanderte zu der Stelle, wo ihre auf meiner Haut lag. Ich umschloss ihre Hand mit meiner und ihre großen Augen wurden noch größer. Der nasse Lappen fiel auf den Boden und plötzlich spürte ich den Schmerz nicht mehr, ich war wie betäubt durch ihre Berührung. Ich spürte gar nichts mehr.

Ihre kleinen Hände wanderten zu meiner Brust, wo sie den Reißverschluss meines Sweatshirts langsam aufmachte. Ihre Augen ruhten auf meinen und ich konnte den Blick nicht abwenden. Ruckartig umfasste ich ihre Hände und wir hielten beide inne. Es war so still. Schon zum zweiten Mal heute war es so verdammt ruhig. Dann beugte sie sich vor und ohne miteinander zu reden, wussten wir, was als Nächstes kommen würde. Ich wusste, es war falsch. Scheiße, es war falsch und schrecklich und gefühlslos und unbarmherzig – und es war genau das, was ich von ihr wollte. Der Kuss war intensiv und genau passend. Meine steifen Finger brannten wegen den Berührungen und für den Rest der Nacht blendete ich aus, wie verdammt falsch das alles hier war. Ich spürte nichts, keine Reue, keinen Verrat, keine Schuld. Aber ich spürte auch keine Gefühle. Ich war komplett kalt und auch das Feuer, das in mir entflammte, konnte es nicht ändern. Wahrscheinlich spürte sie alles, aber auch das tat mir in diesem Moment nicht leid. Das hier war genau das, was ich jetzt brauchte und von ihr wollte.

Vielleicht war es mein unterkühlter Körper, der in dieser Nacht meine Sinne benebelte und betäubte. Es war sinnlos, sich darüber den Kopf zu zerbrechen, denn letztendlich ist es so gekommen und weder sie noch ich könnten die Zeit zurückdrehen.

KAPITEL 27

Cormac

Liebe. Eine Interaktion zwischen zwei Menschen – glaube ich. Basierend auf Komplimenten, Gefühlen, Geschenken und purer Güte. So einfach eigentlich und doch so selten. Und wenn man es genau nimmt, auch eigentlich viel schwieriger als nur Güte und Gefühle. Es ist eine Interaktion, welche sich darauf verlässt, dass beide Menschen das Gleiche füreinander empfinden. Ich glaube, gerade das ist das Unmögliche an dieser Interaktion: Dass es eigentlich gar keine gibt und nur die wenigsten bemerken es.

Auch ich bemerkte es an dem Morgen, als ich die Augen öffnete und mit einem Mal an all das von letzter Nacht erinnert wurde. Als ich über meine Schulter blickte, sah ich sie schlafend in meinem Bett liegen. Sie trug mein T-Shirt und ich trug keins. Wie konnte es nur so weit gekommen sein? Mit einem Mal bereute ich diese Entscheidung, obwohl es doch eigentlich genau das war, was ich die ganze Zeit von ihr gewollt hatte – und eigentlich auch immer noch wollte. Ich brauchte sie und das hier hatte nichts mit Liebe zu tun. Nicht im geringsten Sinne hatte das hier etwas mit der Interaktion zu tun, die ich mir vorstelle, wenn ich über Liebe spreche.

Sie bewegte sich neben mir. Ihre Augen noch immer geschlossen, doch mit einem Lächeln auf den Lippen, atmete sie scharf ein. Für sie war das, was letzte Nacht passiert war, genau das, was sie Liebe nennen würde. Sie spürte und glaubte an die Interaktion zwischen ihr und mir. Gut, dass sie nicht weiß, wie ich über sie dachte und welche Absichten ich hatte.

Liebe. Eine gefährliche Reise, um genau zu sein. Basierend auf Verleugnung, Verletzungen und Lügen. Und trotzdem ließen sie sich alle darauf ein. Auch sie. Wobei jeder eigentlich wusste, wie schmerzhaft es letztendlich ist.

Ich lag noch immer in meinem Bett, sie neben mir. In den nächsten Minuten musste ich mir überlegen, wie es weiterging. Mein Kopf drohte zu explodieren und da fiel mir wieder ein, wieso wir überhaupt hier gelandet waren. All meine Taten und Gedanken hatten in irgendeiner Weise mit diesem Märchen zu tun. So langsam fehlte mir die Kraft, diesen Kampf, in den Wald zu kommen, noch weiter zu kämpfen. Es musste etwas passieren und weil ich zu dem jetzigen Zeitpunkt nur einen Ausweg kannte, wusste ich, was ich zu tun hatte. Ich musste herausfinden, wie viel Lily wusste und wie tief sie schon mit drinsteckt. Um das herauszufinden, brauchte ich dieses verdammte, unschuldige Mädchen, das gerade schlafend neben mir lag und nur das Gute in mir sah. Was für eine Ironie, dass sie mir rein gar nichts bedeutete und sie wahrscheinlich gerade davon träumte, wie perfekt die letzte Nacht gewesen ist.

Mit einem tiefen und irgendwie aggressiven Seufzer stieg ich aus dem Bett. Die Dusche tat gut, das heiße Wasser entspannte meine Muskeln und so langsam spürte ich, wie mein Körper wieder warm wurde. Die Wunde an meinem Kopf war nicht tief und deswegen würde ich auch nicht zum Arzt gehen. Trotzdem ließen meine Kopfschmerzen auch nach der Dusche nicht nach. Als ich nur mit einem Handtuch um den Körper aus dem Badezimmer herauskam, saß Jolina aufrecht im Bett und lächelte mich schüchtern an. Sie war wirklich hübsch und so vorsichtig. Als ich ihr Lächeln mit einem schiefen Grinsen erwiderte, wusste ich, dass ich gerade die Entscheidung getroffen hatte, wie es jetzt weiterging. Jetzt konnte ich das Spiel nicht mehr beenden, jetzt war es zu spät. Wäre sie doch gestern Abend einfach gegangen.

„Wir könnten schwänzen, weißt du …", sagte sie beiläufig, als sie sich wieder in die Kissen kuschelte. Sie ging verloren in diesem riesigen Bett und ich musste mir ein Lächeln unterdrücken. Mit ein paar Klamotten auf dem Arm verschwand ich wieder im Bad und rief durch die geschlossene Tür: „Geht nicht, ich habe schon eindeutig zu viel geschwänzt in diesem Schuljahr. Ich will keinen Stress." Als Antwort bekam ich ein Stöhnen, das durch die vielen Kissen unterdrückt wurde. Plötzlich musste ich an ihre

Worte gestern denken. Dass Nelson und Lily Streit hatten oder so, keine Ahnung. Meine Laune verbesserte sich urplötzlich um einiges und meine Entscheidung, die ich vor einigen Augenblicken getroffen hatte, wurde mit jeder Sekunde richtiger. Ich konnte nicht nur Lilys Geheimnissen auf den Grund gehen, ich konnte ihr auch zeigen, was sie verpasste, wenn sie mit meinem langweiligen Bruder rumhing. Pathetisch, ich weiß.

Fertig angezogen, warf ich einen letzten Blick in den Spiegel. Die blutigen Striemen, die der Ast auf meiner linken Gesichtshälfte hinterlassen hatte, waren nicht zu übersehen. Als ich das Bad verließ, war ich überrascht, dass Jolina noch immer in meinem Bett lag. Es sah nicht so aus, als würde sie mit zum Unterricht kommen. „Ich gehe jetzt", sagte ich und tat so, als würde ich das Zimmer verlassen. „Willst du wirklich nicht mitkommen?"

Sie setzte sich auf und sah mich mit ihren großen Augen an. Wie konnte es sein, dass sie mir bis gestern nicht aufgefallen war und sie jetzt in meinem Bett lag? Mit meinem T-Shirt. Es war wirklich verdammt verkorkst. Sichtlich unglücklich stieg sie aus dem Bett und kam auf mich zu. Ihre Haare waren zu einem Zopf zusammengebunden, doch für mich sah es eher aus wie ein Vogelnest. Bevor ich richtig darüber nachdenken konnte, breitete ich meine Arme aus uns sie lehnte sich an meine Brust. Wieso, noch mal tat ich das?

Erst als wir Schritte auf dem Flur hörten, bemerkten wir, dass wir im Türrahmen standen und die Zimmertür sperrangelweit aufstand. Doch als ich sie zurück in mein Zimmer ziehen wollte, war es schon zu spät: Da stand sie, Lily. Komplett fertig gemacht auf dem Weg zur Schule und wunderschön. Mein Magen zog sich zusammen, denn ich hielt immer noch das Mädchen in meinen Armen, das ich benutzte. Und ich blickte dem Mädchen in die Augen, das mich doch an diese Interaktion von Gefühlen und Vertrauen glauben ließ.

Lily war allein, das hieß, dass Nelson und sie ihren Streit noch nicht geklärt hatten. Ich spürte, wie sich der Knoten in meinem Magen lockerte, doch er war immer noch da und ich wusste genau, wieso. Abrupt ließ ich Jolina los und stieß sie etwas unsanft von mir weg. Doch sie merkte es gar nicht, denn sie war viel zu sehr damit beschäftigt, ihrer besten Freundin zu erklären, was das hier war: „Ähh, Lil. Das ist ganz anders …“ Sie wurde rot.

Ich fing mich wieder. Mir wurde klar, dass mein Plan nicht aufgehen würde, wenn ich immer, sobald ich sie sehe, aus der Fassung gerate. Mit meinem selbstgerechten Grinsen wiedersprach ich Jolina und nahm sie in den Arm:

„Eigentlich ist es genau so, wie es aussieht.“ So, das hätten wir geklärt, wobei es eigentlich genau das Gegenteil war. Es war ganz anders, da hatte Jolina recht. Doch das durfte sie nicht erfahren, sonst steckte ich wirklich ziemlich tief in der Scheiße.

„Entschuldigt mich …“, hauchte Lily, nachdem sie aus ihrer Schockstarre wieder erwachte. Verstört warf sie mir einen letzten Blick zu und dann machte sie auf dem Absatz kehrt und ging den Flur hinunter, genau in die Richtung, aus der sie gekommen war.

Sobald Lily außer Sichtweite war, ließ ich Jolina wieder los. Ich hatte keine Ahnung, wie ich es schaffen sollte, *das hier* glaubwürdig rüberzubringen. Wie gut konnte ich lügen?

„Scheiße!“ Verzweifelt raufte Jolina sich die Haare. „Wie, bitte, soll ich das Lily erklären?“

„Was?“

„Das mit uns?!“ Sie sah mich verwirrt an. *Scheiße, Cormac, reiß dich zusammen, konzentrier dich!*

„Ach so. Sie wird's verkraften.“ Schulterzuckend und unbeeindruckt packte ich meinen Rucksack. Wie sollte ich ihr verdammt noch mal erklären, dass es dieses *uns* nicht gab und niemals geben würde. Jolina drehte sich zu mir um, sagte aber nichts mehr. Ich hatte nach unserem Aufeinandertreffen mit Lily keine Lust mehr auf Kuscheln und all den ganzen Scheiß, was sie anscheinend auch merkte, denn nach einigen Minuten Stille verließ sie den Raum und verschwand im Badezimmer.

Verleugnung brachte an diesem Punkt nichts mehr, das wusste ich selbst. Ich spielte hier ein falsches Spiel, ohne Rücksicht auf Verluste. Ich glaube, spätestens jetzt merkte man, wie verzweifelt ich an diesem Punkt war und auch als Jolina aus dem Badezimmer wieder herauskam, war ich davon überzeugt, dass ich es durchziehen würde. Wir verließen den Raum, denn wenn ich Lily wirklich in irgendeiner Weise zeigen wollte, dass sie etwas verpasste, dann konnte ich das am besten, wenn ich in die Schule ging.

Den ganzen Weg vom Internat in die Schule zwang ich mir das falscheste Lächeln auf, das nur ging, und mir wurde wieder einmal klar, dass ich Händchen halten extrem albern und überflüssig fand. Trotzdem machte ich all den Scheiß mit. Wenn Jolina mich auch nur ansatzweise kennen würde, dann wüsste sie, dass ich das normalerweise niemals tun würde. Wie naiv sie doch war.

Immer wieder redete ich mir ein, nicht zu erstarren, wenn ich Lily gleich gegenüberstehen musste. *Selbstbeherrschung, Cormac!*

Wenn ich gewusst hätte, dass ich so schnell scheitern würde, dann hätte ich mir gar nicht erst die Mühe gemacht, mich darauf zu konzentrieren.

Der Klassenraum war voll. Wir waren ziemlich spät dran und aus jeder Ecke konnte man unterdrücktes Geflüster hören. Es machte mir nichts aus. Wann machte es mir schon mal etwas aus, was andere Leute über mich dachten – bis ich Lily kennengelernt habe …

Meine Augen suchten sie in diesem überfüllten Raum. Als ich sie sah, lief es mir eiskalt den Rücken herunter: Sie saß an ihrem Platz, allein. Nelson war nirgends zu sehen und wenn er da gewesen wäre, dann wäre das, was hier gerade passierte, womöglich nie passiert.

Das heißt, eigentlich war sie nicht allein. Vor ihr stand Wren, dieser Pisser, mit seinen geleckten Haaren und dem blauen Anzug. Dass in dieser Schule nur die reichen Arschlöcher ausgesetzt wurden, war mir inzwischen klar. Doch Wren war noch mal so viel schlimmer als alle anderen. Wenn man ihn ließe, würde er wahrscheinlich wortwörtlich mit Geld um sich werfen und es gab dieses Gerücht, dass er schon jedes Mädchen für Geld gehabt hatte. Ich scheiße eigentlich auf diese Gerüchte, wenn die Mädels zu dumm sind, sich auf so etwas einzulassen, bitte.

Doch jetzt gerade stand er da, mit diesem dreckigen Lächeln über den Tisch gebeugt und nur wenige Zentimeter von Lily entfernt. Noch immer hielt ich Jolinas Hand, aber ich merkte, wie ich sie vor Zorn fasst zerquetschte. Ich wollte mich wirklich zusammenreißen. Mein Plan konnte nicht schon am ersten Tag scheitern, weil ich meine Gefühle nicht unter Kontrolle hatte. Wo verdammt noch mal war Nelson? Jetzt, wo sie ihn brauchte. Wo ich ihn brauchte.

Vielleicht war ich scheiße, vielleicht dachte ich an niemanden außer an mich, vielleicht brauchte ich niemanden außer mich. Aber jetzt gerade könnte ich das Richtige machen. Vielleicht zum ersten und einzigen Mal könnte ich dieses Mädchen vor einem großkotzigen Arschloch wie Wren retten. Ich könnte einmal das Richtige tun, auch wenn mein Plan dadurch ins Wanken geraten könnte.

In diesem Moment strich er ihr mit seiner ekeligen Hand eine Haarsträhne aus dem Gesicht und legte sie hinter ihr Ohr. Jetzt wurde mir schlecht und ihr hoffentlich auch. Wenn ich Jolinas Hand nicht augenblicklich losließ, dann würde ich ihr alle Knochen brechen. Wir standen immer noch in der Tür und Nelson war immer noch nicht da. Fuck!

Was dann passierte, weiß ich nicht mehr so genau, denn ich war taub von dem Moment an, als ich das Geräusch von einer flachen Hand hörte, die auf eine Wange traf. Sie hatte Wren geschlagen. Ein anderes Problem mit Wren war, dass Mädchen ihm eigentlich gehorchten und er es hasste, abserviert zu werden. Ich wusste, was jetzt kam, und dann lief ich los. Quer durch das Klassenzimmer, ohne zu überlegen. Es war, als hätte sich dieser eine Schalter in mir umgelegt und ich war nicht mehr in der Lage, rational zu denken. Ich packte ihm im Nacken und knallte ihn mit voller Kraft gegen die kalte Steinmauer.

Auch dass sein weißes Hemd auf einmal rote Flecken hinten am Kragen hatte, machte mir nichts aus. Ich war blind vor Wut und ich stieß Wren mit aller Kraft so weit weg von mir und Lily, wie es nur ging. An der Mauer war ein Blutfleck und ein paar Mädchen stießen einen Schrei aus. Es war mir egal, ich drehte mich um und starrte Lily an, die wie versteinert dasaß und nichts sagte.

Jolina sah mich an, als hätte ich gerade jemanden umgebracht. Gar nicht so abwegig der Gedanke, denn wenn ich gewollte hätte, dann hätte ich Wren umbringen können. Ich ging auf Lily zu. Sie zitterte und ich wusste nicht, was ich sagen konnte, um das, was gerade passiert war, irgendwie schönzureden.

Unsicher, ich hätte nicht gedacht, dass ich dieses Gefühl einmal spürte, und vorsichtig legte ich ihr meine Hand auf die Schulter und schaute sie an. Keine Ahnung, was sie sich dachte, als ich das tat. Ich weiß nicht mal, ob sie überhaupt gerade dachte. Ich wollte so gerne etwas zu ihr sagen, irgendetwas, egal, was. Es tat mir weh, sie so sehen zu müssen, auch wenn ich es niemals zugeben würde.

Doch innerhalb der nächsten Sekunde drehte sich das Blatt, denn jetzt war ich derjenige, der an die Mauer gepresst wurde, denn Nelson war wie aus dem Nichts aufgetaucht. Ich habe keine Ahnung, wie das für ihn ausgesehen haben musste: Lily, die dort saß wie versteinert und nicht in der Lage zu reden, und ich, der sich zu ihr herüberbeugte und sie eindringlich anstarrte. Für jemanden, der jetzt erst gekommen ist, sah es vielleicht anders aus, als es eigentlich gewesen war.

„Ey, Alter, lass sie los, Mann! Verpiss dich, Cormac! Was machst du da?" Seine Stimme war rau und kratzig und voller Wut. Er dachte wirklich, ich war der Grund, wieso seine Freundin so verstört dasaß. „Was ist falsch bei dir? Lass sie einfach in Ruhe!" Nelson sah ziemlich scheiße aus: Seine Klamotten waren schmutzig und seine Haare noch unordentlicher als sonst. Unter seinen Augen konnte man tiefe, schwarze Ringe sehen und besonders jetzt, als er mich so zornig anstarrte, konnte man wirklich Angst vor ihm haben.

Ich starrte ihn mindestens genauso fassungslos an. Dann spürte ich mit einem Mal ein Gefühl, das Enttäuschung ziemlich nah kam. Ich verlor die Fassung und mit leerem Blick flüsterte ich: „Hast du ernsthaft gedacht, ich würde Lily hier in diesem Klassenraum vor allen anderen etwas antun? Ist es wirklich so weit, dass du so schrecklich über mich denkst?" Es war ziemlich scheiße und verkorkst und verdammt noch mal schwierig, aber niemals war es so weit gekommen, dass mein eigener Bruder mir so etwas unterstellen würde. „Ich weiß nicht mehr, wie ich über dich denken soll!", flüsterte er mindestens genauso leise. „Schließlich hast du gesagt ... Cormac, du hast gesagt, du sorgst dafür, dass sie verschwindet. Du ... du bist verdammt noch mal verrückt! Wieso solltest du dann zu so etwas nicht mehr in der Lage sein?" Es tat mir weh, diese Worte aus seinem Mund zu hören, aber noch viel schlimmer war, dass er recht hatte. Ich war so grausam, dass ich imstande war, ein Mädchen für mich zu benutzen. Vielleicht nicht seine Freundin, aber ein Mädchen, das mindestens genauso unschuldig war.

Im Klassenraum war es so still, dass ich Nelsons Herz hören konnte, als Mr. Kingsley hereinkam. Alle drehten sich um und Nelson und ich konnten gerade noch sehen, wie Lily den Raum verließ, ohne auch nur auf Mr. Kingsleys Rufe zu reagieren. Dieses Mädchen hatte es wirklich geschafft, einen verdammt großen Keil zwischen Nelson und mich zu schlagen. Obwohl ich inzwischen nicht mehr wusste, ob es an diesem Märchen lag, oder an der Tatsache, dass wir uns beide in sie verliebt hatten. Denn das hatten wir, aber sie gehörte zu meinem Bruder und ich wusste nicht, wie lange ich das noch aushalten konnte.

KAPITEL 28

Cormac

Spätestens jetzt hatte ich sowieso alles verbockt. Nelson hasste mich und Lily dachte, ich sei irgendein Freak, der sich erst einen Dreck um sie scherte und plötzlich total ausrastet. Diesen Morgen würde ich nicht so schnell wieder vergessen, das war mir klar. Nachdem Lily aus dem Klassenzimmer gestürmt war, ging der Unterricht los, als sei nichts passiert. Wren war weg und irgendwie schien sich auch niemand wirklich für seinen Gesundheitszustand zu interessieren, auf jeden Fall keines der Mädchen. Sollte er doch verbluten!

Mr. Kingsley hatte sich gerade wieder einigermaßen beruhigt, als Nelson es nicht mehr neben mir aushielt und seine Tasche packte. Ohne auch nur ein Wort zu verlieren, verschwand er. Dieses Mal machte sich unser Mathelehrer nicht mal mehr die Mühe, irgendetwas hinter ihm her zu brüllen. Verzweifelt vergrub er seinen Kopf in seinen mit Kreide beschmierten Händen und die Überforderung stand ihm sichtlich ins Gesicht geschrieben.

Auch wenn ich mich bemühte, nicht daran zu denken, was Lily und Nelson gerade besprachen, in meinen Gedanken kam ich immer wieder darauf zurück. Würde Nelson ihr erzählen, was hier lief? Würde er ihr sagen, was für eine Rolle sie hier spielte und wieso ihr Grandpa sie überhaupt hierhergeschickt hatte? Wenn er es ihr nicht sagte und weiter so tat, als würde es hier keine Probleme geben, dann würde ich es tun. Irgendwann würde ich es tun. Auch wenn ich damit meine einzige Chance, in den Wald zu gelangen, eventuell verlieren würde.

Schon komisch und irgendwie gruselig, dass ich bis vor wenigen Wochen fest davon überzeugt war, dass sie niemals etwas über uns und diese Welt jenseits des Sees erfahren durfte. Konnte man sich überhaupt in so kurzer Zeit in jemanden so verlieben, dass jeder Gedanke und jede Aktion unterbewusst manipuliert wurde? Ging es überhaupt, dass man so für jemanden empfinden konnte, obwohl man sich doch so sicher war, dass Liebe ein überflüssiger Austausch von vorgetäuschten Gefühlen ist?

„Hey, hast du Lust später was zu unternehmen?"

„Nein!" Ich antwortete, bevor ich mir überhaupt darüber im Klaren war, wer mich gerade gefragt hatte. Es war Jolina. Sie saß neben mir und sie war die Einzige, die sich jemals freiwillig neben mich setzen würde. Jetzt sah sie jedoch für einen kurzen Moment auch nicht mehr so aus, als würde sie hier gerne sitzen. Ihre Miene veränderte sich und sie sah traurig aus, enttäuscht. Aber dann fiel mir wieder ein, was ich zu tun hatte und riss mich zusammen. Entschuldigend flüsterte ich: „Es tut mir leid, natürlich können wir später etwas unternehmen." Anschließend lehnte ich mich zu ihr rüber und küsste sie sanft auf die Stirn. Eine Geste, die ich total albern und bescheuert fand und sie anscheinend total super. Sie kicherte wie ein Kleinkind und drückte unter dem Tisch sanft meine Hand.

„Wollen wir Schlittschuh laufen gehen?" Sie strahlte bei diesem Vorschlag und sah mich flehend an. Was hatte sie nur immer mit ihren viel zu großen Augen?

„Nein, ich mache diesen Mist nicht!", sagte ich kühl und inzwischen sichtlich genervt, dass diese „Beziehung" so nervenaufreibend war. Doch als ich ihren entsetzten Blick wahrnahm, bemerkte ich, dass ich wieder das Falsche gesagt hatte und korrigierte mich hastig: „Ich meine, ich bin wirklich nicht gut in solchen Sachen und außerdem habe ich noch immer diese krassen Kopfschmerzen von gestern!" Das stimmte wirklich und bei jeder ruckartigen Bewegung wurde ich an meinen Unfall im Wald erinnert. Was mich wunderte, wenn ich an die Striemen an meiner Stirn dachte, dass Nelson nicht einmal aus Neugierde gefragt hatte, wie das passiert war. Wahrscheinlich hatte er es nicht einmal bemerkt, bei seinen eigenen Problemen, die er nicht in den Griff bekam.

„Lass uns doch einfach zu dir ins Zimmer gehen und einfach einen Film schauen oder so", sagte ich anschließend, um wieder auf das Thema zurückzukommen. Ihrem Blick nach zu urteilen, war sie damit einverstanden. Das war gut, denn ich hatte es zwar eher als Frage ausgedrückt, aber eigentlich war es eine Forderung. Schließlich war Jolinas Zimmer auch Lilys Zimmer und das war ja der eigentliche Grund, wieso ich dieses bescheuerte Spiel überhaupt spielte. Ich musste mehr über Lily herausfinden. Und weil ich nicht wusste, wo ich anfangen sollte, war ihr Zimmer vielleicht ein Ort, mit dem ich starten könnte.

„Mr. Morrington, Ms. Becker. Ich glaube, der Mathe-Unterricht ist nicht der optimale Zeitpunkt, Ihre Pläne für später zu besprechen", quengelte Mr. Kingsley irgendwann. Das war Jolina sichtlich peinlich und mir ging es sichtlich am Arsch vorbei. Wie anders sie war. „Ach, und Ihre Hände sind zum Schreiben da und nicht zum Händchenhalten unterm Tisch!", betonte er nach einer kleinen Pause. Jetzt wurde Jolina richtig rot, sie entzog ihre Hand aus meiner und ich grinste mein schiefes Grinsen, als ich bemerkte, dass uns alle anstarrten. Sollten sie doch, wenn ihre eigenen Leben zu langweilig waren.

* * *

Es war 15:30 Uhr. Abgemacht war 15:00 Uhr und so wie ich nun mal war, war ich eine halbe Stunde zu spät. Am liebsten wäre ich gar nicht gekommen, aber was sollte ich denn machen? Da ich gar keine andere Wahl hatte, stand ich jetzt vor Jolinas Zimmer, um ihr ein weiteres Mal meine Liebe vorzuspielen. Ich überlegte, ob ich anklopfen sollte, aber wann klopfte ich schon an?! Mir war nicht danach, wegen eines Mädchens, das ich nicht mal wirklich mochte, auf einmal meine Gewohnheiten umzustellen. Also fuhr ich mir ein weiteres Mal durch meine schwarzen Haare und drückte die Türklinke herunter. Super, jetzt stand ich in diesem Zimmer und es war leer. Jolina war nirgends zu sehen und gerade, als ich wieder gehen wollte, hörte ich ein unerträgliches Schluchzen unter einer Bettdecke.

Es war Lily, das wusste ich, sobald ich die langen, blonden Haare auf dem Kissen liegen sah.

„Äh, sorry ... Ich wollte ...‟ Keine Ahnung, wieso ich auf einmal stotterte und hektische Handbewegungen machte, aber wenn es um dieses Mädchen ging, machte ich ständig irgendeinen Scheiß. Selbst wenn ich sie nicht mal sehen konnte. „Jolina ist nicht hier!‟, sagte sie, obwohl ich mich konzentrieren musste, sie überhaupt zu verstehen. Sie weinte so heftig, dass förmlich jedes Wort von ihren Tränen verschluckt wurde. Sie tat mir leid, denn ohne dass sie mit mir gesprochen hatte, wusste ich, dass sie wegen meinem Bruder weinte. Wenn ich nur wüsste, was er gesagt hat, dann würde ich ihm ... Würde ich wirklich? Ich meine, vor noch einigen Wochen wollte ich, dass genau das hier passierte. Jetzt hatte er es endlich geschafft, sie loszulassen. Womöglich war jetzt der Moment gekommen, wo er endlich bereit dazu war, mit mir zusammen einen Weg zu finden, in diesen Wald hineinzukommen. Zu gerne würde ich glauben, dass er jetzt wieder ganz der alte Nelson war: Ein Nerd, der ständig alleine in der Bibliothek herumhängt. Ein Bruder, der zwar in allem besser war, aber sich trotzdem um mich sorgte, irgendwie. Zu gerne würde ich glauben, dass er mit dieser Sache abgeschlossen hatte. Mit ihr. Doch ich war nicht blöd und er auch nicht. Wenn er nur einen kleinen Funken von Vernunft oder Verstand besaß, dann würde er um sie kämpfen. Und ich sollte es wissen, denn ich war mir sicher; ich an seiner Stelle würde es genauso machen.

Es war echt nicht schön anzusehen, wie das Mädchen, das ich liebte, dort in ihrem Bett lag und so heftig weinte, dass ich dachte, sie würde nie mehr aufhören. Auch wenn ich wusste, dass ich nach den Ereignissen heute Morgen eigentlich kein Recht hatte, mit ihr zu reden, fragte ich leise: „Alles okay, Lily?‟ Ich bekam keine Antwort, womit ich eigentlich auch gerechnet hatte, aber trotzdem schmerzte es, dass sie mich so gnadenlos ignorierte.

Plötzlich fiel mir auf, dass es überhaupt erst das zweite Mal war, dass ich mich mit ihr in einem Raum befand, ganz allein. Und beide Male war es, weil wir eigentlich zu jemand anderem wollten. Na ja, um ganz ehrlich zu sein, wollte ich eigentlich gar nicht hier sein, auf jeden Fall nicht wegen jemand anderem …

Das letzte Mal, als ich sie in meinem Zimmer traf, eskalierte es wegen dieser scheiß Lüge, die ich in die Welt gesetzt hatte, dass mein Bruder sie versetzt habe. Aber heute konnte gar nichts eskalieren, denn sie redete nicht mit mir. Sie sah mich nicht einmal an. Keine Ahnung, ob es wirklich nur wegen ihrem Streit mit meinem Bruder so war, oder ob sie einfach keinen Bock auf mich hatte, aber eines war klar: Ich hasste es, dass sie mir nicht einmal eine Antwort gab. Dann fände ich es sogar besser, wenn sie mich gnadenlos anschreien und beleidigen würde. Vielleicht hatte ich das damals auch verdient, aber ich habe es definitiv nicht verdient, von ihr so brutal ignoriert zu werden, vor allem nicht nach meiner Aktion von heute Morgen. Da war ich derjenige, der sie vor Wren beschützt hatte, denn der Junge, wegen dem sie gerade so bitterlich weinte, war wieder einmal nicht für sie da. Wie so oft. Ich konnte meine Eifersucht nicht kontrollieren und gerade, als ich es nicht mehr ertragen konnte, weiterhin von ihr ignoriert zu werden, drehte sie sich zu mir um und flüsterte: „Was willst du hier? Bitte, Cormac, lass mich einfach in Ruhe und geh!" Sie flehte mich praktisch an, vermutlich weil sie erwartete, dass ich irgendeinen dummen Spruch brachte. Was sollte sie auch sonst erwarten, ich war schließlich nie wirklich nett zu ihr gewesen. Aber damals war es auch eine ganz andere Situation, denn damals war sie ein überflüssiges Hindernis in meinem Leben. Ich fragte mich einen kurzen Moment, was passiert wäre, wenn ich von Anfang an zu meinen Gefühlen gestanden hätte. Was, wenn ich einfach den Mut dazu gehabt hätte, um sie zu kämpfen? Jetzt wäre ich jederzeit dazu bereit, um sie zu kämpfen und genau aus dem Grund trafen mich ihre Worte mehr, als ich es eigentlich zugeben wollte.

„Okay … Weißt du, wo Jolina ist?" Ich wollte nicht gehen und deswegen redete ich so langsam wie es nur ging. Endlich drehte sie sich um und starrte mir direkt in die Augen. Nein, sie funkelte mich an, als würde ich dadurch schneller verschwinden. Schließlich zischte sie: „Ich könnte jetzt sagen, sie hat dich versetzt und ist mit jemand anderem unterwegs, denn das würde passen. Ist das nicht unser Ding?" Ich wusste genau, was sie meinte, denn genau das hatte ich ihr damals erzählt. Eigentlich konnte ich gar nicht damals sagen, denn es war ja nur ein paar Tage her, und doch fühlte es sich an wie eine halbe Ewigkeit. Eine brutale, verdammte Ewigkeit, in der ich ungefähr so viele abgefuckten Dummheiten begangen habe, dass es für ein Leben lang ausreichen würde. Da ich nicht auf Lilys Aussage antwortete, lachte sie. Es war ein bitteres und boshaftes Lachen, das sich mit ihren Tränen vermischte und sich deswegen noch so viel schlimmer anhörte. „Ja, dachte ich mir! Ist schon scheiße, wenn man die ganze Welt so sehr hasst, dass man irgendwann alleine dasteht. Du bist ein grauenhafter, ekelhafter Mensch und jetzt besitzt du die Dreistigkeit, in mein Zimmer zu kommen und mich zu fragen, ob alles okay ist?!" Sie hielt inne, nicht weil sie fertig war, sondern weil sie es genoss, wie sie mich gerade folterte. Denn das tat sie. Jedes Wort, das sie aussprach, schmerzte wie tausend Messerstiche, die tief unter die Haut gingen. Und was noch viel schlimmer war, war der Moment der Feststellung, dass alles, was sie sagte, stimmte. „Du glaubst doch nicht wirklich, dass du mich das ganze Jahr über blöd anmachen kannst, mir drohst, dass du mich verschwinden lässt und dann kommst du eines Morgens und rettest mich vor diesem Typen, der nicht einmal ansatzweise gefährlich war! Cormac, wie blöd bist du denn? Der ganze Klassenraum war voll. Wren hätte es nicht gewagt mich anzufassen und du hattest dein Ego nicht im Griff!" Sie schrie mich an und ihr war es egal, dass sie jeder hören konnte, der über den Flur lief. Was redete sie da für einen Scheiß, dieser Typ war nicht gefährlich? Wenn ich nichts unternommen hätte, dann wäre Gott weiß was passiert. Ich wurde mit einem Mal richtig sauer, doch ich schrie nicht zurück. Meine tiefe Stimme bebte vor Wut, aber ich würde sie nicht anschreien. „Mein Ego nicht im Griff? Spinnst du? Ich habe …"

„Du hast gedacht, das wäre die Gelegenheit, um Jolina zu zeigen, was du für ein geiler Typ bist! Du lechzt doch förmlich nach der Aufmerksamkeit, die du sonst nie bekommst. Auf so einen Moment hast du doch gewartet, dass du vor den Augen aller anderen einen unschuldigen Mitschüler verprügeln kannst!", unterbrach sie mich und jetzt konnte ich mich nicht mehr zurückhalten. Ich konnte mir nicht weiterhin diese beschissenen Anschuldigungen anhören. Sie verdrehte die Wahrheit, weil sie nicht zugeben konnte, dass sie meine Hilfe gebraucht hat. Ich atmete tief durch und schrie sie dann mindestens genauso bescheuert an wie sie mich: „Wie wäre es einfach mit einem Danke?"

„Was? Danke?" Jetzt schrie sie nicht mehr, jetzt schaute sie mich nur verwirrt an und der war Moment gekommen, in dem ich zu Wort kam.

„Ja genau, Lily, Danke! Denn ich weiß nicht, was Nelson dir gesagt hat, um mich schlecht dastehen zu lassen, aber du kannst nicht leugnen, dass Wren heute Morgen keine guten Absichten mit dir hatte. Nelson hat dich so fest in seinem Griff, dass du komplett geblendet wirst und die Wahrheit leugnest! Du bist so verflucht naiv. Und es tut mir leid, dass es so ausgesehen hat, als würde ich etwas von dir wollen und es tut mir leid, dass in dem Moment Nelson gekommen ist, aber wenn ich Wren nicht geschlagen hätte, dann hätte er weitaus mehr gemacht, als nur deine Haare berührt!" Jetzt musste ich innehalten, denn ich war außer Atem und spürte, wie schnell mein Herz gegen meine Brust hämmerte. Ich ging einen Schritt auf sie zu. Und noch einen. Sie setzte sich auf und rückte ein Stück weiter nach hinten, doch sie war schon am Ende ihres Bettes angekommen.

„Also sei gefälligst nicht so eine stolze Tussi, denn ich wollte dir einfach nur helfen. Ich muss an dieser Schule niemandem irgendetwas beweisen, denn hier weiß schon jeder, dass man sich nicht mit mir anlegt. Vielleicht habe ich es für Jolina gemacht, oder für Nelson. Verdammt, vielleicht habe ich es auch für dich gemacht! Weil ich nicht mit ansehen konnte, wie dieses Arschloch dich anfasst!" Ehe ich stocken konnte, hatte ich diesen letzten Satz laut ausgesprochen. Lily war mindestens genauso überrascht von dem, was ich gerade gesagt hatte. Erst dachte ich, sie würde mich auslachen oder irgendeinen scheiß Spruch bringen, aber sie sagte gar nichts mehr. Ich ging einen weiteren, letzten

Schritt auf sie zu und jetzt war meine Stimme nur noch ein raues, kratzendes Flüstern: „Also hör auf, dich mit mir anzulegen, denn ich kann nichts dafür, dass mein Bruder so ein verdammtes Arschloch ist, und dich hat gehen lassen …"

Mit diesen Worten verließ ich den Raum. Ihre Worte waren unwiderruflich und so schmerzhaft, aber ich konnte nicht anders, als ein kleines bisschen zu grinsen, als ich über den Flur lief. Der Fakt, dass sie nichts erwidert hatte, als ich meinen letzten Satz flüsterte, hieß, dass er und sie nun getrennte Wege gingen.

KAPITEL 29

Cormac

Nicht schon wieder! Bitte nicht schon wieder diese brutale Verwirrung. Ich habe keine Ahnung, wie oft ich das noch durchmachen musste, aber offensichtlich passierte es immer, wenn ich bei ihr war. Als ich vorhin in ihr Zimmer kam und sie dort liegen sah, wollte ich nichts mehr, als sie trösten und ihr sagen, dass es vorbeigeht. Jetzt, als ich ihr Zimmer wieder verließ, musste ich mit jeder Faser meines Körpers gegen die Wut ankämpfen, dich sie in mir ausgelöst hatte. Ihre Worte hallten in einer Endlosschleife in meinem Kopf nach und es machte mich verdammt noch mal krank. Wie lange war sie hier – vier Monate? Und sie dachte wirklich, sie wüsste, wer ich bin und was für Absichten ich hatte. Für wen hielt sie sich eigentlich?

Die Wut in mir ließ sich nicht länger zurückhalten, als ich durch die Flure lief und schließlich in meinem eigenen Zimmer ankam. Mit der flachen Hand schlug ich gegen die Wand, mehrere Male, und ich wollte nie mehr damit aufhören. Es dauerte nicht lange, da befand ich mich wieder in dieser Art Trance, wie jedes Mal, wenn ich ausrastete.

Du hattest dein Ego nicht im Griff. – Du bist ein grauenhafter Mensch. – Wie blöd bist du denn? – Du drohst, dass du mich verschwinden lässt. –

Du hattest dein Ego nicht im Griff. – Du bist ein grauenhafter Mensch. – Wie blöd bist du denn? – Du drohst, dass du mich verschwinden lässt. –

Du hattest dein Ego nicht im Griff. – Du bist ein grauenhafter Mensch. – Wie blöd bist du denn? – Du drohst, dass du mich verschwinden lässt. –

Eine Lampe, ein Stuhl, meine Bücher und noch vieles mehr flogen durch mein Zimmer, während ich ihre Stimme nicht mehr loswurde. Sie hatte die komplette Kontrolle über mich und ihre Worte wurden mit jedem Mal grausamer. Gott weiß, wieso ich irgendwann aufhörte, mein Zimmer zu demolieren, aber schließlich sank ich vor Erschöpfung zu Boden und vergrub den Kopf in meinen Händen. *Bitte, mach, dass es aufhört! Bitte, bitte, verdammte Scheiße, es soll aufhören!* Ihre Stimme verfolgte mich gnadenlos. Es war die reinste Folter, ihre Stimme mit diesen grausamen Worten zu hören. Und dann, ganz plötzlich, wurde mir etwas bewusst, was alles ändern würde: *Du drohst, dass du mich verschwinden lässt.* –

Diesen Satz hätte sie nicht sagen dürfen, diesen Satz hätte sie gar nicht kennen dürfen. Es kam mir in den Sinn wie ein Blitz, der einschlug und alles mit einem Mal verändern würde. Denn diesen Satz hatte ich zu Nelson gesagt, damals im Seitengang in der Schule. Unser Gespräch, als ich noch so fest davon überzeugt gewesen war, dass sie alles zerstören würde: *Wenn sie nicht von selbst verschwindet, dann werde ich dafür sorgen.*

Genau das hatte ich gesagt und nur er hatte es gehört. Dachte ich zumindest, denn als ich genau über unser Gespräch nachdachte, da fielen mir die Geräusche ein. Ich hatte damals sogar nachgeguckt, ob wir belauscht wurden und ich dachte, ich würde langsam verrückt werden. Dabei war sie die ganze Zeit dabei gewesen. Sie wusste alles und war somit nicht länger ein Mensch wie alle anderen in dieser gottverdammten Schule. Wenn sie uns damals wirklich belauscht hatte, dann war sie ab dem Tag genauso ein Teil des Märchens wie Nelson und ich.

Den ganzen Abend zerbrach ich mir den Kopf darüber, ob es wirklich stimmen konnte, oder ob ich einfach wirklich langsam durchdrehte. Aber woher sollte sie es sonst wissen?! Warum sonst sollte sie mir diesen Satz ins Gesicht werfen? Mit jeder Sekunde, die verstrich wurde ich mir sicherer, dass sie Bescheid wusste. Ich war mir zwar nicht sicher, wie viel sie wusste, aber sie war nicht mehr das ahnungslose Anhängsel, für das ich sie bis vor kurzer Zeit noch gehalten hatte.

Eigentlich war es doch genau das, was ich herausfinden wollte, oder nicht? Das war der Grund, wieso ich Jolina ausnutzte, und es war ebenfalls der Grund, wieso ich heute in ihr Zimmer gegangen bin. Wenn ich gewusst hätte, dass es so einfach werden würde, dann ... Aber war es einfach? War es jetzt einfacher, wo ich wusste, dass sie hier nicht ohne Grund war? Eigentlich wurde es jetzt erst richtig schwer, denn ich hatte keine Ahnung, wie viel sie wusste. Ich hatte nicht die geringste Ahnung, ob sie schon vor unserem Gespräch über alles Bescheid wusste. Wie tief steckte sie in dieser Welt schon drin? Dann wurde mir bewusst, dass Nelson keine Ahnung hatte. Je länger ich darüber nachdachte, umso verkorkster wurde der ganze Scheiß. Nelson wusste über alles Bescheid, genauso wie Lily, und doch dachte Nelson, dass Lily nichts weiß. Und er wollte ihr nichts erzählen, um sie zu schützen! Wow, das war wirklich krasser als jeder gute Kinofilm! Und ich war der Einzige, der wirklich *alles* wusste, was bedeutete, dass ich derjenige war, der es jetzt geradebiegen musste.

So schnell spielte man plötzlich eine wichtige Rolle in einer Geschichte, von der man eigentlich gar kein Teil war. Denn das stimmte wirklich, ich war nicht derjenige, der auserwählt wurde, um in dieser Welt zu herrschen, jeder Tag, der verstrich, zeigte mir, dass ich keine Chance hatte in diesen Wald zu gelangen. Und wenn ich jetzt zu Nelson gehen würde und ihm alles erzählte, dann würde sich die klitzekleine Chance, dass ich doch irgendwie zum Herrscher werde, in Luft auflösen und ich werde nichts mehr mit dieser magischen Welt zu tun haben. Allein der Gedanke, dass ich dann komplett alleine in dieser Schule hocken werde, jedes Jahr ein Jahr älter werde und in einer Welt leben muss, die so langweilig ist, wie ein leeres Blatt Papier, brachte mich ein weiteres Mal zum Ausrasten. Ich konnte nicht mit ansehen, wie mein Bruder und das Mädchen, das ich liebte, ein Leben führten, das ich mir immer gewünscht habe. Aber andererseits war es doch auch nur eine Frage der Zeit, bis die beiden sich aussprachen und dann alles übereinander erfahren würden. Niemand kann ein so großes Geheimnis vor der Welt hüten, besonders nicht, wenn du doch eigentlich jemanden hast, der genau das Gleiche durchmacht.

Ziemlich ratlos, wie ich jetzt weiter vorgehen sollte, saß ich noch immer auf dem Fußboden in meinem Zimmer zwischen zertrümmerten Möbelstücken und ich konnte mich nicht dazu motivieren, sie aufzuräumen. Die Sonne verschwand hinter dem schwarzen Wald und ich konnte förmlich sehen, wie sie mit jeder Minute ein weiteres Stückchen sank. Ohne zu wissen, wieso ich es tat, nahm ich mir nach einigen Minuten das dicke Märchenbuch. Es lag unter meinem Bett, genauso wie früher, und für einen ganz kurzen Moment sah ich das Gesicht meines Vaters vor mir. Dad hätte gewusst, was jetzt zu tun war. Er hatte immer eine magische Erklärung parat, und auch wenn ich es niemals zugeben würde, in diesem Moment vermisste ich ihn so sehr, dass ich mich zusammenreißen musste, nicht zu heulen. Alter, jetzt fing ich schon an zu heulen!

Wenn ich nur wüsste, ob er lebte. Wenn ich einfach nur wüsste, dass er damals einfach nur keinen Bock mehr auf seine Familie hatte und deswegen abgehauen ist. Auch wenn der Gedanke unerträglich war, dass er jetzt am Küchentisch mit seiner neuen Familie sitzt und ihnen aus Märchenbüchern vorliest – er ist noch lange nicht so unerträglich und brutal wie der Gedanke, dass es ihn schon lange nicht mehr gibt. Als ich mir bewusst wurde, worüber ich gerade nachdachte, schüttelte ich mich und wischte mir die Tränen aus dem Gesicht. Genau deswegen dachte ich so selten an ihn, weil ich wusste, was passiert, wenn ich es tat.

Auch wenn es vermutlich eine der bescheuertsten Sachen war, die ich in diesem Moment hätte machen können, schlug ich dieses gottverdammte Buch auf und fing ganz vorne an zu lesen. Jedes Detail machte inzwischen Sinn und war doch so sinnlos, denn wir waren immer noch nicht an dem Punkt angelangt, an dem wir wussten, wie wir diese Welt betreten sollten.

Als ich wieder aufsah, hatte ich Kopfschmerzen und mein Zeitgefühl verloren. Es war schon längst dunkel und bis auf meine Nachttischlampe brannte kein Licht im Zimmer. Ich war ein weiteres Mal so tief in diesem Märchen versunken, dass ich es wahrscheinlich nicht einmal bemerkt hätte, wenn Nelson wiedergekommen wäre. Deswegen stand ich auf und schlug seine

Bettdecke zurück, um nachzusehen, ob er vielleicht schon schlief. Aber er war nicht da. Einen kurzen Moment überlegte ich, ob ich mir jetzt Sorgen machen sollte. Jeder normale Bruder würde sich Sorgen machen, aber bei Nelson und mir war es anscheinend anders.

Müde und erschöpft hob ich das Buch vom Boden auf und ließ mich auf mein Bett fallen. Ich wollte nicht weiter über all die Geheimnisse und Abenteuer lesen, die ich niemals zu Gesicht bekommen werde. Aber diese kleine nervige Stimme in mir erinnerte mich daran, dass ich jetzt, wo ich über alles Bescheid wusste, in irgendeiner Weise auch ein Teil dieses Abenteuers geworden bin. Ein mickriger kleiner Teil, aber immerhin überhaupt ein Teil.

Ich blätterte durch die vergilbten, schweren Seiten und musste urplötzlich an den Tag denken, an dem ich auf einmal auf der Fußmatte von meiner Mum stand. Dieser Tag schien schon wieder so lange her zu sein, so viel Mist war seitdem passiert und da merkte man wieder, wie die Zeit uns davonlief. Ich musste nicht nur an meine Mum und ihr breites Lächeln denken, das so echt wirkte, sondern auch an Steffen Parker und an das Leben, das die beiden jetzt lebten: Einfach und unkompliziert. Und für einen ganz kurzen Moment wollte ich tauschen, einfach, weil ich diese ganze verkorkste Scheiße satthatte. So sehr ich das Märchen liebte und die Idee, in diesen Wald zu kommen, ich wollte nicht länger warten. Wir mussten eine Lösung finden.

Mit meinen Gedanken noch bei meiner Mum, blätterte ich die letzte Seite im Buch um und las die letzten Sätze dieses Abenteuers. Als ich klein war, hatte Nelson jedes Mal den letzten Satz in meinen Büchern vorgelesen, einfach um mich zu provozieren, weil er immer genau wusste, dass ich es hasste. Ich hasse es, den letzten Satz schon zu kennen, obwohl man den Rest des Buches noch nicht kannte. Heute las ich ihn sogar zweimal, dreimal. Ich las ihn so oft, bis ich wieder wusste, wieso er mir so bekannt vorkam: Ich hatte diesen Satz schon einmal gehört, und weil ich immer noch an meine Mutter denken musste, zählte ich eins und eins zusammen. Sie hatte uns damals diesen Abschnitt vorgelesen und schon damals war ich mir sicher, dass das hier unmöglich das Ende sein konnte. Jetzt saß ich hier mit meinen fast 18 Jahren und grübelte über das Ende eines Märchens nach, weil es mir nicht gefiel.

Und aus diesem Grund wagte es keiner der vier ihren Wald und ihr Geheimnis zu verlassen, denn sie wussten, dass die Strafe tödlich sein würde ...

War dies das endgültige Ende einer Geschichte, die ich so verzweifelt verstehen wollte? Wie sollte ich dieses Märchen verstehen, wenn es so zu Ende ging?

Verzweifelt drehte ich dieses gigantische Buch auf meinem Schoß und schüttelte es, in der Hoffnung, dass noch einzelne Blätter herausfallen würden. Aber nichts passierte. Ich untersuchte die letzte Seite, doch es sah nicht so aus, als seien weitere Seiten herausgerissen worden.

Sprachlos und frustriert ließ ich das Buch zu Boden fallen und raufte mir mit beiden Händen die Haare. Die tiefe Falte auf meiner Stirn war womöglich der Grund für meine plötzlichen Kopfschmerzen, doch so sehr ich es versuchte, sie wollte nicht verschwinden.

* * *

Ich war mir bewusst, was ich zu tun hatte, nur wusste ich nicht, wie ich es anstellen sollte. Wir mussten in diesen Wald reinkommen, doch wie? Dieses Buch, das dort jetzt auf dem Fußboden lag, konnte mir keine Antworten geben und ich hatte keine Ahnung, wer sonst noch helfen konnte. Vielleicht wäre die ganze Sache einfacher, wenn Nelson nicht so stur wäre und es Lily einfach erzählen würde. Vielleicht wäre es für uns alle einfacher, wenn wir zusammenarbeiten würden. Ich hätte niemals gedacht, dass ich das einmal sagen würde, aber Lily war ein Teil von dieser Geschichte und vielleicht schafften Nelson und ich das wirklich nicht alleine. Wobei Nelson ja auch nicht wirklich eine große Hilfe war in den letzten Wochen. Eigentlich war ich die ganze Zeit über der Einzige, der irgendetwas für dieses Märchen gemacht hat. Traurig, dass ich gleichzeitig derjenige bin, der diesen Wald vielleicht nie betreten wird.

Ich lehnte meinen Kopf gegen das Holz meines riesigen Bettes und betrachtete die Decke, als mir auffiel, dass ich eigentlich verabredet gewesen war. Mit meiner *Freundin*. Es wäre besser, wenn ich mit ihr reden würde und diese Sache, was auch immer es ist, beende, bevor es für sie richtig losgeht. Niemals würde ich zugeben, dass ich von meinem schlechten Gewissen heimgesucht wurde und deswegen über Jolina nachdachte, aber ich bekam diese verdammt schönen blauen Augen nicht mehr aus dem Kopf. Das wäre jetzt alles nicht so schlimm, wenn es ihre wären, die ich nicht vergessen konnte. Doch die Augen, an die ich dachte, gehörten jemand anderem. Bevor ich noch weiter nachdenken konnte, stand ich auf und verließ das dunkle Zimmer. Ich musste zu ihr, ich musste sie sehen. Diesen Gedanken, dass wir im Streit auseinandergegangen waren, ertrug ich einfach nicht. Sie gehörte meinem Bruder und trotzdem war ich es, der ihr nun alles erzählen wollte. Ich wollte dieses Geheimnis lüften, auch wenn es womöglich schon längst kein Geheimnis mehr war. Sie wusste schon alles, aber sie war allein mit diesen Gedanken. Genauso allein wie Nelson. Und wie ich. Wir mussten zusammenarbeiten, sonst schafften wir es nicht.

Ein weiteres Mal lief ich heute diesen gleichen Weg durch die verschiedenen Flure und wieder einmal stand ich vor ihrer Tür. Jetzt wollte ich wirklich zu ihr, doch das erste Gesicht, das ich sah, als ich ohne zu klopfen in das Zimmer trat, war ein anderes: Jolina …

Wieso war immer das Mädchen in diesem verdammten Raum, das ich nicht sehen wollte? Ich blieb im Türrahmen stehen, weil ich nicht wusste, ob ich auf sie zugehen sollte, oder nicht. Sie saß auf ihrem Bett, die Arme vor der Brust verschränkt und ihre Augen waren blutunterlaufen und feucht – sie hatte geheult. Bestimmt, weil ich nicht zu unserer Verabredung gekommen bin. Ich weiß, ich sollte nicht so darüber denken, aber die Tatsache, dass sie hier heulend auf ihrem Bett saß, nervte mich so sehr, dass ich am liebsten wieder gegangen wäre. Wieso heulten diese Mädchen immer wegen jeder kleinen Scheiße?! Meine Kopfschmerzen waren ohnehin schon unerträglich und dieses alberne Schluchzen machte es nicht gerade besser. Unschlüssig, was ich jetzt zu ihr sagen sollte, fragte ich so beiläufig wie nur möglich: „Hast du ′ne Ahnung, wo Lily ist?" Ich lehnte mich gegen den Türrahmen und schaute mich ein weiteres Mal im Zimmer um, als das Schluchzen plötzlich innehielt. Ich blickte auf, um zu sehen, wieso sie sich auf einmal dazu entschlossen hatte, mit diesem extrem störenden Geräusch aufzuhören. Ihre glasigen, viel zu großen Augen trafen meine und sie zischte: „Ernsthaft?!" Unbeirrt guckte ich sie an und tat so, als wüsste ich nicht, wovon sie redete. Ich wusste ganz genau, worauf sie hinauswollte, aber ich hatte keinen Bock auf noch eine Diskussion mit einer dieser viel zu emotionalen Mädchen. „Wo warst du? Ich habe gewartet. Über eine Stunde!", fuhr sie fort und mit jedem Wort, das sie aussprach, wurde ihre Stimme zerbrechlicher. Wirklich, vor ein paar Minuten hatte ich eventuell noch ein schlechtes Gewissen, weil ich sie hab sitzen lassen. Aber jetzt hatte ich doch wirklich wichtigere Dinge zu tun, als mich um ihr zerstörtes Selbstwertgefühl zu kümmern. Um ihr zu zeigen, dass ich sie verstanden hatte, nickte ich zweimal und brachte sie dann zum Schweigen, weil ich echt nicht wusste, wie lange ich diese Stimme noch aushalten würde. „Jaja, sorry! Hab′ dich vergessen. Weißt du jetzt, wo Lily ist, oder nicht?" Vielleicht hätte ich etwas einfühlsamer reagieren sollen, aber wenn ich erst mal anfange, mich um sie zu kümmern, dann würde sie mir am Ende vielleicht sogar verzeihen und das war ja genau das, was ich nicht wollte.

Außerdem musste ich wirklich dringend zu Lily, denn die Zeit lief uns davon und ich konnte wirklich nicht länger warten.

„Fick dich, Cormac!" Das war das Letzte, was sie sagte, aber ihre Worte waren klar und deutlich. Sie taten mir nicht weh und eigentlich interessierten mich ihre Worte auch überhaupt nicht, aber als ich hinter mir Schritte hören konnte, wusste ich, dass jetzt das Mädchen in dieses Zimmer kam, mit dem ich wirklich reden musste.

Lily betrat den Raum und obwohl ich etwas genauso Fieses in Jolinas Gesicht zurückfeuern wollte, war ich nicht mehr in der Lage zu reden. Wie so oft verschlug es mir die Sprache, wenn ich sie sah. Verschlug *sie* mir die Sprache. Ich konnte von Glück reden, dass ich nicht vergaß zu atmen, jedes Mal wenn ich sie sah. Aufgebracht blieb sie stehen. Ich wusste nicht, wo sie herkam, hatte sie mit Nelson geredet? Hoffentlich nicht …

Ihr Blick fiel auf mich und kurz darauf auf Jolina. Sie war nicht blöd und daher war ich mir sicher, dass sie in dieser kurzen Zeit schon längst verstanden hatte, was hier abging. Dementsprechend verschränkte sie ihre Arme vor der Brust, ließ den Kopf in den Nacken fallen und stöhnte theatralisch auf. Ohne mich auch nur anzugucken, feuerte sie gegen mich: „Was hast du jetzt wieder gesagt?"

Ja, was hatte ich gesagt, was nicht längst schon offensichtlich auf der Hand lag? Ich liebte Jolina nicht und ich hatte soeben etwas beendet, was niemals begonnen hatte.

„Ich muss mit dir reden!" Schulterzuckend und stumpf ging ich auf sie zu und fasste sie am Arm. Jetzt sah sie mich zum ersten Mal richtig an und meinem Blick nach zu urteilen, sollte sie eigentlich verstehen, wie dringend es war. Doch wenn Lily etwas wirklich konnte, dann war es genau das nicht zu machen, was man von ihr wollte. Trotzig entriss sie sich meinem Griff und sagte herausfordernd: „Nein, Cormac, das musst du nicht!" Böse funkelte sie mich an. Ich konnte es nicht ertragen, wenn sie mich so anguckte: Voller Hass und Abscheu. Vielleicht ließ ich sie deswegen los, vielleicht lag es aber auch daran, dass wir im nächsten Moment nicht mehr zu dritt in diesem Zimmer standen, sondern zu viert.

„Bruder!" Gehässig schaute ich Nelson an, ohne auch nur einen Hauch von Mitleid zu verspüren, dass er so miserabel und fertig aussah. „Cormac!" Seine Stimme war rau und dunkel. Böse. Aber ich hatte keine Angst vor ihm, im Gegenteil. Langsam und kontrolliert ging ich auf ihn zu, bis ich schließlich nur noch ein paar Zentimeter von ihm entfernt stand. Keine Ahnung, was im Endeffekt der Auslöser für meine folgende Handlung war, aber ich bereute sie keineswegs. Vielleicht lag es daran, dass er der Grund dafür war, dass das Mädchen, das ich liebte, vor einigen Stunden total fertig und am Boden zerstört in ihr Kopfkissen geweint hatte. Vielleicht. Aber dieser Gedanke war auch schon wieder unwichtig, als meine Faust auf sein linkes Auge traf. Wie lange war es her gewesen, dass wir uns geprügelt hatten? Zu lange auf jeden Fall, denn die ganze Wut, die ich für diesen Jungen empfand, breitete sich jetzt so schnell und augenblicklich aus, dass ich meine Aktionen gar nicht stoppen konnte. Ich hörte nur noch einen, nein zwei schrille und bestürzte Schreie und danach spürte ich eine Faust in meiner Magengrube …

Wann, wie und wieso wir an diesem Abend wieder auseinandergegangen waren, war uns beiden ein Rätsel. Aber als wir beide irgendwann in dieser Nacht in unseren Betten lagen und an die Decke starrten, hatte ich immer noch nicht mit Lily über alles geredet. Was, wenn wir es einfach lassen würden? Könnten wir einfach alles vergessen und so tun, als hätten wir nichts mit all dem jenseits des Sees zu tun? Ich wusste, wir konnten es nicht einfach ignorieren, denn das hatten wir schon viel zu lange getan. Es war an der Zeit, dass wurde mir an diesem Abend endgültig klar.

Und nicht nur mir …

KAPITEL 30

Lily

*E*in Schrei und danach ein Brüllen. Sie schreckte hoch. Und in diesem kurzen Moment des Bewusstseins gab sie jegliche Kontrolle ihres Körpers an eine höhere Macht ab. Eine Macht, die über sie herrschen sollte, bis sie dort war, wo sie hingehörte.

Jeder Schritt war genauestens einstudiert und mit der Zeit fand man einige Dinge heraus. Wie zum Beispiel, welche Leisten des Parkettbodens knarzten, wenn man darauf trat. Sie war jetzt ziemlich genau fünf Monate hier an diesem Ort, der normal zu sein schien, aber trotzdem so anders war.

Bevor sie hierherkam, hätte sie sich niemals auch nur erträumen können, dass die Realität so magisch sein könnte. Und jetzt, kein halbes Jahr später, war sie ein Teil einer Geschichte, die selbst für ein Märchen zu irreal war.

„Märchen sind dazu da, dass man sie nicht glaubt!" Genau das hatte ihr Grandpa immer erzählt. Er hatte ihr genau das erzählt, was ihm später sein Leben gekostet hatte. Noch heute kamen ihr bei diesen Gedanken die Tränen.

Ihre Beine bewegten sich wie von allein, sie hatte die Kontrolle über ihren Körper abgegeben, als sie aus ihrem Bett aufstand, um eine Aufgabe zu erfüllen, die größer sein sollte, als alles, was sie in ihren 17 Jahren gesehen oder erlebt hatte.

Der Flur war dunkel und eine kalte Stille lag auf dem Anwesen. Wenn sie nur wüsste, was auf sie zukommen würde. Doch selbst wenn sie es wüsste, würde sie nicht aufhören zu gehen, sie würde nicht aus dieser Trance erwachen, nicht bis sie dort ankommen würde, wo sie hingehörte.

Einen Schritt vor den anderen, den Blick starr zum Ziel gerichtet. Wenn sie in diesem Zustand von jemandem gesehen werden sollte, dann würde sie sicherlich als eine Verrückte abgestempelt werden. Aber war sie das nicht, eine Verrückte, die auf direktem Wege in die Höhle des Löwen lief?

Die große Flügeltür war auch eher ein kleines Hindernis für sie und schon gar nicht ein Grund, sie von ihrem Ziel abzuhalten. Ihre Augen waren groß und starr und sie wagte es nicht zu blinzeln, es bestünde ein zu hohes Risiko von ihrem Weg abzukommen. Und jeder und alles, was ihr jetzt in die Quere kommen würde, wäre nur ein weiterer Gegner, der ihr wieder ein bisschen Zeit wegnahm. Sie hatte schon so viel Zeit verloren. Zu viel.

Der Schnee unter ihren Füßen knirschte genauso wie das Holz in ihrem Zimmer, doch sie war schon zu weit weg, um sich Sorgen darüber zu machen, jemand anderes könnte sie hören. Eisige Schneeflocken verfingen sich in ihren Haaren und schmolzen noch bevor sie es schafften, sich zu befreien und sich auf dem Boden auszubreiten. Würde sie es schaffen, an ihr Ziel zu gelangen, ohne erst von etwas oder jemandem aufgehalten zu werden? Zweifelsohne war sie entschlossen, alles zu tun, was sie tun musste, um eine Chance zu haben, dieses Rätsel zu lösen. Ein Rätsel, das sich jenseits des schwarzen Sees befand. Ein Rätsel, das bis jetzt in einem Märchenbuch gefangen war. Doch vielleicht war es wirklich mehr als nur ein Märchen in einem Buch.

Die Schreie und das Brüllen wurden stärker und eindringlicher mit jedem entschlossenen Schritt, den sie in die richtige Richtung machte. Jeder Schritt war programmiert und sobald sie den dunklen Wald hinter dem See betrat, fing sie an zu rennen. Ihre Beine trugen sie durch den kniehohen Schnee, die Nässe in ihren Stiefeln machte ihr jedoch nichts aus. Die Äste streiften durch ihr Gesicht, doch die roten Striemen schienen sie nicht zu stoppen. Die Schreie wurden lauter und das Brüllen unerträglicher, ihr Kopf drohte auseinanderzuplatzen.

Als sie an einem Felsvorsprung vorbeikam, blieb sie stehen, ihre Beine bewegten sich nicht mehr. Nun stand sie dort auf dieser gigantischen Lichtung, ihre Beine nass und ihr Gesicht geschwollen.

Sie blinzelte …

Was tat ich hier und wie zur Hölle bin ich hierhergekommen? Ich spürte den brennenden Schmerz in meinem Gesicht und die eiskalte Nässe, die meine Waden hochkroch. Das Letzte, woran ich mich erinnern konnte, war mein Bett und ein Schrei. Ein Brüllen.

Der Schnee glänzte durch den Vollmond und reflektierte die silbernen Eiskristalle auf dem Boden. Es raschelte und ich erschrak so heftig, dass ich herumwirbelte. Ich konnte nicht glauben, wen ich zu Gesicht bekam. Nelson ...

KAPITEL 31

Nelson

*E*r drehte sich noch einmal um, nur im Schlaf ließen ihn seine Geister endlich einmal in Ruhe. Nur im Schlaf konnte er sich komplett von seinen Geistern befreien. Bis jetzt. Ein Schrei und ein Brüllen ließen ihn hochfahren und noch bevor er kerzengerade in seinem Bett saß, wusste er, dass dies nicht die Geister in seinem Traum gewesen waren. Es war die Realität. Eine bitterböse und so unechte Realität, weshalb er in den letzten Monaten schon so oft an sich selbst gezweifelt hatte.

Doch er bekam nicht einmal die Chance über irgendwelche anderen Mysterien nachzudenken, denn augenblicklich übernahm etwas die Kontrolle über seinen Körper, eine höhere Macht, der er hoffnungslos ausgesetzt wurde. Seine müden Augen wurden groß und entschlossen, sein Atem war nun nicht mehr flach und aufgebracht, doch seine Brust hob sich rhythmisch und ruhig. Mit einem festen Griff schlug er seine Bettdecke zurück und machte sich auf den Weg in eine Welt, die ihn schon so lange erwartet hatte. Wer weiß, ob er es auch alleine, bei vollem Bewusstsein geschafft hätte, diese Aufgabe zu bewältigen. Aber jetzt war er auf den Beinen und nichts und niemand konnte ihn jetzt noch aufhalten, ob er wollte oder nicht.

Roboterartig zog er sich an, so leise, dass nicht einmal die Wachen unter den vielen Schlafenden mitbekommen hätten, dass er sich auf den Weg machte. Auf den Weg in eine andere Welt, eine Welt jenseits des schwarzen Sees.

Seine Schritte waren schwer, doch lief er keineswegs schwerfällig. Sein Blick war auf sein Ziel gerichtet, niemals würde er jetzt noch von jemandem aufgehalten werden können. All die Monate hatte er seine Aufgabe geleugnet, die Wahrheit verdrängt, wo sie doch genau vor seinen Augen immer wahrer wurde. Und das alles nur wegen ihr, dem Mädchen, das er schützen wollte. Womöglich hätte er die ganze Geschichte geleugnet und verdrängt, bis er sich zu hundert Prozent sicher sein konnte, dass *sie – dieses wunderschöne Mädchen mit den langen, blonden Haaren und diesem perfekten Namen – sicher vor etwas war, das niemand kontrollieren konnte. Es stimmte wohl, Liebe machte blind, denn wie sonst konnte er das Offensichtliche nicht sehen? All die Jahre, die er hier gelebt hatte, war ihm nie eine märchenhafte und unrealistische Idee gekommen und so sehr er sich auch anstrengte, selbst heute noch, ist sein Verstand größer als seine Kreativität.*

Seine blonden Haare wirkten golden, als der Vollmond sein Licht auf diesen engelhaften Jungen warf. Während er entschlossen und zielstrebig durch diesen Wald lief, schien alles andere noch so viel dunkler zu sein, als es in dieser Nacht sowieso schon war. So war er eben: Alles und jeden stellte er in seinen Schatten, und ohne es auch nur zu bemerken, war er das Gute in Person.

Die Frage war nur, was er letztendlich tun würde, wenn er aus seiner Trance aufwachte und bemerkte, dass er sein Mädchen nicht mehr beschützen konnte. Doch diese Entscheidung zu treffen stand ihm nicht zu. Das hier war größer als ein bisschen Liebe.

Seine Wangen waren rot und seine Finger blau, aber noch machte es ihm nichts aus. Doch nur Sekunden später riss ihn diese Stimme aus seiner Trance, ihre Stimme. Diese wunderschöne, helle und zerbrechliche Stimme.

Er blinzelte …

„Nelson!" Ihre Stimme ließ mich zusammenfahren. Erst als ich sie sah, verletzlich und verzweifelt, wie sie dort im kniehohen Schnee stand, ihre Haare zerzaust und ihr Gesicht geschwollen, kam ich wieder zu mir selbst. Ich lag nicht mehr in meinem Bett. Ich war an diesem Ort, den ich so sehr verabscheute, mehr als alles andere und sie war auch hier. Lily, meine Lily war nun mittendrin. Ich hatte eine Aufgabe gehabt, sie zu schützen vor all dem Unheil, das sie ertragen muss, wenn sie diese Lichtung betreten würde, und ich hatte versagt …

KAPITEL 32

Cormac

*S*tille. *Absolute Stille in diesem pechschwarzen Zimmer. Er versuchte zu schlafen. Seit Tagen, Wochen, Monaten lag er die Nächte wach und versuchte ein Mysterium zu lösen, wobei er nicht einmal ein Teil dieses Märchens war. Er war der Einzige, der davon überzeugt war, dieses Rätsel musste gelöst werden und je länger sie warteten, desto schneller lief ihnen die Zeit davon. Denn das tat sie, ohne Frage.*

Und genau wegen diesem Märchen blieb er wach, in der Hoffnung, plötzlich die Antwort auf all diese bescheuerten Fragezeichen zu finden. Wer hätte gedacht, dass ausgerechnet heute Nacht die Antwort kam, so einfach in einer der stillsten Nächte, die er in Thornforest je erlebt hatte?!

Ein unerträgliches Knacken brach diese schreiende Stille, als die Person im Bett neben ihm sich noch einmal umdrehte, um schließlich weiter in seinen Träumen Schutz vor der unerträglichen Wahrheit zu suchen.

Es war das Bett seines Bruders. Sein Bruder, der in den letzten Monaten zu einer Person geworden war, die er mehr verachtete als alles andere. Eigentlich pathetisch, genau die Person zu hassen, die als Einzige noch ein Teil der einst perfekten Familie war. Vieles, um nicht zu sagen alles zerbrach in seiner Welt, auch die Beziehung zu seinem Bruder. Und das alles wegen diesem verdammt echten Märchen und dem verdammt hübschen Mädchen. Sie hatte beide Herzen im Sturm erobert und mindestens eins genauso schnell in tausend Stücke zerbrochen.

Der Junge, der vielleicht noch ein heiles Herz in sich trug, lag nun schlafend in seinem Bett, obwohl er doch derjenige sein sollte, der in dieser Geschichte weiterlebte. Doch er hatte nicht den Mut, vielleicht.

Vielleicht aber doch, denn als er aufstand, um seinen perfekten Bruder beim Schlafen zuzusehen, da saß dieser plötzlich aufrecht in seinem Bett. So ruhig und entschlossen saß er da, bis er schließlich komplett angezogen das Zimmer verließ. Wohin? Das wusste er womöglich selbst nicht, denn es lag nicht mehr in seinen Händen. Das hier war größer als nur ein Märchen in einem großen Buch.

Ohne lange darüber nachzudenken, folgte er seinem Bruder und ziemlich schnell wurde ihm bewusst, dass er der Einzige auf dem Weg in den schwarzen Wald war, der noch alle seine Sinne bei sich hatte.

Die Nacht war kalt und eisig und ziemlich schnell spürte er die Nässe und die stechenden Schmerzen in seinen Waden. Leise und flink blieb er seinem Bruder auf den Fersen, ohne Angst, er könnte entdeckt werden. Denn er wusste, sein Bruder wurde von etwas Fremden kontrolliert. Der Vollmond schien ihm den Weg zu weisen, doch er brauchte keine Hilfe, den Weg zu seinem Ziel zu finden. So oft war er in den letzten Wochen zu dieser Lichtung gelaufen, um Antworten zu finden, und heute sollte es schließlich so weit sein.

Etwas neben ihm raschelte in den mit Schnee bedeckten Büschen, und in einem kurzen Moment dachte er, er würde einen blonden Pferdeschwanz zwischen den Blättern erkennen. Seine Vermutung erwies sich später als korrekt, als er schließlich auf dieser angsteinflößenden, gigantischen Lichtung stand.

Ein paar Meter vor ihm sein Bruder und am anderen Ende der Lichtung sie. Dieses wunderschöne Mädchen, welches die Fähigkeit besaß, einem das Herz zu brechen, ohne es auch nur zu bemerken.

Sie stand dort und sein Bruder hier, auch ohne es zu wissen, wusste man; die beiden gehörten zueinander.

Und dann schließlich blinzelten sie beide und dies war das Zeichen, dass sie nun in die Realität zurückkehrten. Doch es stellte sich die Frage, war die Realität nicht womöglich noch schlimmer?

Ich konnte sie sehen und ich konnte ihn sehen. Eigentlich konnte ich alles sehen, was hier auf dieser Lichtung sein sollte. Die beiden neuen Herrscher, Seite an Seite, wie immer. Doch ich konnte mich nicht erkennen, was eventuell der Grund war, weshalb ich hier nicht hingehörte.

Als mein Bruder und sein Mädchen noch in ihrer Trance gefangen waren, konnten sie mich auch nicht sehen. Doch nun fiel ihnen auf, dass sie nicht allein waren und sie spürten, genau wie ich, dass ich hier nicht hingehörte …

KAPITEL 33

Lily, Nelson, Cormac

*D*er Moment war gekommen. Der Moment der Wahrheit. Ein Moment, in dem drei Teenager sich verunsichert und ängstlich vor der Wahrheit anstarrten. Unsicher, was als Nächstes kommen würde.

Es war eine so dunkle, so schwarze Nacht, doch der Ort, wo sie hingehörten, war so hell erleuchtet, dass man meinen könnte, die Sonne schien. Doch das Licht, es war nicht warm und schützend, dieses Licht war hell und kalt. Ein Licht, das die eiskalte und unerbittliche Wahrheit anstrahlte. Und die drei Teenager standen mittendrin. Nur wenn man ganz genau hinsah, konnte man einen Schatten sehen, eine Figur, die in dieser Gruppe stand. Eine Gruppe, die aus drei Personen bestand, wo doch nur zwei der drei Personen wirklich und mit jeder Faser ihres Körpers und Verstandes hierhergehörten.

Der Junge wusste, dass er nicht von dem kalten Licht der Wahrheit angestrahlt wurde, und doch war das hier genau das, was er immer gewollt hatte. Aus seiner Welt verschwinden, in eine andere Welt eintauchen. Eine Welt, in der er nicht nur dieser schwarze Schatten seines Bruders war.

Sein Bruder – Ein Junge, der vielleicht gar nicht so perfekt war, wie er sich immer darstellte. Ein Junge, der mit der Zeit vergessen hatte, dass er nicht der Einzige war, um den er sich kümmern musste. Ein Junge, der sich erst verlieben musste, damit er sich erinnerte, wie es sich anfühlt, jemanden an seiner Seite zu haben.

Dass sich dieser Junge mit den Jahren von der ganzen Welt isoliert hatte, wusste er, doch dass er auch seinen Bruder komplett alleingelassen hatte, hatte er vergessen. Vielleicht war jetzt der Moment gekommen, in dem Blut dicker als Wasser war. Vielleicht …

Das alles wäre so viel einfacher, wenn sie nicht aufgetaucht wäre. Diese Mädchen, die dritte der Teenager, die auf der Lichtung standen. Sie gehörte eigentlich nicht hierher. Eigentlich würde sie ganz woanders

sein, wenn sie nicht nach und nach jeden, den sie irgendwie liebte, ver-
loren hätte. Nur deswegen war sie hier, auf Wunsch ihres Großvaters.
Wer hätte ahnen können, dass sie sich augenblicklich in die Herzen der
beiden Brüder schleichen würde?!

So standen diese drei so unterschiedlichen Teenager nun auf dieser Lich-
tung und sie alle wussten, dass das, was nun kommen würde, nicht für
alle drei bestimmt war.
    Doch wie konnte der nahezu perfekte Junge sein Mädchen beschüt-
zen? Wie konnte das Mädchen Antworten auf all die Fragezeichen fin-
den? Und wie konnte der Junge, der sonst im Schatten stand, endlich
seine eigene Geschichte schreiben?
    Wahrscheinlich wussten sie es selber nicht …

KAPITEL 34

Lily

Es klickte. Ohne jemals hier gewesen zu sein, wusste ich, wo ich war und wieso ich hier war. Trotzdem dauerte es einige Minuten, bis ich wirklich verstand, dass mein Unterbewusstsein mich hierhergebracht hatte und ich die komplette Kontrolle über meinen Verstand und meinen Körper für mindestens fünfzehn Minuten abgegeben hatte. Angst breitete sich in mir aus, aber ich probierte, sie so gut es ging zu verdrängen.

Ich wusste, dass dieser Tag kommen würde. Aber irgendwie hatte ich die ganze Zeit über gehofft, irgendwann aus diesem unrealistischen Traum aufzuwachen, in meinem Bett in Blackford zu liegen und meinem Unterbewusstsein für meine glorreiche Fantasie zu danken.

Ich musste endgültig damit abschließen zu glauben, das hier sei nicht real, denn spätestens jetzt konnte ich es nicht mehr leugnen. Ich riss mich von meinen Gedanken los und brachte mich zurück in die Realität, in der Nelson stürmisch und besorgt auf mich zu rannte, sein Gesicht voller Sorge. In diesem Moment vergaß ich alles: Die Lichtung, mein chaotisches Leben und die wahrscheinlich gefährlichste Aufgabe, die mir bevorstand. Ich konnte nur Nelson sehen. Seine blonden Haare standen in alle Himmelsrichtungen ab, seine Wangen waren rot und seine Hände waren eiskalt, als er meine Wangen berührte. Für einen Bruchteil einer Sekunde vergaß ich sogar unseren Streit. Der Fakt, dass wir gar nicht mehr zusammen waren, stach in meine Brust wie ein Schwert, das nach jedem Hieb ein weiteres Mal in mein Herz eindrang. Ich schaute ihm so tief in die Augen, dass das tiefe Blau schon wehtat. Ohne zu blinzeln hoffte ich, dass auch er vergessen hatte, wie wir auseinandergegangen waren. Dieser Moment hätte meinetwegen für immer anhalten können. Die

Zeit würde stehenbleiben und all unsere Probleme würden sich in Luft auflösen.

Doch die Zeit war unser größter Feind und als einer von uns beiden es wagte zu blinzeln, erinnerte er sich an unseren Streit und an all die Vorfälle seitdem.

Verlegen fuhr er zurück und obwohl er mich nur losließ, hatte ich das Gefühl, dass er für immer aus meinem Leben verschwunden war.

„Es tut mir so leid!", flüsterte er, als er einen weiteren Schritt von mir wegmachte. Und das Schwert stach ein weiteres Mal zu. „Du musst mir glauben, ich wollte dich beschützen! Ich habe dir nichts gesagt, weil ich dieses Leben für dich nicht wollte." Er klang so verzweifelt und so zerbrochen, aber ich konnte nichts tun oder sagen, um ihn zu reparieren. Ich wusste, dass nichts, weder Gesten noch Worte, helfen würden. Er hatte es sich zur Aufgabe gemacht, mich zu schützen und er war gescheitert. Aber ich konnte ihn unmöglich dafür verantwortlich machen.

„Das kannst du aber nicht!" Kopfschüttelnd und tränenüberströmt flüsterte ich mindestens genauso leise. „Wir stecken hier zusammen drin und wenn es einen Ausweg gegeben hätte, dann glaube mir, wir hätten ihn gefunden."

Ich war nicht mehr an dem Punkt, wo ich an ein bescheuertes Wunder glauben konnte. „Nelson, das hier ist unsere Aufgabe und ich stecke hier genauso tief drin wie du. Also hör auf, einen Ausweg für das Unmögliche finden zu wollen!"

Ich wusste, ich hatte recht und ich versuchte so gut es ging ruhig zu bleiben, denn sonst würden wir gnadenlos scheitern. Auch das wusste ich.

Nelson raufte sich die Haare und fluchte, als er gegen einen der tausend Bäume auf diesem Fleck Erde trat. Erst als er nicht mehr vor mir stand, konnte ich ihn sehen: Cormac. Die schwarze Kopie seines Bruders.

Auch er hatte seinen Weg hierher gefunden, die Frage war nur, wie. Mein Blick erstarrte für einen Moment, als ich ihn sah, ein weiteres Mal erstaunt, wie ähnlich er seinem Bruder eigentlich war. Diese schwarze Kreatur in dieser weißen Nacht.

Für einen Moment sah es aus, als stünde der Tod vor mir. Seine Augen strahlten weder Leben noch irgendetwas anderes aus, sie waren einfach nur leer und starr. Er hatte tiefe Ringe unter den Augen und zum ersten Mal sah er nicht aus wie ein überlegenes Arschloch. Er konnte einem fast leidtun, denn er sah mindestens genauso fertig aus, wie ich mich gerade fühlte. Ich wollte, dass er mir leidtat, doch mein Verstand erinnerte mich an den Jungen, der er war: Er hatte mir nichts als Leid und Unheil gebracht und ich hasste ihn. So, wie er dastand, hasste ich ihn.

Nelson, der bis gerade noch damit beschäftigt war, seine Aggressionen an den Bäumen auszulassen, drehte sich zu mir um. Als er meine erstarrte Miene sah, folgte er meinem Blick und erst jetzt hatte auch er seinen Bruder wahrgenommen. Urplötzlich veränderte sich seine Miene, wie ich es schon so oft gesehen hatte, wenn er auf seinen Bruder traf.

„Was willst du hier, Cormac?" Seine Stimme war tief und rau und ich konnte sehen, wie sich seine Augenbrauen vor Wut zusammenzogen. Was war nur mit diesen beiden Brüdern, dass sie sich so sehr hassten? Cormac sah unbeirrt aus, wie immer eigentlich und er zuckte nur gleichgültig mit den Schultern. Auch wie immer. „Sei jetzt nicht traurig, Nelson, aber ich bin nicht wegen dir hier." Seine Stimme wirkte kein bisschen wütend, einfach nur abgehoben. Da war er wieder, der alte Cormac. Ich hatte ihn keine Sekunde vermisst. Als er fertig war, auf cool zu tun, richtete er seinen Blick auf mich. Das, was er jetzt sagte, sollte vielleicht alles verändern, aber in diesem Moment, als sich seine Lippen bewegten, er mich so durchdringend anstarrte und trotzdem noch mit Nelson sprach, konnte ich einfach nicht glauben, was ich da hörte: „… Sondern wegen ihr …"

Mein Mund war schon geöffnet, weil ich sprachlos war, aber wenn Nelson mir nicht zuvorgekommen wäre, dann hätte ich einfach nur losgelacht.

„Halt die Schnauze, Cormac!" Nelson wirkte nicht sonderlich überrascht, im Gegensatz zu mir. Ich konnte nur ein weiteres Mal sehen, wie sehr er seinen Bruder hasste, wie sehr er sich wünschte, von ihm befreit zu sein.

Aber Cormac war noch nicht fertig, als er einige Schritte auf mich zuging und ruhig und bestimmt weitersprach: „Ach, komm runter, Nelson! Ich bin hierhergekommen, um dir zu helfen! Denn im Gegensatz zu dir habe ich die letzten Wochen eine Lösung gefunden, wie wir das Mädchen, das wir lieben, retten können. Ich habe einen Plan, der sie vor dieser Welt beschützen wird!"

So einfach und vielleicht auch unbewusst konnte man in einem einfachen Nebensatz sagen, dass man eine andere Person liebt. Dass man etwas für sie empfindet, und dass man alles in seiner Macht Stehende tun würde, um diese eine Person zu schützen.

Auf einmal drehte sich alles. Ich wusste nicht, wie ich darauf reagieren sollte, denn ich hatte wirklich mit allem gerechnet, aber nicht mit so einem Geständnis, vor allem nicht aus Cormacs Mund.

Unbeirrt, als hätte er gerade über das Wetter geredet, sprach er weiter. Sein Blick wollte nicht aufhören, mich zu durchbohren, und mir wurde augenblicklich noch so viel kälter, als mir ohnehin schon war. „Tu nicht so, als wärst du überrascht, Nelson. Sie mag vielleicht dir gehören, aber trotzdem kannst du meine Gefühle nicht beeinflussen. Nicht mit deinen arroganten Sprüchen, nicht mit unnötigen Schlägereien oder irgendwelchen anderen Aktionen, in denen du dein Alphatier heraushängen lässt!" Als seine Stimme mit jedem Wort weicher wurde, war ich sogar kurz davor, ihm zu glauben.

Aber, nein. Es war unmöglich, dass dieser Junge gerade zugab, sich in mich verliebt zu haben, ohne mit der Wimper zu zucken. Wahrscheinlich war er einfach nur verzweifelt und versuchte gerade mit irgendeiner gerissenen Taktik in diesen bescheuerten Wald zu gelangen. Zitternd zuckte ich zusammen, als ich hinter mir den Schnee knirschen hörte. Doch als ich mich umdrehte, war es nur Nelson, der mit geballten Fäusten auf seinen Bruder zuging.

„Los, nur zu! Schlag mich noch mal, Nelson! Aber das wird uns auch nicht weiterbringen." Cormacs Stimme war ruhig und so entspannt, er musste etwas planen, sonst würde er niemals so eine Selbstbeherrschung zeigen. Sonst würde er die Möglichkeit einer Schlägerei niemals auslassen. Oder?

War er wirklich der, für den ich ihn die letzten Monate gehalten hatte? War er wirklich der gruselige, schwarze Schatten, der, egal, wohin er ging, das Böse mit sich brachte?

Ich erwischte mich noch rechtzeitig bei meinen Gedanken, Cormac für unschuldig zu erklären und zerrte mich wieder in die Wirklichkeit zurück. Eine Wirklichkeit, in der er das Monster war. In der er jeden und alles um sich herum manipulierte, damit es ihm gut ging. Ich musste an Jolina denken und fing fast an zu lachen.

Wie naiv ich doch war, meine Meinung über ihn infrage zu stellen wegen eines blöden Satzes, in dem er behauptete, mich zu lieben. Hatte ich denn gar nichts dazugelernt in den letzten Wochen? Er spannte alles um sich herum ein, hielt uns gefangen in einem Netz aus Lügen und fast wäre auch ich auf ihn hereingefallen.

Doch gerade, als ich mich dazu entschlossen hatte, Nelson von seinem falschen Bruder wegzuziehen und endlich unserer Aufgabe nachzugehen, konnte ich sehen, wie er gerade in diesem großen Netz aus Lügen und Betrug eingesponnen wurde. Ich ging einige Schritte auf die beiden zu, damit ich besser verstehen konnte, worüber sie redeten.

„Das ist es doch, was du von Anfang an wolltest, oder nicht, Nelson?" Cormacs Stimme war jetzt noch ruhiger als zuvor und so sanft, dass sie sich brutal gefährlich anhörte. „Du wolltest sie beschützen, Nelson. Du wolltest nichts mehr, als sie aus dieser Sache herauszuhalten."

Eindringlich starrte er seinen Bruder an und Nelson stand nur da. Er sagte gar nichts, doch ich kannte ihn inzwischen zu gut, um zu wissen, dass er gerade dabei war nachzugeben. Aufzugeben. Wenn er anderer Meinung als sein Bruder gewesen wäre, dann hätte er mit den noch immer geballten Fäusten schon längst zugeschlagen. Wie sehr ich mir wünschte, er würde zuschlagen.

Bevor ich irgendetwas sagen konnte – ich wollte gerade so viel sagen, doch war ich nicht in der Lage –, sprach Cormac weiter.

Es hörte sich an, als hätte er diesen Moment seit Monaten geprobt, und als würde er seinen Text auswendig auf der Bühne vor Hunderten von Zuschauern zum Besten geben. Doch es war immer noch die Wirklichkeit!

„Nelson, das hier …", er machte eine extravagante Geste, um ihm die Lichtung zu zeigen, doch Nelson bewegte nicht einmal seine glasigen Augen, „all das hier, ist unsere Aufgabe. Es war von Anfang an unsere Aufgabe gewesen. Höre nur einmal in deinem Leben auf mich und vertraue mir."

Wobei sollte Nelson ihm vertrauen? Mit jeder Sekunde, die verging, fraß die Angst in mir ein Loch in mein Herz. Nicht nur in mein Herz, doch da konnte ich es am stärksten spüren. Nach einer dramatischen Pause öffneten sich Cormacs rote, volle Lippen ein weiteres Mal. Ich wollte nichts mehr hören, ich konnte seine Stimme nicht mehr ertragen. Ich wollte mir die Ohren zuhalten und schreien, aber ich hätte ohnehin keinen Laut herausbekommen. Mein Hals war trocken.

„Du wolltest sie beschützen? Das hier ist die einzige und beste Möglichkeit, wenn dir wirklich etwas an ihr liegt. Wir beide, Bruder! Mit uns beiden hat es angefangen, noch bevor sie überhaupt nach Thornforest kam. Nelson, ich bitte dich! Blut ist dicker als Wasser!" Ich hatte genug dramatische Romane in meinem Leben gelesen, um zu wissen, dass Cormac jetzt fertig war, doch seine Hände ruhten noch immer geduldig auf den Schultern seines Bruders.

Ich wusste inzwischen, was Cormacs Plan war: Er wollte an meiner Stelle mit seinem Bruder in den Wald gehen und das Ritual vollenden. Nur brauchten sie mich, weil nur die beiden Nachfolger das Portal öffnen könnten. Und selbst wie das ging, wussten wir noch nicht.

Es machte Sinn, Cormac war nicht blöd. Er wusste genau, wie sehr Nelson mich liebte, und dass er mich wirklich hiervor schützen wollte, doch er ließ es so aussehen, dass er dieses gewaltige Opfer bringen würde, indem er meinen Platz einnahm. Wir wussten alle, dass er von Anfang an besessen war, in diesen Wald zu kommen. Allein deswegen durfte ich nicht einknicken.

Ich konnte Nelson nicht mit seinem Bruder alleine in den Wald gehen lassen. Nelson würde es sowieso nicht zulassen …

Doch während ich ein weiteres Mal vor mich hin fantasierte, bemerkte ich, dass Nelson sich seit einer gefühlten Ewigkeit wieder bewegte. Da war dieser kleine Hoffnungsschimmer in mir, der dachte, jetzt würde Nelson zuschlagen, aber noch nie wurde ein Hoffnungsschimmer so schnell von Enttäuschung verdrängt wie heute. Meine Augen waren voller Tränen und ich konnte nur unscharf erkennen, was sich dort vor mir abspielte. Doch trotz meiner eingeschränkten Sehkraft war Nelsons Reaktion so klar wie diese unbeschreiblich schreckliche Nacht:

Während Cormacs Hände noch immer auf seinen Schultern ruhten und er ihn anstarrte, bewegte sich Nelsons Kopf. Fast unmerklich und ganz langsam.

Er nickte …

Und meine Welt drehte sich jetzt nicht mehr, sie brach zusammen.

KAPITEL 35

Lily

Betrug. Ich weiß nicht mal, ob man es als Gefühl deuten kann. Aber jetzt in diesem Moment war es das einzige Wort, das mir noch einfiel, um zu beschreiben, was ich für diese beiden Menschen vor mir empfand. Ich hatte die letzten Minuten damit verbracht, ein Rollenspiel anzuschauen. Eine Szene aus einem wirklich guten Kinofilm. Der Film, der mein Leben war.

Was sollte ich jetzt machen, ich konnte unmöglich weglaufen. Wobei es vielleicht das Beste gewesen wäre, denn ohne mich würden sie womöglich gar nicht durch das Portal kommen. Aber ich konnte nicht ein weiteres Mal vor meinen Ängsten und Problemen weglaufen. Ich musste mich ihnen stellen. Ich schluckte, bereitete mich darauf vor, etwas zu sagen. „Nelson, bitte!", war alles, was ich flüstern konnte. Erst jetzt wachte er komplett aus seiner Starre auf und wendete seinen Kopf in meine Richtung. Seine Augen waren voller Furcht, aber Entschlossenheit. Ich wollte wegsehen, aber ich musste seinem Blick standhalten, um stark zu wirken.

„Lily!" Er kam einige Schritte auf mich zu und ich überraschte mich selbst, weil ich stehen blieb, obwohl jede Faser meines Körpers mir riet, mich umzudrehen und wegzulaufen. „Es ist besser so, bitte vertrau mir!" Ich spürte, wie erschöpft er war, und konnte es ihm wirklich nicht übel nehmen. Trotz der Stärke, die ich gerade noch gespürt hatte, machte ich einen Schritt von ihm weg, und seinem Blick nach zu urteilen, verletzte ihn das so sehr, dass er augenblicklich stehen blieb. Ich wollte genauso bestimmt und ruhig klingen wie Cormac vorhin, doch ich wusste auch, dass ich es erst gar nicht versuchen brauchte. Meine Stimme war hysterisch und hoch, als ich es endlich wagte, meine Meinung zu äußern. „Dir vertrauen? Ich soll dir vertrauen? Du bist echt unglaublich. Denkst du wirklich, ich verliebe mich in dich und lasse dich kurz danach in einem Wald verschwinden, nicht mal sicher, ob du da jemals wieder herauskommst?"

Eigentlich wollte ich etwas ganz anderes sagen, aber ich hatte keine Kontrolle mehr über meine Worte. Ich konnte in diesem Moment an nichts anderes denken, als daran, Nelson vielleicht für immer zu verlieren. Wie sollte ich das verkraften? Würde ich einfach alleine zurück ins Internat gehen und so tun, als hätte es ihn nie gegeben, während er in einem Wald verschwand, aus dem er nicht mehr herauskommen würde? Würde ich mein Leben einfach so weiterleben, alt werden und sterben, während vor ihm eine Ewigkeit des Lebens liegen würde? Eine einzelne Träne rollte über meine Wange. Eine Träne, die mich daran erinnerte, was ich verlieren würde. Er redete weiter: „Ich wäre so oder so in diesen Wald gegangen, denn das ist meine Aufgabe. Ich will dich einfach nur beschützen, wieso verstehst du das denn nicht?" Nelsons Stimme wurde lauter und wütender, doch ich hatte keine Angst vor ihm. Wenn er lauter sprach, dann konnte ich das auch. „Ja, aber nicht alleine! Du hättest mich gehabt und ich hätte dich gehabt, jetzt bist du alleine und wir sind getrennt!" Ich stockte, weil ich Cormac aus dem Hintergrund räuspern hörte. Aber bevor ich auch nur wusste, was ich ihm entgegenschleudern sollte, entschied ich mich dazu, ihn einfach zu ignorieren. „Und weißt du was, Nelson? Es ist genauso meine Aufgabe wie deine. Ich habe genauso meinen Grandpa verloren wie du und ich werde dich nicht alleine in diesen Wald gehen lassen! Nicht ohne mich!" Den letzten Satz fügte ich noch schnell hinzu, als mein Blick auf Cormac traf. Gott, ich hasste diesen Jungen.

„Lily, wann checkst du es eigentlich? Alles hinter dieser Lichtung ist anders, eine andere Welt und sie ist verdammt noch mal gefährlich! Hör auf, so stur zu sein und …" Ich konnte Nelson nicht mehr zuhören.

„Denkst du, das weiß ich nicht? Ich habe das Märchen auch gelesen, Nelson. Ich kenne jedes Detail seit ich ein kleines Kind bin. Hör auf, mir zu sagen, was ich zu tun habe, denn ich bin hier, weil ich keine Familie habe! Ich habe nicht einmal meine Eltern gesehen, ihre Särge auf der Beerdigung waren leer, verdammt noch mal! Dieses Märchen, diese Aufgabe ist das Einzige, was mir noch bleibt. Die einzige Verbindung zu meinem Grandpa. Ich kann nicht hier draußen stehen bleiben und zusehen, wie du in diesem Wald verschwindest, vielleicht sogar für immer. Denn ob du es hören willst oder nicht, ich habe niemanden außer dich, also wage es ja nicht, mich hier zurückzulassen! Alleine!"

Alle meine Tränen waren weg, ich war nicht mehr traurig, nur wütend und enttäuscht, weil er wirklich vorhatte, mich alleinzulassen. Der einzige Mensch auf dieser Welt, der mir noch blieb, besaß die Dreistigkeit, mich auch noch zu verlassen. Und das, obwohl er wusste, wie mit der Zeit alle Menschen, die ich liebte, auf einmal verschwanden.

„Scheiße, Lily! Es tut mir so leid. Ich liebe dich!"

„Dann nimm mich mit!", hauchte ich ihm entgegen. Es war mein letzter Versuch, ihn davon überzeugen, dass er mich nicht zurücklassen konnte. Ich war erschöpft, ich konnte nicht mehr streiten. Alle meine aufgestaute Wut verpuffte mit diesen Worten und ich vergaß für einen kurzen Augenblick Zeit und Raum.

Er kam einen weiteren Schritt auf mich zu und schließlich stand er direkt vor mir, sodass seine Stirn auf meine traf. Die folgenden Worte konnten nur noch wir beide hören: „Trage meine Liebe!", flüsterte er.

„Wohin du willst", versicherte ich ihm genauso leise. Und ich meinte es ernst.

Mehr sagte er nicht, oder vielleicht doch, aber ich bekam es nicht mehr mit, denn das Nächste und Letzte, was ich spürte, war etwas Hartes, das auf meinen Hinterkopf traf.

Das Letzte, was ich wahrnahm, bevor ich im Schnee liegen blieb, waren Nelsons geschlossene Augen und sein verzerrtes Gesicht. Und Cormac, der nicht mehr hinter ihm stand, sondern nun hinter mir.

* * *

Ich konnte nicht glauben, was passiert war, als ich endlich wieder zu mir kam. Meine Klamotten waren durchnässt und ich fror bis auf die Knochen. Doch war es noch lange nicht so schmerzhaft, wie das Loch in meiner Brust, das mit jeder Sekunde wuchs, in der ich realisierte, was Nelson und Cormac getan hatten.

Sprachlosigkeit beschrieb es ziemlich gut, denn ich konnte einfach nicht glauben, dass Cormac mir vor einigen Minuten seine Gefühle gestand, genauso wie Nelson, und keine fünf Minuten später steht er hinter mir und schlägt mich k.o.

Das alles kam mir wie ein schlechter Witz vor, ein unglaublich schlechter Witz.

Weder Cormac noch Nelson waren in Sichtweite und ich hatte nicht die geringste Ahnung, wohin sie verschwunden waren. Aber eigentlich war das nicht mal das Schlimmste, denn wenn nur die kleinste Kleinigkeit an ihren Geständnissen wahr gewesen wäre, dann hätten sie mich niemals im tiefsten Winter mitten in der Nacht im Wald liegen gelassen. Bewusstlos.

Noch nie hatte ich mich so schlimm gefühlt. Betrogen, verraten, hintergangen. Niemals hätte ich es auch nur für möglich gehalten, dass man sich so alleingelassen fühlen kann. Und trotz des unwiderruflichen Hasses, den ich für diese beiden Brüder empfand, konnte ich nicht aufhören, daran zu denken, dass Nelson gleich die schlimmsten und unerträglichsten Schmerzen in seinem Leben ertragen musste – und das ganz allein.

Die innere Stimme in mir versuchte mich davon zu überzeugen, dass er es nicht wert war. Aber ich konnte nicht all meine Gefühle, die ich für diesen Jungen empfand, einfach abstellen. Anders war es bei Cormac: Sollte er doch leiden!

Meine Fingerkuppen waren taub, genauso wie meine Nasenspitze und meine Zehen. Ich konnte nicht aufstehen, selbst wenn ich wollte. Wo waren Nelson und Cormac und wann kamen sie wieder? Kamen sie überhaupt wieder? Würde ich es bis dahin aushalten?

So viele Fragen quälten mich auf einmal noch mehr als sowieso schon. Ich konnte nicht mehr und vielleicht wollte ich auch nicht mehr.

Ich war noch nie zuvor auf dieser Lichtung gewesen, doch ich wusste genau, wo sich das Portal befand. Mitten auf der Lichtung, inmitten von Hunderten von Bäumen standen zwei Bäume, größer und gigantischer als alle anderen. Sie wuchsen schnurgerade dem Himmel entgegen, doch wenn man bis ganz zum Ende schaute, konnte man sehen, dass ihre Baumkronen sich ineinander verschränkten. Es war wie ein gigantisches Tor und es wirkte so einschüchternd, wenn man auf dem eiskalten Waldboden saß und in die Unendlichkeit blickte.

Ich tat es nur, um mich abzulenken, in der Hoffnung, dass Nelson, wo immer er auch war, zurückkommen würde, um mich zu retten.

Aber wovor? Wieso sollte er mich überhaupt retten sollen? Immerhin war ich doch diejenige, die genauso viel wusste wie er.

Vor wem wollte er mich denn beschützen? All das machte hier überhaupt keinen Sinn und ich verzweifelte langsam. Ich wusste überhaupt nichts mehr, außer dass ich bis auf die Knochen fror und mich nicht mehr bewegen konnte.

Mit jeder bitteren Sekunde, die verging, wurde mir klarer, dass Nelson nicht zurückkommen würde und das ließ mich nur noch mehr verzweifeln.

„Wovor?", flüsterte ich leise in den Schnee. „Wovor willst du mich beschützen?"

Jetzt fing ich schon an, mit mir selbst zu reden, noch nie hatte ich mich so einsam gefühlt.

„Vor dir selbst!" Als ich diese Stimme wahrnahm, zuckte ich so heftig zusammen, dass mir noch mal so viel kälter wurde, als es ohnehin schon war. Mein erster Gedanke war, dass ich diese nervige kleine Stimme aus meinem Kopf hörte und augenblicklich schaute ich auf meine Schulter herab, um zu sehen, ob dort so eine kleine Gestalt saß, wie man es aus den Comics von früher kannte.

Natürlich war dort keine Figur.

Mein zweiter Gedanke war, dass ich nun allmählich verrückt geworden und mein Gehirn inzwischen genauso eingefroren war wie der Rest meines Körpers. Mein Verstand spielte mit mir und ich wollte am liebsten schreien und augenblicklich erfrieren …

Doch als ich meinen Kopf in meinem Schoß vergraben wollte, um endgültig aufzugeben, spürte ich eine warme Hand an meiner Wange. Als ich dann das Gesicht zu dieser Stimme sah, spürte ich diesen kleinen, warmen Funken Hoffnung in mir aufleuchten.

Vor mir stand Anne Woodland, die Direktorin der Thornforest Boarding School. Und so, wie sie dort stand, wusste ich, dass sie unmöglich ahnungslos war …

KAPITEL 36

Nelson

Schweigend lief ich schnellen Schrittes hinter meinem so entschlossenen Bruder her.

Hier waren wir nun. Wir hatten es wirklich geschafft, in diesen Wald einzudringen. Wir hatten es geschafft, durch das Portal in eine andere Welt zu gelangen. Cormac hatte von Anfang an gewusst, wie man durch das Portal kam. Er wusste, dass die beiden gigantischen Bäume auf der Lichtung nicht aus Zufall viel größer und mächtiger als die anderen ihresgleichen waren. Er wusste, dass an ihren Stämmen die Namen unserer Vorgänger eingeritzt waren und er wusste auch, dass der jeweilige Nachfolger gleichzeitig mit seinem Partner diese Einkerbungen im dunklem Holz berühren musste, um das Tor zu öffnen.

Ich hatte bis jetzt noch nicht den Mut gehabt, ihn zu fragen, woher er diese Informationen hatte, aber eigentlich war das auch nicht wichtig, denn die Hauptsache war, dass es genauso geklappt hatte und wir schließlich hier waren.

So sehr es mir wehtat, zusehen zu müssen, wie Cormac Lily ausschaltete und sie schließlich zu dem Namen ihres Grandpas schliff, damit sie für ihn das Portal öffnete, ich wollte sie um jeden Preis vor dieser Welt beschützen.

„Ernsthaft, für einen kurzen Moment da draußen hab' ich echt gedacht, du bist eine zu große Pussy, um sie da liegen zu lassen!" Das war Cormacs euphorische Stimme, die mich ein weiteres Mal daran erinnerte, dass ich Lily vielleicht vor dieser Welt beschützt hatte, aber jetzt lag sie dort, bewusstlos mitten in der Nacht im Schnee und wahrscheinlich erfror sie gerade … Ich fühlte mich schrecklich, am liebsten hätte ich in die Ecke gekotzt.

Doch als ob das nicht schon genug gewesen wäre, redete Cormac weiter, mit einer Gleichgültigkeit in der Stimme, die mich wirklich würgen ließ. „Na ja, das Thema hatten wir ja eigentlich schon. Sie war ein Opfer, das gebracht werden musste. Für das größere Wohl, Bruder!" Er klopfte mir auf die Schulter und grinste mich an.

Ich verspürte so einen Hass, dass meine Knöchel weiß wurden, als meine Hände sich zu Fäusten ballten. Wie konnte er auch nur eine Sekunde mit dem Gedanken leben, dass Lily da draußen womöglich gerade aufgab? Ich kannte sie, sie würde nicht mehr kämpfen wollen, sie hatte niemanden mehr und ich werde daran schuld sein. Denn ich war derjenige, der sie verlassen hatte.

Für das größere Wohl …

„Wieso hast du so etwas gesagt, wenn es überhaupt nicht stimmt?", flüsterte ich, während der Arm meines Bruders immer noch über meiner Schulter ruhte. „Ich will einfach nur wissen, wieso du gesagt hast, dass du sie liebst?" Das war meine einzige Frage. Ich war wirklich komplett bescheuert. Wir liefen durch einen Wald gefüllt mit übernatürlichen Kreaturen, meine Freundin lag bewusstlos im Schnee und alles, worüber ich mir den Kopf zerbrach, war der Fakt, dass ich tierisch eifersüchtig auf meinen Bruder war.

„Ich weiß, du willst es nicht hören, Nelson, aber es ist die Wahrheit!" Mit einem Mal wurde seine Stimme ernst und tief und meine Eifersucht wurde augenblicklich stärker. Trotzdem war es das Letzte, das ich ihm zeigen wollte und deswegen überspielte ich den Neid.

„Oh bitte, Cormac, wir wissen alle, dass du nur dich selbst liebst und nicht in der Lage bist, Gefühle zu zeigen. Gib einfach zu, dass das ein weiteres Puzzleteil deines perfekten Plans war." Das war alles, was ich hören wollte. Mehr nicht.

„Und wenn nicht?" Seine Stimme war herausfordernd und bedrohlich. Ich musste wirklich anhalten, weil ich mich übergeben wollte.

All das wollte ich loswerden, die Schuld, die Angst, die Eifersucht. Die Liebe.

Aber es ging nicht, das hier war ein Teil von mir, egal, wie sehr ich mich bemühte, es zu leugnen.

„Wie auch immer. Alter, kommst du? Wir haben eine Aufgabe zu erledigen!" Und da war seine überhebliche Arroganz auch wieder.

Je tiefer wir in diesen schwarzen Wald eindrangen, umso stärker wurde mir bewusst, dass wir eventuell nie wieder herauskommen würden. Zuvor hatte ich da nicht wirklich drüber nachgedacht, doch jetzt gerade suchte mich dieser Gedanke heim und ich bemühte mich, ihn einfach zu verdrängen. Es klappte nicht.

Wir gingen am Wasser entlang, damit wir wussten, wo wir gerade waren. Wenn man ganz genau hinsah, konnte man durch die dunklen, rankenartigen Äste schwache Lichter sehen, welche vom Internat aus über den ganzen See leuchteten. Und obwohl ich sie sehen konnte, kamen sie hier nicht an. Der Wald war so dunkel, dass ich meine eigenen Hände vor meinen Augen nicht erkennen konnte und nicht einmal das helle, saubere Mondlicht konnte durch die starken Baumkronen in diesen Teil des Waldes eindringen.

Mein Bruder und ich waren die Einzigen, die es geschafft hatten, einen Fuß in diesen Wald zu setzen.

Nach einigen Minuten Stille hörte ich meinen Bruder von weiter vorne fluchen. Ich steigerte mein Tempo und konnte schließlich sehen, dass er in einem Meer aus Dornen stand. Sie kesselten uns ein von allen Seiten. Nur ein kleiner Spalt vor uns war noch nicht von ihnen eingenommen worden. Mit einer Geste zeigte ich Cormac, dass das der einzige Weg war, den wir noch einschlagen konnten, doch er zögerte. Letztendlich wusste er aber auch, dass dies der einzige Weg zu unserem Ziel war. Langsam gingen wir einen schmalen Anstieg entlang, bis wir schließlich eine Schlossruine erblickten und wussten, dass wir nun wirklich angekommen waren.

* * *

Alles, wirklich alles war genau so, wie ich es mir vorgestellt hatte. Ich schaute mich um, mit jeder Sekunde geschockter, wie unecht und doch real dieses Szenario aussah. Es war angsteinflößend, gruselig und doch so gigantisch, dass ich mich bemühen musste, nicht zu vergessen zu atmen. Zu meiner Linken stand das Schloss, das Schloss der McDobbin-Familie. Meiner Familie.

Die heruntergerissenen Mauern rund um das gigantische Gebäude waren nicht zu übersehen. Der Garten des Anwesens war heruntergekommen, doch man konnte ihn erkennen. Das Glas der vielen kleinen Fester war gelb und milchig, Efeuranken schlängelten sich um die Fassade und das ganze Anwesen wirkte tot und verflucht. Doch eigentlich war es doch genau das, oder nicht?

Es erinnerte mich einen kurzen Moment an all die gruseligen, dunklen Gemäuer aus den unzähligen Vampirfilmen, die ich schon immer gehasst habe. Doch das hier war anders, ich konnte dieses Gefühl nicht wirklich deuten, aber ich glaube es war Neugier. Ein Gefühl, auf das ich bereit war, was auch immer als Nächstes kommen würde. Endlich.

Zum ersten Mal in dieser ganzen Zeit, in der wir über dieses Mysterium philosophierten, fühlte ich mich, als wäre ich wirklich ein Teil davon. Ich vergaß für einen Moment alles um mich herum und ich konnte spüren, dass ich hier gebraucht wurde, nicht nur von meinem Bruder, aber von allen Kreaturen, die jenseits des Sees auf mich gewartet hatten. Auf ihren Herrscher.

Im nächsten Moment, als all die Magie, die ich verspürt hatte, verflogen war, wurde mir bewusst, dass ich soeben verflucht wurde. Genau so wie mein Bruder vor so vielen Wochen. Bei mir hatte es einfach nur länger gedauert.

„Ich wusste, spätestens jetzt wirst du ein Teil von diesem Märchen. Ich hätte dich niemals zwingen können, aber ich wusste, sobald du das hier siehst, glaubst du mir!" Cormac redete leise und ruhig und zum ersten Mal seit Wochen fand ich den Klang seiner Stimme nicht bedrohlich, aggressiv oder nervig.

Zum ersten Mal seit Wochen hörte ich meinen Bruder. Nicht wortwörtlich. Aber ich *hörte* ihn. Ich verstand, was er mir seit so vielen Wochen versucht hatte zu erklären. Ich drehte mich zu ihm um und sah in seine schwarzen Augen, die Augen, die den meinen so ähnelten.

Und als ich hinter ihm ein weiteres Augenpaar erblickte, wusste ich, dass das hier echt war. Es war echter als alles, was ich bis jetzt erlebt hatte. Niemals hätte ich gedacht, ich würde es zugeben, doch als ich zum ersten Mal eine dieser Kreaturen in Wirklichkeit sah, war ich entschlossen, das hier war meine Bestimmung. Unsere Bestimmung.

Und obwohl ich wusste, dass mein Urteilsvermögen womöglich gerade durch dieses Szenario und all die Magie, die ich um mich spüren konnte, geschwächt wurde, wollte ich nichts auf der Welt mehr, als einfach hierzubleiben und dieses Ritual vollziehen, zusammen mit meinem Bruder.

„Es tut mir leid, Cormac. Ich hätte dir glauben müssen, die ganze Zeit über hattest du recht." Ganz leise und fast unmerklich sprach ich diese Worte aus. Normalerweise hätte ich es niemals gesagt und wäre viel zu stolz, um nachzugeben, doch irgendetwas hatte dieser Ort an sich, das mich weich werden ließ.

Ich konnte direkt in Cormacs Augen sehen und obwohl die Nacht hier so dunkel war, konnte ich genau sehen, dass er sich nichts mehr gewünscht hatte, als genau diese Worte von mir zu hören. Aber Cormac wäre nicht Cormac, wenn er nicht sofort einen coolen Spruch bringen würde. Hauptsache keiner merkte, dass er Gefühle hatte. „Sieh mal einer an, da kommt mein lieber Bruder doch noch zur Vernunft!" Er grinste schief und genau in diesem Moment wirkte es so ansteckend, dass ich nicht anders konnte, als auch zu grinsen.

Da standen wir beide, zwei Brüder, als hätte es nie auch nur eine Auseinandersetzung zwischen uns gegeben. Und während wir dort standen und für einen kurzen Moment nur vor uns hin grinsten, raschelte es in all den Büschen um das jahrhundertealte Schloss und unzählige magische Kreaturen kamen zum Vorschein.

Ich konnte es immer noch nicht so richtig glauben, doch sie sahen wirklich genau so aus, wie sie in unserem Märchenbuch beschrieben waren: Die eine Art war ein Löwe mit einem Adlerkopf und Flügeln. Sie waren braun-orange und hatten bis zu ihrem Hals Fell, doch ab dort war ihr Kopf mit blauen und silbernen Federn bedeckt. McDobbin nannte sie damals Aquila und noch heute standen sie hier, haargenau so, wie er sie beschrieben hatte.

Aus den Baumkronen, die höher waren als gewöhnliche Bäume in unserer Welt, kamen eine andere Sorte von Geschöpfen zu uns herabgeflogen, auch diese Kreaturen kannte ich nur zu gut: Sie waren das genaue Gegenteil ihrer Brüder und Schwestern. Sie hatte den Körper eines Adlers, blau-silbrige Federn und starke, riesengroße Krallen. Auf ihrem Rumpf prangte der gigantische Kopf eines Löwen mit Mähne und gelb-goldenem Fell. Doch auch sie hatten Flügel, gigantisch und riesengroß. Ich wusste, dass McDobbin diese Art der Wesen Iubes genannt hatte. Ich wusste schon beim Lesen, dass diese Sorte Kreaturen meine Lieblinge sein würden, doch jetzt, wo ich sie wirklich sah, konnte ich erst sehen, wie wunderschön sie waren. Ohne ihn fragen zu müssen, wusste ich, dass Cormacs Lieblingsgeschöpfe die andere Sorte war. Es war so, weil wir niemals das Gleiche mochten, auch dieses Mal nicht.

Neben den Flügeln hatten die Wesen nur eine andere Sache gemeinsam: Sie besaßen einen Schwanz, der aussah wie der eines Löwen. Die Aquila wickelten ihn sich um ihre Hinterbeine, während er bei den Iubes immer um eine Kralle geschwungen war. Hunderte Kreaturen umzingelten uns und stellten sich vor uns auf, doch keine einzige Sekunde hatte ich das Gefühl, vor ihnen Angst haben zu müssen.

Wir waren beide sprachlos, als immer und immer mehr Geschöpfe aus dem Wald auf die Lichtung kamen und sich schließlich um ein hölzernes Podest herum aufstellten. Jeder hatte seinen ganz bestimmten Platz und erst, als sie dort alle so standen, nahm ich den Thron wahr. Liam-Cormac Will McDobbins Thron.

KAPITEL 37

Lily

„Alles, was Nelson je gewollt hatte, war, dich zu beschützen. Er wusste, dass man, sobald man durch dieses Portal steigt, zu einem anderen Menschen wird." Inzwischen war ich mir sicher, dass ich nicht halluzinierte, denn Mrs. Woodlands Hand umschloss meine und zog mich auf die Beine. Erst als ich stand, konnte ich spüren, wie taub meine Beine wirklich waren. Die Direktorin holte eine Decke aus der Tasche, die über ihrer Schulter hing. Irgendwie fing ich langsam an zu glauben, dass sie hierhergekommen war, *weil* sie wusste, dass hier etwas vor sich ging. Dankend nahm ich die Decke an und spürte, dass langsam wieder Blut durch meine Arme und Beine floss. Fragend sah ich sie an: „Darf ich fragen, wieso Sie hier sind und woher Sie wussten, dass *ich* hier bin?" Die Überforderung war mir sichtlich ins Gesicht geschrieben, doch ich war inzwischen an einem Punkt angelangt, an dem ich nichts mehr anzweifelte, geschweige denn dem Zufall überließ. Alles hatte eine Erklärung und einen Zusammenhang, da war ich mir sicher.

Seufzend und irgendwie mitleidig sah sie mich an, bevor sie abrupt ihre Arme ausbreitete und mich herzlich und liebevoll in den Arm nahm. Sie umschloss mich viel zu fest, um es noch genießen zu können. Ich war einfach nur total verwirrt und überfordert. Wieso umarmte mich diese Frau? Ich kannte sie eigentlich überhaupt nicht! Doch bevor ich noch weiter über diese äußerst komische Aktion nachdenken konnte, passierte etwas Magisches: Ich konnte spüren wie die Wärme, die von ihr kam, auf mich übertragen wurde. Wortwörtlich.

Ich spürte wie ein heißer Funken durch meine Haut in meinen Körper eindrang und mich mit einer Wärme erfüllte, die ich seit Stunden nicht mehr fühlen konnte. Die Taubheit wich aus

meinen Gliedern und die eisige Spur, die meinen Rücken eingenommen hatte, taute langsam, aber deutlich auf. Es war wirklich
wie Magie, doch ich merkte, dass eine Stelle in meinem Körper
niemals wieder warm werden würde: Mein Herz war noch immer taub wegen Nelsons Betrug und nicht einmal die größte und
wunderbarste Magie könnte hier helfen, es wieder aufzutauen.

Als ich mich wieder zusammenriss und den neuen Ansturm
von Tränen unterdrücken konnte, löste ich mich aus unserer Umarmung. „Wie …" Ich wollte eine Erklärung haben für das, was
gerade passiert war, doch ich wusste, sobald ich das erste Wort
aussprach, dass ich niemals eine Antwort auf meine Frage bekommen würde. Niemals.

Mrs. Woodland legte mir einen Finger auf die Lippen und ließ
mich somit verstummen. Ich gab mir nicht einmal die Mühe, es
noch einmal zu versuchen, stattdessen versuchte ich herauszufinden, wieso sie wirklich hier war.

„Um auf deine Frage zurückzukommen", fing die Direktorin an, „ich bin euch gefolgt, weil ich wusste, dass es dieses Mal
Komplikationen geben wird."

Ich verstand gar nichts mehr, doch ich war nicht doof. Ich
wusste, dass sie über unsere Aufgabe und über das Märchen redete. Sie wusste Bescheid.

Ich wollte etwas sagen, doch ich wusste nicht wirklich, was.
Doch das war zum Glück auch nicht nötig, denn die Direktorin
war bereit, mir mehr zu erzählen, ohne dass ich ihr jeden Satz
entlocken musste. „Ich bin ein Teil dieses Märchens und dieser
Aufgabe, seit dem allerersten Tag. Damals, als die ersten Herrscher ihr Ritual vollzogen hatten, sind meine Schwester und ich
in diesen Wald gekommen. Wir wussten schon immer, dass dieser Wald etwas ganz Besonderes an sich hatte. Wir beobachteten
dieses Geschehen, die vielen Kreaturen über einen quälend langen Zeitraum. Als endlich McDobbin und dein Grandpa auserwählt wurden, waren Greta und ich unendlich erleichtert. Die
Schule war uns schon immer wichtig und die Kreaturen brachten
eine Gefahr mit sich, dass wir fast keine andere Wahl hatten, als
die Schule zu schließen. Als die Geschöpfe dann endlich unter

Kontrolle gebracht wurden, waren wir deinem Grandpa und seinem Freund unendlich dankbar. Dank ihnen konnten wir weiter in Thornforest bleiben, mit all unseren Schülern."

Als sie mir das erzählte, verstand ich endlich, wieso es überhaupt zu dieser Aufgabe gekommen ist. Ich konnte sie verstehen, sie wollte einfach nur diejenigen beschützen, die ihr wichtig waren. Doch eine Sache blieb mir ein Rätsel: Wenn sie von Anfang an ein Teil dieses Märchens war, wenn sie wirklich seit über zwei Jahrhunderten über diesen schwarzen Wald jenseits des Sees Bescheid wusste, wie konnte sie dann jetzt hier vor mir stehen?

Doch auch dieses Mal konnte sie mir meine Frage beantworten, noch bevor ich sie ausgesprochen hatte: „Die Zeit mag vielleicht dein größter Feind sein, und in den letzten Monaten wirst du es bestimmt des Öfteren erlebt haben. Doch ich hatte dieses Problem nie, genauso wenig wie meine Schwester und später auch dein Grandpa." Bevor ich auch nur fragen konnte, fuhr sie fort: „Bitte frage mich nicht, wieso, ich werde dir darauf keine Antwort geben." So herzlich und nett sie auch aussehen mochte, ihre Worte waren klar und scharf wie die Klinge eines Messers.

So sehr ich mir im Moment Antworten wünschte, ich wusste, dass ich hier besser nicht mehr nachhaken sollte.

Als ich dort so stand mit der Direktorin der *Thornforest Boarding School,* konnte ich spüren, dass auf der anderen Seite des Portals etwas passierte. Es ging los.

Doch bevor ich dieser mysteriösen Frau von meinem Gefühl erzählen konnte, nahm sie mich an die Hand und flüsterte: „Ich bin so froh, dass Ryan dich hierhergebracht hat. Und ich bin so unglaublich stolz auf dich." Ich verstand gar nichts mehr, wie immer eigentlich. All diese komischen Vorfälle in den letzten Monaten: Ihre komische Begrüßung, als ich im Sommer in Thornforest ankam. Ihr Verhalten in der Nacht, in der mein Grandpa gestorben war. Diese äußerst herzliche Umarmung gerade eben und jetzt das hier. Diese Frau konnte unmöglich eine Fremde sein.

„Wer sind Sie?", flüsterte ich mindestens genauso leise zurück und bei dieser Frage stellten sich meine Nackenhaare auf.

„Damals, als Liam-Cormac Will McDobbin viele, viele Jahre allein in diesem Wald herrschte, wurde Greta neugierig und tat so, als würde sie sich in diesem Wald verlaufen. Sie hatte damals Mitleid mit ihm und brachte ihm deinen Grandpa, um an seiner Seite zu herrschen. Nach einiger Zeit wollte auch ich wissen, wie diese beiden jungen und eigentlich gewöhnlichen Männer es schafften, diese übernatürlichen Kreaturen zu kontrollieren."

Die Nacht wurde mit jeder Erklärung dunkler, doch in meinem Kopf leuchteten immer mehr Lampen auf. Ich konnte endlich eins und eins zusammenzählen, Mrs. Woodland hätte nicht einmal zu Ende erzählen müssen, denn ich verstand es endlich.

„Greta und ich waren die einzigen Menschen, die das Portal durchqueren konnten, ohne die Hilfe eines Herrschers. Wir konnten zwischen den Welten springen. Ich sage dir, Lily, damals war es eine Gabe, heute wäre ich lieber kein Teil davon!" Sie seufzte ein weiteres Mal und vergrub ihren Kopf in ihren Händen. Ich konnte sehen, dass diese alte, sichere Frau mit den Tränen kämpfte. Und mir ging es genauso.

Nach einigen Minuten Schweigen, die sich anfühlten, wie eine halbe Ewigkeit, sah sie mir tief in die Augen. Und wieder einmal hatte ich das Gefühl, dass ich dieses Gesicht schon mal gesehen hatte. Irgendwann.

„Ich habe ihn wirklich geliebt!" Jetzt konnte ich meine Tränen nicht mehr unterdrücken, genauso wenig wie sie. „Ich war jeden Tag in seiner Welt, und jede Nacht in meiner. Jeden Tag kam ich ihn besuchen, weil er seine Welt nicht verlassen konnte, nicht für mich und nicht für irgendjemanden."

„Nur für mich ...!" Es hörte sich bescheuert und egoistisch an, doch es war die Wahrheit. Damals hatte mein Grandpa den Wald und sein Leben dort endgültig hinter sich gelassen, um mich vor dem Leben zu schützen, wofür er selber verantwortlich gewesen ist.

„Grandma?" Ich spürte, wie die Tränen salzig und eisig auf meiner Haut gefroren. Zu diesem Zeitpunkt hatte ich keine Ahnung mehr, ob es Freudentränen waren oder nicht. Aber das war mir in diesem Moment auch eigentlich total egal, denn als ich zum zweiten Mal heute die fremde Frau in meine Arme schloss, war sie nicht mehr fremd und die Umarmung war das Beste, das mir heute passieren konnte.

„Es tut mir leid, dass ich nicht früher mit dir darüber gesprochen habe, aber ich hatte einfach nicht den Mut. Und ich muss zugeben, ich war im ersten Moment ziemlich geschockt, als ich dich am Tag der Ankunft hier gesehen habe. Ich wusste, dass das nichts Gutes bedeuten konnte", nuschelte sie in mein Haar. Ihr Atem war warm an meinem Ohr und ich konnte sie so gut verstehen. Ich machte ihr keine Vorwürfe oder Ähnliches, denn jetzt in diesem Moment war ich einfach nur froh, dass ich jemanden an meiner Seite hatte. Denn das war in meinem Leben nicht selbstverständlich, so traurig es auch war. Bevor sie weiterredete, löste sie sich aus unserer Umarmung, doch ihre Hände ruhten noch immer auf meinen Schultern, als sie weitersprach: „Aber, Lily, ich habe jetzt so viel geredet und die eigentliche Frage ist doch: Was tust du hier, und wo ist Nelson?"

Ich schüttelte traurig und immer noch fassungslos den Kopf, denn ich wollte es einfach nicht wahrhaben. „Er ist allein durch das Portal gegangen." Ich konnte ihren verwirrten Blick erkennen und sprach schnell weiter. „Also nicht ganz alleine. Cormac ist mit ihm gegangen. Sie wollten die Aufgabe zusammen vollenden, Nelson wollte mich beschützen …"

„Und deswegen hat er Cormac mit sich durch das Portal genommen, damit du nichts mit dem Märchen zu tun haben wirst", schlussfolgerte sie, doch ich konnte an ihrem Ausdruck erkennen, dass sie damit überhaupt nicht einverstanden war.

Leise fügte ich hinzu: „Er meinte irgendwie *Blut ist stärker als Wasser.*"

Aber Mrs. Woodland oder Grandma oder wie auch immer hörte mir schon gar nicht mehr zu. Eilig lief sie zum Portal, stellte sich zwischen die beiden Bäume und ich konnte sehen, wie die Einkerbungen im Holz hell und grün aufleuchteten. So musste es auch ausgesehen haben, als Nelson und Cormac meine Hand an die Unterschrift meines Grandpas gehalten haben. Die beiden ineinander verschlungenen Baumkronen trennten sich für einen kurzen Moment und ich wusste, dass das jetzt meine letzte Chance war, durch das Portal zu kommen. Ich konnte sehen, wie Mrs. Woodland mir zuwinkte und mich aufforderte mitzukommen. Meine Schritte beschleunigten sich, ohne dass ich es beabsichtigte, und schließlich stand ich zwischen den gigantischen Bäumen.

Der nächste Schritt, den ich machte, trug mich in eine andere Welt.

KAPITEL 38

Lily

Es brachte nichts, darüber nachzudenken, ob das hier echt war. Denn selbst wenn man träumt, ist man bis zur allerletzten Sekunde davon überzeugt, dass alles, was man erlebt, echt ist.

Dann wacht man auf und einem wird klar, dass so etwas niemals real sein könnte. Also hoffte ich weiterhin, dass ich noch immer in meinem Bett in Blackford lag, aber ich wusste auch genauso gut, dass Träume meist nie lange andauern, und dass sie irgendwann mitten im Satz aufhören. Dann wacht man auf und hat meistens schon wieder vergessen, was der letzte Satz überhaupt war.

Mein Albtraum dauerte jetzt schon mehrere Monate an und ich konnte mich an alles glasklar und ohne Lücken erinnern. Leider.

Meine Grandma, die Direktorin, lief schnell und ich hatte Probleme, um überhaupt mit ihr mitzuhalten. Mit jedem Schritt in diesem dunklen Wald, wurde mir klarer, dass irgendetwas nicht stimmte. Wir beide schwiegen die ganze Zeit und ich traute mich nicht, sie zu fragen, was passiert war.

Irgendetwas ging hier vor sich und als wir uns schließlich in einem Meer aus Dornen befanden, wusste ich, dass es jetzt nicht mehr lange dauern würde.

Ich konnte spüren, wie die Dornen sich durch meine nasse Jeans in meine Haut bohrten – es machte mir nichts aus. Viel mehr beunruhigte mich die Stille. Es war diese Art von Stille, die aufkommt, wenn man zu angespannt zum Reden ist. Eine Stille, die in den Ohren wehtut, die danach schreit, gehört zu werden. Eine Stille, die sich ausbreitet, langsam und schmerzhaft wie das Gefühl von Einsamkeit. Ich wollte mir die Ohren zuhalten, damit ich sie nicht hören musste. Die Dornenranken wurden von Schritt zu Schritt stärker und dominierten den Wald. Sie schlängelten sich um die schwarzen Bäume, legten sich auf den gesamten Boden nieder und unterdrückten jeden Busch, der zu schwach war, sich durchzusetzen. Dieses Bild machte mir Angst, aber nicht so viel Angst, wie die Angst vor dem, was mir bevorstand.

„Wir müssen sie finden, bevor es beginnt!", hauchte Mrs. Woodland atemlos mehr zu sich selbst als zu mir. Trotzdem zuckte ich bei ihren Worten zusammen, weil ich nicht darauf vorbereitet war, dass diese unendlich gruselige Stille endlich gebrochen wurde. Genau deswegen dauerte es auch so lange, bis ich den vollständigen Satz aufgenommen hatte. Und selbst dann, als ich mir im Klaren darüber war, was sie gesagt hatte, wusste ich noch immer nicht, was sie damit meinte. *Sie,* damit meinte sie sicherlich Nelson und Cormac, aber was sollte beginnen? Was durfte nicht beginnen, solange ich nicht dabei war?

Es dauerte weitere 27 Schritte, bis ich endlich verstand, weshalb Anne Woodland so besorgt war. Automatisch beschleunigte sich mein Schritttempo ein weiteres Mal, bis ich anfing zu laufen. Das Ritual. Sie hatte das Ritual gemeint, welches nur vollzogen werden konnte, wenn beide Herrscher dabei waren. Aber in diesem Fall war nur Nelson dabei und er wollte Cormac zum zweiten Herrscher machen. Ich verstand zwar noch immer nicht, wieso das ein Problem darstellen könnte, denn genau das war ja immer der Plan gewesen, um mich zu beschützen. Ob ich das nun wollte oder nicht.

Aber anscheinend gab es doch einen Haken an diesem Plan, denn sonst hätte ich mir nicht diese panische Angst erklären können, die ich in den Augen meiner Grandma sah.

Mit einem Mal wurde ich noch so viel nervöser und ungeduldiger. Irgendetwas Schlimmes würde passieren, wenn das Ritual in dieser Konstellation vollzogen wurde, das konnte ich in ihrem Ausdruck lesen.

Und plötzlich, von einem auf den anderen Moment blieb ich stehen und mir wurde schlecht. Mein Magen drehte sich bei dem Gefühl, das ich vorhin schon einmal gespürt hatte. Dieses Gefühl, das ich bemerkte, als die Frau, die mir gerade gegenüberstand, mir alles erklärte, worauf ich die letzten Monate gewartet habe. Ich habe dieses Gefühl unterdrückt, das Gefühl, das mir zeigen wollte: *Es geht los.*

„Es hat schon längst begonnen", sagte ich trocken und ich schämte mich bei jedem Wort, das ich laut aussprach. Scham, weil ich meine eigenen Bedürfnisse über etwas gestellt hatte, das viel größer war als ich. Ich habe nichts gesagt, weil ich die Wahrheit über meine Familie erfahren wollte, und währenddessen hatte ich die ganze Aufgabe, das Ritual und das Märchen vergessen.

„Ich habe es gefühlt, es muss schon begonnen haben …" Betreten blickte ich zu Boden. Ich wartete auf den Moment, in dem meine Grandma mich anschrie oder irgendetwas zu meinem egoistischen Verhalten sagte, doch das tat sie nicht. Ohne mich auch nur ein weiteres Mal anzusehen, drehte sie sich um und lief durch die Dornen, bis die Dunkelheit sie verschluckte.

Ich lief hinter ihr her. Blind und orientierungslos lief ich durch eine fremde Welt. Eine Welt, die gefährlich und geheimnisvoll zugleich war. Jedes gute Buch war gefährlich und geheimnisvoll. Ich liebte diese Art von Büchern, früher konnte ich mich stundenlang auf dem Dachboden vor meiner realen Welt verstecken. Jede Stufe der Wendeltreppe war ein weiterer Schritt in eine andere Welt. Ich hätte niemals gedacht, dass ich das einmal sagen würde, aber ich wollte einfach in meine Welt zurück. Ich wollte einfach nur Nelson zurückhaben und mit ihm zusammen in meine Welt zurückkehren. Trotz der Probleme, trotz der Langeweile und dem öden, immer gleichen Alltag.

Ich lief und lief, ohne anzuhalten. Meine Beine brannten, aber ich dachte nicht ans Stehenbleiben. Ich hielt nicht einmal an, als ich aus der Ferne ein Brüllen hörte. Ein unbeschreiblich brutales Brüllen und dann fiel mir auf, dass sich die Ferne so unglaublich nah anfühlte. So nah, dass ich mich eingeengt fühlte. So nah, dass ich wusste, es würde nicht mehr lange dauern und dann hatte ich es geschafft. Wollte ich es schaffen?

* * *

Ohne zu wissen, wo ich hinrannte, trugen mich meine Beine an mein Ziel. Endlich war ich an dem Punkt, an dem ich die Silhouette von meiner Grandma wiedererkennen konnte. Ein kleiner Stein fiel mir vom Herzen, als ich realisierte, dass ich endlich nicht mehr ganz alleine war.

Mit meinem rechten Arm schlug ich die letzten Äste weg, die mir in die Quere kamen, obwohl ich mir sicher war, dass ich die Schmerzen auf der Haut nicht einmal gespürt hatte. Das Adrenalin in meinem Körper machte mich taub und immun gegen jegliche Schmerzen. Die Kälte, mit der ich vorhin noch zu kämpfen hatte, war nun durch Hitze und Aufregung ersetzt worden.

Obwohl ich wusste, dass ich nur noch wenige Meter zu laufen hatte, bis ich bei meiner Grandma ankommen würde, konnte ich nicht langsamer werden. Mein Körper wurde von Unmengen von Adrenalin kontrolliert und mein Gehirn schaltete komplett ab. Das Einzige, das wirklich wichtig war, war, dass es Nelson gut ging, mehr wollte ich gar nicht. Ich rannte und rannte, bis ich von etwas gestoppt wurde, das mich festhielt, bis ich wieder zur Ruhe kam.

Es war meine Grandma, die mich mit all ihrer Kraft festhielt. Ihre langen Finger umschlossen meine Handgelenke fester, als ich es von ihr erwartet hätte. Ich bin geradewegs in ihre Arme gelaufen und als ich vom Boden aufblickte, verstand ich auch, wieso sie mich so energisch aufgehalten hatte: Wenn ich weitergerannt wäre, dann wäre ich unmittelbar in die Tiefe gestürzt. Wir standen auf einem Plateau und konnten über das ganze Tal hinwegschauen.

Da war es. Das Tal, in dem die ursprüngliche McDobbin-Familie ihr Schloss gebaut hatte, in dem der Grandpa von Nelson und Cormac aufgewachsen ist. Dort, auf der Lichtung vor dem Schloss, stand sein Podest noch immer, als hätte man es erst gestern dorthin gebaut. Und auch der Thron sah nicht so aus, als würde er dort schon über zwei Jahrhunderte stehen.

Es war genauso, wie ich es mir immer erträumt hatte. Jede Nacht, wenn ich in meinem Bett in Blackford lag und das Licht ausknipste, hoffte ich, wieder in diese Welt eintauchen zu können.

Ich wollte auf dem Thron sitzen, durch das Tal laufen und zu den Hügeln hinaufblicken, auf denen meine Kreaturen hausten und mich anschauten, wie man eine Herrscherin anschaute.

Jetzt stand ich tatsächlich hier, auf einem der beiden Hügel – ich wusste nicht, auf welchem – und blickte in das Tal hinab. Das Tal mit dem Schloss und dem Thron und dort ganz klein und mickrig konnte ich sie sehen: Cormac und Nelson. Zu zweit und doch so allein standen sie da und vollzogen ein Ritual, das eigentlich nur für einen von ihnen bestimmt war.

„Wir sind zu spät …!" Obwohl sie direkt neben mir stand, hörte ich Anne Woodlands Stimme nur aus der Ferne. Sie hatte recht, das Ritual war schon in vollem Gange und wir konnten nichts mehr tun, als von hier oben in das Tal zu schauen und hilflos zuzusehen, wie die beiden Brüder die neuen Herrscher über die magischen Geschöpfe und den schwarzen Wald jenseits des Sees wurden.

Ich wollte zu Nelson laufen und ihn davon abhalten, doch ich konnte nicht. Der direkte Weg war viel zu steil und ich hatte nicht die Zeit, um den Hügel, der eigentlich schon ein Berg war, herumzulaufen.

Außerdem hatte ich in diesem Moment viel zu viel Angst vor dem, was als Nächstes kommen würde. Das konnte ich nicht leugnen. Denn nicht nur Nelson und Cormac standen dort unten auf dem Podest, auch Hunderte dieser magischen Geschöpfe standen versammelt um die beiden Jungen herum. Ein Geschöpf von jeder Art war größer als seine Schwestern und Brüder und ich wusste, dass diese beiden Kreaturen gleich die beiden Jungen mit ihren Krallen markieren würden. Genau so wie es im Märchen beschrieben wurde.

Keine Minute später ging es los. Ich wollte Nelson rufen. Ich wollte nicht, dass er das alleine machen musste. Er machte etwas, was er überhaupt nicht wollte, nur um mich zu beschützen. Ich fühlte mich so schlecht. Bestimmt litt er gerade unter dem Einfluss seines Bruders und wollte nichts mehr, als einfach aus dieser Welt zu verschwinden … Doch dann schaute ich genauer hin und ich konnte Nelson lachen hören. Er lachte so herzlich und gut gelaunt, wie ich es noch nie gehört hatte. Er klatschte sich ein letztes Mal mit seinem Bruder ab, den er doch eigentlich so sehr hasste. Mir wurde schlecht, als mir bewusst wurde, dass Anne Woodlands Worte korrekt waren:

„Er wusste, dass man, sobald man durch dieses Portal steigt, zu einem anderen Menschen wird."

Es stimmte wirklich. Denn der Nelson, der da unten in einem verwunschenen Tal stand und lachend ein Ritual vollzog, das sein ganzes Leben verändern würde, das war nicht der Nelson, den ich liebte. Dieser Wald hatte ihn verändert und plötzlich wurde ich unglaublich eifersüchtig. Eifersüchtig auf Cormac, der endlich den Bruder bekommen hatte, den er sich immer gewünscht hatte. Denn das hieß auch, dass der Junge, den ich so sehr liebte, endgültig verschwunden war. Ich spürte die Tränen, die meine Wange herunterliefen. Sie waren unaufhaltsam, aber das war nicht schlimm, denn ich wollte sie nicht aufhalten. Ein letztes Mal wollte ich dieses warme, schiefe Grinsen sehen, welches mich jedes Mal zum Lachen gebracht hatte. Ohne noch länger darüber nachzudenken, ging ich einen Schritt weiter auf den steilen Abgrund zu und rief seinen Namen: „Nelson!!!" Er hatte mich gehört, denn er hielt für einen Moment inne. Steif und wie versteinert bei dem Klang meiner Stimme stand er da, mit dem Rücken zu mir. Er war so weit weg. Ich hoffte so sehr, dass er sich noch einmal umdrehen würde, dass er mir sagen würde, alles wird gut. Doch bevor mein Wunsch in Erfüllung gehen konnte, packte sein Bruder ihn am Arm und holte ihn in die Realität zurück. Ich hasste Cormac so sehr, dass ich ihn am liebsten getötet hätte. Denn er war der Grund, weshalb Nelson sich *nicht* noch einmal zu mir umdrehte und mein Herz in tausend Teile zersprang.

Enttäuschung breitete sich in mir aus, und Hass und Wut und noch so viel mehr. Doch ich hatte keine Zeit, um meine Gefühle zu ordnen, denn im nächsten Moment erleuchtete ein smaragdgrünes Licht den ganzen Wald und die Nacht war nicht länger schwarz und dunkel.

Sie hatten das Buch aufgeschlagen. Das Buch, in dem die Runen standen, die sie vorlesen mussten. Auch die vielen grünen Steinchen im Thron fingen an zu glitzern. Alle Geschöpfe bäumten sich auf und die jeweils Größten ihrer Art traten vor, um sich neben die beiden Brüder zu stellen. Es war genau so, wie McDobbin es in seinem Märchen beschrieben hatte, und genau das machte es so gruselig.

Obwohl ich dachte, dass ich vor Enttäuschung und Schmerz taub und blind geworden bin, konnte ich seine Stimme laut und deutlich hören. Sie hallte durch den ganzen Wald, als Nelson zusammen mit seinem Bruder die Runen und den Schwur vorlas. Es dauerte eine gefühlte Ewigkeit, sie lasen und lasen, ohne zu stoppen und wahrscheinlich auch, ohne nachzudenken, denn sonst hätte keiner von beiden die Worte aus dem Buch laut ausgesprochen.

Seine Stimme zu hören und dabei genau zu wissen, was als Nächstes kommen würde, tat mir noch so viel mehr weh als der eigentliche Schmerz. Ich glaube, wenn ich den Schmerz nicht als Beweis gespürt hätte, dann hätte ich niemals geglaubt, dass das, was hier gerade vor sich ging, echt sein konnte.

Das grüne Licht, das Schloss, die Geschöpfe. Alles, was ich hier sah, war Beweis dafür, dass ich nur träumte. Aber das mit der Traumsache hatten wir ja schon. Unmöglich konnte ich einen so langen, detaillierten und grauenhaften Traum träumen, ohne aufzuwachen.

Mein Blick war starr und direkt auf das Geschehen im Tal gerichtet und selbst, wenn ich es gewollt hätte, ich hätte ihn nicht abwenden können. Nelsons Stimme zu hören tat weh, doch als ich sie schließlich nicht mehr hörte, war ich keineswegs erleichtert. Ich wusste, dass es nun ernst wurde und ich wartete nur auf den Moment, in dem sich die beiden großen Geschöpfe aufbäumten, um die neuen Herrscher zu markieren.

Das Markieren. So oft hatte ich darüber gelesen und ich wusste genau, wie es ablaufen würde. Immer wieder versuchte ich mich daran zu erinnern, wie Liam-Cormac Will McDobbin es in seinem Märchen beschrieben hatte und gleichzeitig wollte ich nichts mehr, als es alles zu verdrängen.

Von hier oben konnte ich genau verfolgen, was nun kommen würde: Die beiden Brüder zogen ihre Jacken aus, dann ihre T-Shirts, bis sie sich schließlich Oberkörper frei vor das Podest und den Thron knieten. Ich konnte genau auf ihre makellosen Rücken schauen, wie sich die Rückenmuskulatur mit jeder Sekunde, die verstrich, mehr anspannte, wie ihre Schultern sich mit jedem Atemzug auf und ab bewegten. Beide Jungen hatten den gleichen Rücken, wie so vieles an ihnen gleich war. Und doch waren sie so verschieden.

Nelson und Cormac blickten zu Boden und hoben ihren Kopf nicht einmal, als ein markerschütternder Schrei durch den Wald hallte. Wie gewöhnlich folgte danach das Brüllen. Schließlich bäumten sich die beiden Tiere auf, das smaragdgrüne Licht schien heller als je zuvor und dann passierte es: Als die Kreaturen wieder zu Boden sanken, zogen sie mit ihrer Kralle und Tatze eine riesige und blutige Schramme über die Rücken der beiden Jungen. Das Tier mit dem Adlerkopf zog die Schramme zuerst über Cormacs Rücken, der abrupt zusammensank und vor Schmerzen aufschrie. Während ich von seinem schrecklichen Schrei gelähmt wurde, konnte ich im Augenwinkel erkennen, dass nun die Kreatur mit dem Löwenkopf zum Hieb ansetzte. Noch bevor ich weggucken konnte, sah ich, wie dessen Kralle sich in das Fleisch von Nelson bohrte. Das, was der Schrei von Cormac in mir ausgelöst hatte, war nichts im Vergleich zu dem, was ich spürte, als Nelson anfing zu schreien.

Ich presste mir beide Hände so fest vor den Mund, dass es wehtat. Aber wenn ich es nicht gemacht hätte, dann hätte ich so laut geschrien, dass ich eventuell selbst taub geworden wäre. Noch bevor ich nachdenken konnte, vergrub ich meinen Kopf an der Brust meiner Grandma. Ich wollte nicht eine weitere Sekunde mit ansehen, was sich dort unten abspielte. So fest ich konnte, klammerte ich mich an ihr fest und ich spürte, wie ihre Arme meinen Körper umschlossen. Sie hielt mich fest, so fest, dass ich gar nicht mehr entkommen konnte. Aber das wollte ich auch nicht.

Ich hörte noch zwei weitere Schreie, zum einen hörte ich Cormac und sofort danach Nelson. Die Kreaturen hatten ein zweites

Mal ausgeholt. Dieses Mal hielt ich mir die Ohren zu, weil ich es nicht ertragen konnte, sein Leid zu hören. Ich hielt mir die Ohren zu und schrie. Mir war es egal, wie laut es war und was meine Grandma von mir dachte, denn immerhin kannte ich sie bis vor ein paar Stunden nicht einmal richtig. Ich schrie und schrie, bis ich mir sicher war, dass das Schlimmste nun vorbei war.

Meine Hände ließen von meinen Ohren ab, weil ich hoffte, dass Nelson jetzt nicht mehr schreien würde. Er schrie nicht mehr. Auch Cormac gab keine Laute mehr von sich. Stattdessen kauerten sie beide auf dem Waldboden und verarbeiteten den Schock und diese unausstehlichen Schmerzen, die McDobbin damals schon als die schlimmsten Schmerzen, die er je verspürt hat, beschrieben hatte. Ich musste mich nicht anstrengen, um das rote, blutige X auf den Rücken der Jungen zu sehen. Groß und dominant würde es von nun an ein Teil von ihnen sein. Für immer.

Als ich Nelson dort unten sitzen sah, wollte ich nichts lieber, als einfach zu ihm zu laufen und ihm zu sagen, dass er es geschafft hatte, dass es jetzt vorbei war.

Aber ich konnte nicht, denn ich war kein Herrscher und ich hatte keine Ahnung, was die Kreaturen mit mir machen würden, wenn ich in ihr Tal kommen würde.

Trotz der Tränen und dem Horror konnte ich zum ersten Mal heute Nacht aufatmen. Der Junge, den ich liebte, war am Leben und sie hatten das Ritual vollzogen. Ihr Plan war wirklich aufgegangen.

Als die beiden Brüder sich dann ansahen und sich angrinsten, konnte ich nicht anders, als zu lächeln. Es war ein kleines unscheinbares Lächeln, das sich auf meinem Gesicht ausbreitete. Doch neben dem Hass, der Enttäuschung, der Wut und all den anderen grauenhaften Dingen, die heute Nacht geschehen waren, tat es einfach nur gut.

Trotzdem zweifelte ich ein weiteres Mal an meiner Freude, als ich in das Gesicht meiner Grandma blickte: Ihre Augen waren rot und ihr Ausdruck erinnerte mich irgendwie an die Nacht, in der sie zu mir kam, um mir zu sagen, dass mein Grandpa verstorben war. Als ich genauer hinsah, konnte ich eine einzelne Träne sehen, die auf ihrer Wange herunterlief und schließlich zu Boden fiel. In dem Moment, als die Träne den schwarzen Boden des Waldes berührte, hörten wir einen weiteren schmerzverzerrten Schrei. Ein menschlicher Schrei. Ich kannte die Stimme, und ich wusste sofort, hier stimmte etwas nicht …

KAPITEL 39

Lily

𝓝elson. Die Stimme gehörte Nelson. Er schrie ein weiteres Mal so brutal auf, dass ich mir wieder die Ohren
zuhalten musste. Doch trotz meinen kalten Händen,
die auf meinen Ohren ruhten, konnte ich seinen Schrei so deutlich hören, als stünde er direkt neben mir. Er schrie und schrie
und es wollte nicht aufhören.

Cormac. Was war mit Cormac? Wieso zur Hölle schrie Cormac nicht? Gerade eben, während des Rituals, hatten sie immer
zusammen geschrien. Wieso musste nur Nelson gerade diese unerträglichen Schmerzen ertragen?

Ich wurde panisch. Meine Grandma stand direkt neben mir.
Ihre Hände bedeckten ihren Mund und ihre Augen waren so
glasig, dass die Tränen jeden Moment auf ihre Wangen fielen.

Was war hier los???

Die Panik kontrollierte mich, hysterisch wirbelte ich herum,
um zu sehen, was hier passierte.

Dort unten im Tal standen sie. Cormac und Nelson. Die beiden neuen Herrscher hatten das Ritual hinter sich gebracht. Sie
hatten es geschafft. Und doch konnte der Junge, den ich so liebte, nicht aufstehen. Er krümmte sich zusammen vor Schmerzen.
Sein nackter Oberkörper war blutverschmiert und das rote X
prangte auf seiner Wirbelsäule. Ich verstand das nicht.

Nach dem Ritual sollte die Wunde verheilen, die Gabe der
Unsterblichkeit sollte eintreten und von dem Moment an sollten die Herrscher unverwundbar bis zum Tag ihres Todes sein.

Ein Tod, der nur kommen würde, wenn sie das Vertrauen,
der Kreaturen brachen. Irgendetwas musste hier falsch laufen:
Ich konnte einen Blick auf Cormacs Rücken werfen. Die roten Einkerbungen waren noch deutlich zu erkennen, doch die

Wunde wirkte keineswegs frisch. Der Prozess der Heilung war bei ihm eingetreten.

Ich wollte nicht zurück zu Nelson schauen, doch als Cormac sich in Bewegung setzte und zu ihm hetzte, musste ich einfach sehen, weshalb er immer noch mit einem so schmerzverzerrten Ausdruck auf dem schneebedeckten Waldboden lag.

Und dann sah ich es: Eine der Kreaturen, es war die mit dem Löwenkopf und dem Körper eines Adlers, flog nur wenige Meter über ihm. Sie schwang ihre gigantischen Flügel und blieb so in der Luft auf der Stelle. Als mein Blick von seinen riesigen Flügeln abwich, wanderte er an diesem übernatürlichen Körper herab, bis ich die Krallen der Kreatur sehen konnte.

Ich schrie auf, als ich endlich sah, was dort vor sich ging.

Immer und immer wieder bohrten sich die gigantischen Krallen der Kreatur in die Haut von Nelson. Sein Rücken hatte jetzt nicht mehr nur ein blutiges X eingeritzt, dort waren weitaus mehr Schrammen. Viele kleine unscheinbare Kratzer, aber auch große, tiefe Einkerbungen.

Mein Magen zog sich zusammen, und ich wusste nicht, was das bedeutete. Das Geschöpf, das über Nelson flog, zerstörte wortwörtlich das X auf seinem Rücken.

Es wollte einfach nicht aufhören und mit jedem neuen Hieb entstand eine weitere blutige Wunde.

„Nein!!!" Es war Cormacs Stimme, die laut und zornig durch den Wald hallte.

Die Panik in mir übernahm die Kontrolle und vor meinen Augen lief ein Film ab. In Zeitlupe sah ich Nelson, der noch immer vor Schmerzen in den Schnee gedrückt wurde, und Cormac, der zu seinem Bruder hinrannte und vergeblich versuchte, ihn unter dieser riesigen und gigantischen Kreatur wegzuziehen. Ich musste den Film nicht kennen, um zu wissen, dass er kläglich daran scheiterte. Ein weiteres Mal wirbelte ich herum, ich konnte mir das nicht länger ansehen. Dieses verschwommene Bild. Ich konnte mir die Schreie nicht anhören. Diese unglaublich dumpfen Schreie. Als mein Blick auf die Frau neben mir fiel, stand sie dort immer noch wie vor einer gefühlten Ewigkeit: Ihre Hände vor den Mund gepresst, ihre Augen glasig. Keine einzige Träne war ihr entglitten, bis jetzt.

Wie lange ging das hier schon? Wie lange musste Nelson diese Schmerzen schon aushalten? Und wann hörte es endlich wieder auf?

Die kalte Nachtluft schmerzte auf meinem Gesicht. Sie fraß sich in meine Haut, die sowieso schon wund war wegen dem Salz in meinen Tränen.

Dort oben stand ich, ein kleines hilfloses Mädchen, das verrückt und von Panik kontrolliert wurde. Wild zerzaustes Haar und ein tränenüberströmtes Gesicht, nasse Klamotten und blaue Lippen. So stand ich da oben auf dem Plateau und konnte direkt in ein Tal sehen, in dem sich gerade etwas Unmögliches, völlig Irreales abspielte. Aber es war echt.

Irgendwann, als ich dachte, ich würde den Verstand verlieren, ließen die ohrenbetäubenden Schreie nach. Augenblicklich drehte ich mich um. Nelson verstummte und das Geschöpf ließ von ihm ab und flog davon. Je höher es in die Lüfte stieg, desto mehr Kreaturen folgten ihm, bis sie sich alle auf ihre Hügel zurückgezogen hatten.

Schließlich waren nur noch Cormac und Nelson auf der Lichtung zurückgeblieben, das smaragdgrüne Licht erlosch und der Zauber war beendet.

Trotz der plötzlichen Dunkelheit hatte ich keine Probleme, die beiden Jungen auf der Lichtung zu beobachten. Mit jeder Sekunde wartete ich, dass Nelson sich aufraffte und alles nur ein weiterer Teil des Rituals gewesen war.

Etwas, das McDobbin damals vergessen hatte aufzuschreiben. Ein Detail, das er ausgelassen hatte, aus irgendeinem verdammten Grund.

Aber was sagten sie noch gleich über Hoffnung? Es war auch nur ein anderes Wort für Enttäuschung.

Dem wurde ich mir bewusst, als ich Cormac hörte: „Nein, bitte! Bitte, Nelson! Wach auf, verdammt!" Er war so weit weg und doch hörte man sein verzweifeltes Schluchzen durch den ganzen Wald. Und noch Minuten später hörte ich es in meinem Kopf widerhallen. *„Wach auf, verdammt!"*

Nein. Bitte nicht! Das konnte nicht wahr sein. Das konnte er mir nicht antun.

„Nein, Nelson!", schrie ich in die Nacht. So laut es ging und ohne Angst, mich könnte jemand hören. Ich rannte los. Ich musste zu ihm. Nicht einmal meine Grandma konnte mich zurückziehen, als ich den eigentlich viel zu steilen Abgrund hinunterraste. Ich musste zu ihm, auf direktem Weg.

Meine Haare verfingen sich in den Ästen, doch sie hielten mich nicht auf. Ich fiel hin, knickte um und bekam Tausende von Ästen ins Gesicht. Doch all das machte mich nicht langsamer. Kein einziges Mal dachte ich ans Stoppen.

Endlich durchbrach ich die letzte Mauer aus Ästen und Gestrüpp und rannte die letzten Meter auf die Lichtung. Ich befand mich in dem Tal, in dem vor wenigen Minuten noch so viele unbeschreiblich schreckliche Sachen geschehen waren.

Und da vorn, zusammengekauert, lag er: Nelson, der Junge, der alles für mich aufgegeben hätte. Ich wollte ihn nicht so daliegen sehen, halb nackt und blutverschmiert. Hektisch zog ich meine Jacke aus und als ich endlich bei ihm angekommen war, fiel ich auf die Knie und bedeckte seinen Oberkörper damit.

Ich spürte weder die Nässe noch die Kälte an meinen Beinen, die komplett mit Schnee bedeckt waren.

„Nelson, Alter! JETZT WACH VERDAMMT NOCHMAL AUF!" Energisch schüttelte Cormac seinen Bruder. Er beugte sich zu ihm herunter und hielt sein Ohr an seine Brust. Nach einigen Sekunden brach er zusammen und legte seinen Kopf auf die leblose Brust seines Bruders. „Fuck!" Erst flüsterte und dann schrie er dieses Wort. Immer und immer wieder. Und ich war wie versteinert. Ich starrte auf den kalten Körper meines Freundes und wusste nicht, was ich tun sollte. Ich konnte nicht mal mehr denken. Ich konnte nicht mal mehr sein. Alles Leben war aus mir herausgesaugt worden, als Cormac Nelsons Herzschlag suchte ... und ihn nicht fand.

Das konnte nicht wahr sein. Das hier war nicht echt. Nein, Cormac hatte sich geirrt. Verzweifelt nahm ich Nelsons eiskalte,

blaue Hände in meine und streichelte seine Wange. „Nelson, hey!"
Meine Stimme zitterte und meine Tränen fielen auf sein Gesicht.
„Wach auf, bitte wach auf! Verlass mich nicht …!"

Ich blickte in Cormacs Gesicht, in seine Augen, die eigentlich Nelson gehörten.

„Wir müssen ihn hier wegbringen. Die Direktorin ist hier. Er muss sich aufwärmen, wir müssen ihn ins Internat bringen. Dann wird es ihm besser gehen, da bin ich mir sicher …"

„Lily! Er ist tot! Nelson ist fort! Er hat es nicht geschafft …!" Er unterbrach mich. Ich hasste seine Stimme. Ich hasste die Worte, die aus seinem Mund kamen. Sie waren so brutal und das Allerschlimmste war: Sie waren wahr.

Nelson war tot.

„Nein …!", flüsterte ich, doch die Worte wurden von meinen Tränen verschluckt.

„Lily, du kannst nichts machen …" „Lass mich, Cormac! Fass mich nicht an! Es ist deine Schuld!" Jetzt schrie ich ihn an, prügelte auf ihn ein, spuckte ihm ins Gesicht. „Wegen dir ist dein Bruder tot!"

Irgendwann ließ ich von ihm ab, ich hatte keine Kraft mehr, auf ihn einzuschlagen. Ich beugte mich vor und klammerte mich mit allem, was ich hatte, an diesen Körper. Nie wieder würde ich ihn loslassen, nie wieder. So sehr ich hoffte, dass das hier nicht real war, Nelsons Hände blieben kalt.

Früher waren seine Hände nie kalt …

KAPITEL 40

Cormac

*E*s war der 1. Januar. Neujahr. Wieso er das wusste, wusste er nicht. Er wusste ja nicht einmal, wer diese fremde Person war, die er jeden Morgen im Spiegel sah. Er betrachtete diese äußert gruselige Kreatur jeden Morgen aufs Neue. Die Augenringe tiefer und dunkler denn je, die Haut trocken und grau schimmernd, die Augen leer. Eine rundum tote Gestalt.

Doch da waren noch diese zwei Narben, die krustigen, dunkelroten Schrammen. Sie befanden sich genau da hinten auf seinem Rücken. Sie bildeten ein X. Ein riesiges X prangte auf seinem Rücken. Und genau diese zwei Schrammen erinnerten ihn jeden Morgen daran, dass er keine tote Gestalt war. Ganz und gar nicht. Er lebte.

Im Gegensatz zu ihm lebte er und das war das Problem. Er war nicht mehr da.

Der Junge betrachtete das X auf seinem Rücken. Immer und immer wieder fuhr er die Narben mit dem Finger nach. Wenn er mehr Narben gehabt hätte, dann wäre er jetzt nicht hier. Zwei Narben waren schmerzhaft, aber viele kleine Narben – Hunderte vielleicht – waren tödlich.

Wortwörtlich.

Er hatte es gesehen, hatte hilflos danebengestanden, neben seinem Bruder.

Der Bruder, den er für so lange Zeit gemieden hatte, den er vielleicht sogar gehasst hatte. Und weswegen? Wegen diesem viel zu hellen Licht. Ein Licht, das er ausstrahlte und somit den Jungen in den Schatten stellte. Dieser verdammte Schatten. Jetzt war das Licht nicht mehr da, es war weg, wie ausgelöscht. Was würde er gerade dafür geben, von diesem überheblichen Licht seines Bruders geblendet zu werden. Denn ohne Licht gab es schließlich auch keinen Schatten. Mit seinem Bruder war er wenigstens noch etwas, wenn auch nur ein Schatten. Ohne ihn war er nichts. Nichts als eine rundum tote Gestalt, die in einem lebendigen Körper gefangen war.

Noch nie zuvor hatte er sich so gefühlt. So leer, so einsam.

Er war sich sicher: Noch nie zuvor hatte je irgendjemand sich so gefühlt. – Außer …

Vielleicht sie. Das Mädchen. Denn sie war dabei gewesen, sie hatte es genauso mitverfolgen müssen wie er. Und sie hatte seinen Bruder geliebt. Wirklich geliebt.

Eigentlich hielt er nicht viel von Liebe. Sie war eigentlich nur dazu da, Menschen zu zerstören und zu enttäuschen. Am Ende wurden sie doch alle enttäuscht. Doch sie und er am meisten, denn der, den sie liebten, war nun wirklich weg. Für immer.

Eine Träne tropfte ins Waschbecken. Und eine zweite. Und danach klirrte das Glas. Das Glas von dem Spiegel, in dem er das zurückgelassene Monster sah. Jeden Morgen.

Meine Schulter knallt gegen einen der Spinde, ich bemerke es jedoch nicht. Seit Tagen bemerke ich nichts. Ich höre nichts. Ich sehe nichts.

Nur ihn. Nelson. Er ist überall und das macht mich fertig. Die Person, die mich gerade angerempelt hat, ist wohl schon in Deckung gegangen, denn mit mir legt man sich nicht an. Alle wussten das. Doch ich bin nicht mehr dieser Junge, der die Schlägereien suchte. Ich war nur dieser Junge, weil ich nicht so sein wollte wie er. Nelson. Und jetzt will ich genau das, denn das ist das Einzige, wie ich ihm nah sein kann.

Mir wurde gesagt, es muss weitergehen. Mein Leben muss weitergehen.

Aber wie, verdammte Scheiße, geht das Leben weiter ohne das Leben? Ich habe meinen Bruder gehasst und geliebt. Zwischendurch wünschte ich mir, er wäre tot und andererseits war er mein Leben. Und heute … wie zur Hölle soll ich einfach weitermachen?

Eigentlich ist es seine Schuld. Ich muss mir jeden Morgen sagen, dass er selber schuld war. Denn wenn ich auch nur daran denke, dass ich schuld bin, dann zog sich alles in mir so sehr zusammen, dass ich nicht mehr atmen konnte.

Und so sehr ich es jeden Morgen versuche zu leugnen, zu unterdrücken, ich weiß ganz genau, was die Kreatur, die ich im Spiegel sehe, getan hat.

Nach dieser Nacht im Dezember wurde uns erklärt, wie es zu diesem schrecklichen Ereignis kam. Nelson hatte, in dem Moment, in dem er über die Schwelle des Portals trat, einen Fehler gemacht. Er hatte mich mit in eine Welt genommen, die nicht für mich bestimmt war. Für die ich nicht bestimmt war. Damit hatte er eine Regel gebrochen, für die er später bezahlen musste.

Sobald er als Herrscher von den Geschöpfen angesehen wurde, hatte er auch schon ihr Vertrauen gebrochen und wurde damit von ihnen zum Tode verurteilt.

Und ich bin auch noch so erbärmlich und gebe ihm die Schuld für seinen eigenen Tod, wenn es doch klar und deutlich auf der Hand liegt, dass ich der Grund war. Ich, weil ich meine Kindheitsfantasien ausleben wollte. Weil ich blind war durch das Verlangen nach Macht und Größe.

Jetzt habe ich diese Macht, diese Größe. Ich habe noch immer das X auf dem Rücken. Ich habe sogar die Möglichkeit, den Wald zu verlassen und wiederzukommen, wann immer ich will. Und ich habe ein Leben ohne meinen Bruder, ein endloses unsterbliches Leben vor mir, das ich für immer alleine verbringen werde. Für immer ist übrigens eine verdammt lange Zeit, wenn man sich das mal so überlegt.

Die Schulflure sind wie jeden Morgen total überfüllt, ich weiß selber nicht, wieso ich hier bin. Wahrscheinlich, weil er hier wäre. Er wäre in der Bibliothek, in den Hängematten zwischen den Kirschbäumen. Immer ein Buch in der Hand.

Er wäre bei ihr. Und ich will auch bei ihr sein, nicht, weil er bei ihr wäre, aber weil ich nichts mehr will als das.

Eine weitere Sache, die ich verbockt habe. Sie hasst mich und ich kann es ihr nicht mal verübeln. Sie hat ihn geliebt, sie liebt ihn immer noch und jetzt ist auch sie alleine. Seit der Nacht im Dezember haben wir nicht mehr miteinander geredet, aber ich weiß, was auf sie zukommen wird und ich bin mir sicher, Lily weiß es auch.

Als ich weitergehe, gucke ich auf den Boden. Ich will nicht, dass jemand in die Augen eines Monsters sieht. Ich weiß nicht mal, in welchem Raum ich gleich Unterricht habe. Ich halte seinen Stundenplan in der Hand; er hätte Englisch. Also Englisch.

Doch bevor ich rechts abbiegen kann, sehe ich links in einem der Seitengänge ein blondes Mädchen sitzen. Nein, *das* blonde Mädchen. Lily sitzt in *dem* Seitengang, in dem sie und Nelson sich das erste Mal geküsst haben. Sie weint. Und wenn ich jetzt nicht hingehe, dann bin ich selber schuld, also drehe ich mich abrupt um und remple dabei noch mindestens vier weitere Schüler an.

Ich habe Angst vor einem Gespräch mit ihr, aber was habe ich schon zu verlieren, wenn ich gar nichts mehr habe?!

KAPITEL 41

Lily

Mit einem Finger fuhr sie die beiden Buchstaben nach, die in die kalte und harte Mauer geritzt waren. Wenn sie gewusst hätte, wie das mit ihnen enden würde, hätte sie es dann gelassen? Hätte sie sich nicht Hals über Kopf in diesen unverschämt gut aussehenden Jungen mit dem schiefen Grinsen und den Spinnweben im Haar verliebt? Nein …

Immer und immer wieder strichen ihre Finger abwechselnd über die Einkerbungen in der Mauer. So schön, so romantisch. Wie könnte man zu so einer Liebe Nein sagen?

Ihre Haut kribbelte, als sie sich daran erinnerte. Gedankenverloren berührte sie ihre Lippen und ihre Wange, ihren Hals, ihre Stirn, ihre Handfläche. Überall hat er ein Stück von sich zurückgelassen, an ihr.

Aber vor allem kribbelte ihr Herz, auch da berührte sie sich, um ihn ein letztes Mal zu spüren. Genauso muss sich das Verliebtsein anfühlen; dieses Kribbeln, das Anhalten der Zeit, die eingeritzten, für immer anhaltenden Symbole an der Wand. Sie erinnerte sich an all die wunderschönen Erfahrungen: Die Sommernächte auf dem Hügel zwischen den Kirschbäumen, als sie sich eine Decke teilten. Das Schlittschuhlaufen.

Sie lachte. Für einen kurzen Moment war sie glücklich, denn so musste sich das Verliebtsein anfühlen. Noch immer ruhte ihre eine Hand auf ihrer Brust. Auf der Stelle, die so stark kribbelte. Bis sie die Schmerzen spürte, bis ihr auffiel, wie unerträglich schmerzhaft dieses Kribbeln war. Ein endloses Andenken an ihn. Und dass er weg war. Wirklich. Für immer.

Sie musste endlich aufwachen, diese krampfhafte Leugnung, diese Verweigerung der Wahrheit, all das musste aufhören. Sie träumte von Erinnerungen, weil sie in der Vergangenheit leben wollte. Doch jedes Mal, wenn sie aufwachte, jedes Mal, wenn sie in die Gegenwart zurückkehrte, konnte sie spüren, wie das Kribbeln zu Schmerzen wurde. Schmerzen, die nicht auszuhalten waren, wenn man nicht endlich loslässt.

Loslassen …

Wie soll man die letzte Person, die einen festhält, loslassen, ohne zu fallen?

Gar nicht. Es ging nicht, das wusste sie. Wenn sie ihn losließ, dann würde sie fallen. Und sie wusste nicht wie tief. Niemand würde da sein.

Sie konnte nicht loslassen. Denn gab es etwas Schlimmeres, als nie wieder seine Hand zu halten, nie wieder in seine Augen zu schauen?

Ja … Denn sie schaute jeden endlosen Tag in diese Augen, nur dass es nicht seine waren, sondern die schwarze, tote, aber dennoch lebendige Kopie. Der Bruder.

Der Grund, wieso sie seine Hand nie wieder in ihrer halten konnte. Wieso das Kribbeln zu Schmerzen wurde. Wieso sie auf einmal fiel.

Wie sollte sie denn loslassen, wenn sie jeden Tag die schwarze Kopie von dem Jungen sah, den sie versuchte zu vergessen?

„*Du kannst nicht für immer traurig sein.*" Das hatte er zu mir gesagt. Und: „*Ab jetzt wirst du nie wieder alleine sein.*" „*Du bist stark!*" „*Ich bin bei dir.*"

… Egal, was er gesagt hat, er hatte jedes verdammte Mal gelogen. Jedes Mal. Soll ich ihn dafür hassen? Weil er Versprechen machte, die er nicht halten konnte? Auf jeden Fall! Und jedes Mal, wenn ich dann darüber nachdenke, wird mir bewusst, dass er nichts dafürkonnte.

Nelson wollte nicht sterben. Sein Bruder hat ihn getötet und das sage ich nicht, weil ich ihn hasse. Ich sage es, weil es stimmt. Ich sage es mir jeden Morgen und jeden Abend, damit ich nicht auf die Idee komme, mir selbst die Schuld zu geben. Denn dann würde ich zerbrechen.

Der Seitengang ist nicht wirklich beleuchtet. Alle paar Minuten kommt ein Schüler vorbei, doch wegen der dunklen Leere in diesem Gang nimmt niemand das kleine Häufchen Elend wahr, das in der Ecke sitzt und nicht loslassen kann. Ich habe nicht viel, worüber ich nachdenken kann, denn jedes Mal, wenn ich an ihn denke, dann breche ich ein weiteres Mal in Tränen aus, was mich nur noch leerer und ausgetrockneter aussehen lässt.

Und jedes Mal, wenn ich nicht an ihn denke, dann breche ich in Tränen aus, weil ich mich dafür hasse, dass ich ihn vergessen habe. Wenn auch nur für einen kleinen Moment. Wenn ich ihn jetzt schon vergesse, wer denkt dann noch an ihn? Sein Bruder bestimmt nicht. Diese Kreatur, dieses Monster. Die schwarzen Augen und das bösartige Grinsen, ich kann es genau sehen. Jedes Mal, wenn ich an die Nacht im Dezember zurückdenke, sehe ich sein Gesicht. Und jetzt sehe ich es auch. Ich muss zweimal blinzeln, bis ich feststelle, dass ich nicht mehr in meiner Fantasie von ihm verfolgt werde, sondern dass er direkt vor mir steht. In echt. Cormac … Er sieht wirklich aus wie ein Monster.

Ohne auch nur eine Miene zu verziehen, packe ich meine Tasche und meine Jacke und will so schnell es geht verschwinden. Ich will nicht *ein* Wort mit ihm reden. Als ich an der Glastür ankomme, höre ich seine Stimme. Kratzig und rau hallt sie durch den schmalen, dunklen Flur, der mit jeder Sekunde schmaler und enger wird: „Warte!"

Ich weiß nicht, wieso ich stehen bleibe und innehalte. Ich könnte auch einfach weitergehen und ihn ignorieren, aber aus irgendeinem bescheuerten Grund stehe ich jetzt wie angewurzelt da und wische mir die Tränen von den Wangen.

Als ich mich umdrehe, steht er direkt vor mir. Ohne zu bemerken, was ich hier mache, schlage ich ihm mit der flachen Hand ins Gesicht. Er zuckt nicht einmal. Schnell ziehe ich meine Hand zurück. Ich muss hier weg. Ich kann nicht eine Sekunde länger in diese Augen gucken. Diese unfassbar glasigen und unfassbar bekannten Augen. Ich sehe, wie ihm eine Träne die Wange herunterläuft.

„Es tut mir leid", flüstert er so leise, dass ich ihn fast nicht verstehe. Ohne auch nur eine Reaktion zu zeigen, drehe ich mich wieder um und gehe davon. Langsam.

„Du kannst nicht davor weglaufen, Lily! Denn auch, wenn du es dir so sehr wünschst, dies ist unmöglich das Ende." Seine Stimme lässt mich ein weiteres Mal herumfahren. Er steht wieder direkt hinter mir und beugt sich über meine Schulter, um seine letzten Worte zu hauchen: „Du hast keine Wahl …"

Ich schaue ihn ein letztes Mal an. Diese Augen.

*S*chreie ...
Sie gehören dem Monster. Dem Monster in mir.
Schreie, die rufen nach allem, aber vor allem nach dir.
Wie konntest du das tun? Mir so etwas antun?
Für einen Moment ließ ich einfach alles ruhn', selbst das Monster.
Und in dem Moment ... gegangen. Genau in diesem verdammt kleinen Moment ausgerechnet, wolltest du verschwinden.
Jetzt, wo du weg bist, spüre ich nichts als dieses viel zu große Verlangen, dich bei mir zu haben und wiederzufinden.
Ich spüre nichts als ohrenbetäubende Stille. Viel zu laut, um sie zu ertragen.
Diese laute, verzweifelnde, unwiderruflich schrille ...
... Einsamkeit, die ich spüre, weil ich hier nur noch alleine liege.
Alleine, jetzt, wie konnte ich nur so versagen?
Allein mit meinem Monster.
Das Monster in mir. Es schreit nach allem, aber vor allem nach dir.
Komm wieder!
Das Monster zerstört mich, trampelt mich nieder.
Kannst du das nicht sehen?
Fang verdammt noch mal an, mich endlich zu verstehen!
Du kannst mich nicht verlassen, dich umdrehen und dann für immer gehen.
Gehen, ohne zurückzukommen. Gehen, ohne Tschüss zu sagen.
Egal, was du tust, du hinterlässt Wunden. Und Wunden hinterlassen Narben.
Was willst du jetzt von mir? Was soll ich machen?
Du würdest mich zwingen, weiterzuleben und zu lachen.
Lachen ...
Wie − lachen ohne Grund?
Meine Augen sind schon wund, durch das Salz in meinen Tränen.
Tränen, weil du dachtest, du könntest einfach gehen. Gehen, ohne Tschüss zu sagen.

Und du willst, dass ich lache … Dass ich nicht lache …

Ich will nicht lachen, ich will dich jagen, bis ans Ende der Welt … verfolgen.

Liebe, diese beschissen ironische Sache.

Mein Monster schreit; ich soll dich hassen.

Und du bist schuld, dass ich auf mein Monster höre, denn du bist der Grund.

Du hast mich verlassen.

Das Monster in mir ist das Einzige, was mir noch bleibt.

Ich, eine leblose Gestalt, die nur lebt wegen Neid und Einsamkeit.

Neid auf dich, denn du hast es geschafft.

Du musst das hier nicht mehr ertragen.

Doch du hast nicht mitgedacht. Du hast nicht an mich gedacht.

Denn ich bin noch hier an guten und an schlechten Tagen.

Allein.

Allein mit dem Monster in mir. Das Monster, das nach allem schreit, aber vor allem nach dir.

Es begleitet mich, das Monster.

Egal, wo ich bin, es steht hier, direkt neben mir.

Du bist das Monster …

Die Autorin

Lilli Dorgerloh wurde 2003 in Gütersloh geboren
und lebt zusammen mit ihren Eltern und ihren zwei
kleineren Schwestern in der westfälischen Stadt
Harsewinkel.
Schon als Kind interessierte Lilli sich für die Schau-
spielerei und für Fantasy-Romane. Die Idee ihres
ersten eigenen Buchprojekts „Thornforest – Trage
meine Liebe" entstand während eines Urlaubs in
Schweden. So oft es geht, reist die Schülerin nach
Skandinavien, um Inspirationen für ihre Geschichten zu sammeln.

Der Verlag

*Wer aufhört
besser zu werden,
hat aufgehört
gut zu sein!*

Basierend auf diesem Motto ist es dem novum Verlag
ein Anliegen neue Manuskripte aufzuspüren, zu ver-
öffentlichen und deren Autoren langfristig zu fördern.
Mittlerweile gilt der 1997 gegründete und mehrfach
prämierte Verlag als Spezialist für Neuautoren in
Deutschland, Österreich und der Schweiz.

**Für jedes neue Manuskript wird innerhalb
weniger Wochen eine kostenfreie, unverbind-
liche Lektorats-Prüfung erstellt.**

Weitere Informationen zum Verlag und
seinen Büchern finden Sie im Internet unter:

www.novumverlag.com